W9-BXY-656

LA SUSPECTE

Après des études de droit des affaires à l'Université de Chicago, Gini Hartzmark a collaboré à plusieurs ouvrages d'économie et de management. *Le Prédateur* fut son premier roman, et le succès obtenu aux États-Unis a incité Gini Hartzmark à imaginer d'autres aventures avec la même héroïne dans *La Suspecte* et *La Sale Affaire*.

GINI HARTZMARK

La Suspecte

ROMAN TRADUIT DE L'AMÉRICAIN PAR JULIETTE HOFFENBERG

GRASSET

Titre original :

FINAL OPTION
Ballantine Books, New York, 1994

Pour Sam, Jonathan et JoAnna

REMERCIEMENTS

Je suis très reconnaissante à tous les gens fort occupés qui m'ont généreusement donné de leur temps et aidée dans mes recherches pour ce livre. Mark Kollar de Knight-Ridder Financial News m'a fait profiter de son expérience et m'a donné une vue d'ensemble de l'univers de la Bourse à terme, ainsi que Roger Rutz et Thom Thomson à la Bourse de Chicago. Jim Porter du Chicago Research & Trading Group, ltd., très aimablement, a accepté de me parler de l'alchimie particulière de sa société.

Merci aussi à mes amis Dr. Mike Rocco, Rick Cooper, Chuck Zellmer, Ruth Berggren, Larry Barker, Michael Bader, Emmeline Diller, et Scott et Jody Schumann qui m'ont donné des avis techniques soit autour d'une table soit dans le jardin et un très grand merci à Nancy Love ; Leon Danco ; Jan Harayda ; mon éditeur, Susan Randol ; mon amie, Ann Rocco ; et tout spécialement à mon mari Michael pour son soutien sans faille.

Et puisque je remercie toutes ces personnes pour leur compétence et leur aide, je leur demande aussi de me pardonner toutes les erreurs que j'ai pu commettre.

CHAPITRE 1

Depuis notre première entrevue, Bart Hexter n'avait cessé de me jouer des tours. Cette matinée ne faisait pas exception, ajoutant une contrariété de plus à ma liste déjà longue. Hexter était mon client, un financier légendaire à Chicago, trader en produits dérivés — le genre de businessman inoxydable dont cette ville de gros bras semble faire une spécialité. Flamboyant, tonitruant, il cultivait le goût du risque et méritait son surnom de Black Bart autant par son mauvais caractère que par ses cheveux de jais.

Avec ça, une carrure d'homme d'État. C'était un rassembleur, et le porte-parole inspiré de sa corporation. Au côté de son épouse Pamela, il se distinguait dans des œuvres philanthropiques et le couple présentait au monde envieux de leur succès l'exemple d'un mariage solide, d'une famille unie, et d'un dévouement sans faille à la collectivité.

Toutefois, il y en avait pour inciter à se méfier de l'aura patricienne du personnage. Sur les marchés dérivés, insistait-on, la rapacité, la ruse et l'agressivité pure et simple comptaient comme des qualités. Et il fallait bien avouer que dans le dernier quart de siècle Bart Hexter était devenu le meilleur — ou le pire — à ce petit jeu.

Depuis peu, Hexter et sa société de courtage, Hexter Commodities, étaient la cible d'une enquête du gouvernement. Les gros calibres comme lui faisaient régulièrement l'objet d'un contrôle, et en tant que son avocate, je ne m'inquiétais pas outre mesure. Quant à Hexter, le moins qu'on puisse dire, c'est qu'il n'en avait cure. Voilà des semaines que je lui réclamais copie des pièces du dossier, de ses relevés et avis d'opéré, pour pouvoir répondre aux charges du gouvernement. Il me restait à peine cinq jours, et Bart Hexter n'avait pas produit le moindre confetti.

Je n'étais pas contente.

Nous avions pris nombre de rendez-vous pour en discuter, qu'Hexter avait décommandés les uns après les autres — en général au dernier moment, sous divers prétextes : emploi du temps surchargé, erreur de la secrétaire, marchés houleux, ou encore partie de poker urgente. Le dernier en date, prévu à 16 heures le vendredi, avait été annulé sans un mot d'explication. Furieuse, j'avais appelé Hexter pour le rencontrer le week-end. Il s'était vengé en me fixant rendez-vous au dimanche matin 8 heures, sa seule disponibilité.

C'est ainsi que je me retrouvai, non point confortablement au lit avec le *New York Times*, à l'épaisseur rassurante, mais derrière mon volant, le long des chantiers d'Edens Expressway. Au moins, me consolai-je, Bart Hexter n'allait pas m'échapper ce coup-ci.

Mon client habitait un domaine de Lake Forest, propriété de la famille de sa femme depuis quatre générations. Il vivait dans le luxe, avec la jouissance sans complexe des biens matériels que seule procure une jeunesse nécessiteuse. Hexter avait grandi dans la pauvreté, même comparé aux ouvriers, dans le quartier irlandais de Bridgeport au sud de Chicago. Son père était matelot sur un cargo à grains qui faisait le commerce des Grands Lacs. Mauvais mari, joueur impénitent, il ne rentrait dans ses foyers qu'à court de veine ou d'argent. La mère était une créature pâle et pieuse qui portait comme une croix l'abjection de son époux. Elle éleva ses fils, Bart et son cadet Billy, à doses égales de discipline et de religion.

Ayant survécu au collège Ste-Bernadette et à trois ans de service militaire en Corée, Hexter se trouva un job de commis à la Bourse. Il ne s'investit pas trop les premiers temps, il finissait tôt et avait tout loisir de jouer au poker — pour lequel il s'était découvert du goût et du talent à l'armée. Les week-ends, il lui arrivait de boucher les trous en jouant de la trompette dans l'orchestre d'un copain, et c'est ainsi que son chemin croisa celui de miss Pamela Worley Manderson, de Lake Forest.

La fille unique, couvée et complexée, de Letitia et Sterling Manderson, héritière d'une fortune faite dans l'emballage des viandes, ne fut pas insensible au profil byronien ni aux yeux de braise du jeune Irlandais. Leur mariage six mois plus tard fut le scandale de l'année. On imaginait les larmes, les suppliques, les chantages à la fuite ou à l'éloignement qu'il avait fallu prodiguer pour extorquer leur consentement aux parents de Pamela.

Malgré le scandale, ou peut-être grâce à lui, les Manderson convièrent le jeune couple à s'installer sur leur propriété et leur construisirent une maison derrière les hautes futaies du domaine. Dès qu'elle fut terminée, Bart Hexter l'hypothéqua et utilisa l'argent pour s'acheter un siège à la Bourse de Chicago.

En moins de deux ans, avec un bébé d'un an et une petite fille en route, Hexter remboursa l'emprunt et fit raser la maison qu'il avait reçue en cadeau de mariage. À la place, il érigea une nouvelle demeure, cette fois dans le style Tudor de celle des beaux-parents, simplement quatre fois plus grande. Quand la construction prit fin, elle écrasait la belle maison d'enfance de Pamela, littéralement tapie dans son ombre.

La route jusqu'à Lake Forest depuis chez moi est une succession déprimante de voies rapides — Dan Ryan, Kennedy, Edens — qui se fondent l'une dans l'autre et drainent quotidiennement les banlieusards. Une fois passé les chantiers hétéroclites du côté de Wrigley Field, puis les pavillons proprets de Skokie, un *no man's land* étrange vous attend. Les terres ont été prises dans l'asphalte et transformées en parkings ; çà et là des immeubles de bureau aérodynamiques germent comme des champignons vénéneux sur la plaine déserte.

Mais il suffit de quitter l'autoroute et de tourner sur la 41 pour se retrouver à la campagne aussi brusquement qu'on allumerait la lumière — du moins cette version coûteuse et manucurée de la campagne qui sévit dans les environs luxuriants du nord de Chicago. Des ormes centenaires se rejoignent au-dessus de la route en un dais feuillu et sombre. Au loin, on perçoit le ronronnement des tondeuses sur les vastes pelouses, et pour un peu, on entendrait l'impact discret des balles de golf qu'on tape derrière les rideaux d'arbres.

Le temps était particulièrement chaud pour avril. J'ai baissé ma vitre : l'air respirait l'humidité et la richesse du printemps en marche. J'ai obliqué sur Deerpath et poursuivi ma route feutrée au cœur de ce havre de calme et de privilège qu'est Lake Forest. Sur ma droite, j'ai laissé les bâtiments municipaux, implantés loin de la route comme un petit campus, puis les trois cents mètres de boutiques écœurantes de bon goût et atrocement chères qui forment le centre commercial. J'ai traversé la voie ferrée — la gare est si bien léchée qu'on croirait un jouet — et pris à droite sur Parkland Avenue. Au bout de quelques minutes, j'ai ralenti pour ne pas rater les deux piliers de brique rose qui marquent l'entrée de la résidence Manderson.

La secrétaire d'Hexter m'avait faxé les indications ainsi qu'un plan soigneusement détaillé pour me rendre chez le grand homme, mais j'avais tout laissé au bureau. Je n'en avais pas besoin. J'avais grandi à moins d'un kilomètre de là.

Je trouvai facilement le portail et m'engageai sur une voie privée, fraîchement pavée et sinueuse à souhait. Dans mon souvenir, la maison était logée en retrait, au cœur d'un parc considéré (même pour les résidents de Lake Forest) comme grandiose.

Je sortais du premier tournant quand j'avisai une voiture le nez dans le fossé à quelque distance du chemin. Un dernier soupir s'exhalait du pot d'échappement. Je ralentis et m'arrêtai.

La voiture d'Hexter était connue de tous : une Rolls Royce Phantom commande spéciale, noire avec un toit blanc, immatriculée en toute simplicité BART. Mais que faisait-elle dans les buissons, les roues arrière absurdement perchées sur le talus, l'avant butant contre un jeune bouleau ? Je sortis de voiture et descendis en pente douce sur la terre spongieuse.

*
* *

Si nous avions rendez-vous ce matin, on ne peut pas dire que Bart Hexter s'était habillé pour la circonstance. Il m'attendait derrière le volant de sa Rolls, vêtu d'un pyjama de soie rouge. La vitre côté conducteur était grande ouverte ; je l'appelai doucement par son nom. Je ne m'attendais pas à ce qu'il réponde. De près, les dégâts étaient visibles : il avait reçu deux balles dans la tête.

Le coup l'avait renversé sur le siège de droite où il s'affalait de biais, de sorte qu'un œil levé vers moi me considérait avec un mélange inquiétant de stupeur et d'appréhension. Sous sa tempe droite, un trou rouge et précis surmontait une blessure plus large et déchiquetée. Ses bras inertes, l'un jeté derrière la tête, l'autre qui pendait de la banquette, imprimaient à son cou une torsion qu'un vivant n'aurait pas supportée sans effort.

Au-delà du corps, la portière du passager était pénible à voir. L'intérieur de cuir blanc était éclaboussé de sang et constellé de ce qui m'apparut comme des fragments d'os et de cervelle. Par endroits, des cheveux très noirs s'y étaient englués. Ce noiraud d'Irlandais, me rappelai-je dans un frisson, le souffle coupé. C'est ainsi que ma mère décrivait Hexter, d'un ton qui semblait sous-entendre que c'en était la pire variété. Le journal du matin, imbibé de part en part, reposait près de sa tête.

Je ne sais combien de temps je suis restée à contempler le corps, hypnotisée par ces images. Un flot d'émotions confuses me paralysait : la peur, la répulsion, et le pur choc avec son flash d'adrénaline. Mais sous la surface, je sentais un abîme de curiosité détachée. Un drame s'était joué jusqu'à son dénouement sanglant. Une partie de moi-même voulait comprendre comment Bart Hexter en était arrivé là — exécuté sur ses propres terres.

Quand j'entendis les hurlements des sirènes de police, les voitures étaient déjà sur moi, dans le crissement des pneus et l'éclair des gyrophares — deux voitures de police, une ambulance, et une voiture blanche banalisée. Je me suis pétrifiée comme un cerf aveuglé par les phares. Comme le véhicule d'Hexter était invisible depuis la route, je me suis demandé qui les avait prévenus.

« Éloignez-vous de la voiture », aboya un porte-voix tandis que toutes les portières claquaient. Une bande de policiers déferla, revolver au poing. « Les mains en l'air ! » Saisie, je regardai par-dessus mon épaule avant de comprendre que cet ordre s'adressait à moi. Un flic m'a alpaguée et ce n'est pas avant de m'avoir immobilisée contre le capot et fouillée qu'ils ont commencé à me poser des questions.

— Qui êtes-vous ? cria un sergent râblé, d'une voix rendue aiguë par la tension.

— Kate Millholland.

— Qu'est-ce que vous faites là ?

— J'avais rendez-vous avec Mr. Hexter, balbutiai-je.

— Quel genre de rendez-vous ?

— Un rendez-vous d'affaires. En arrivant, j'ai vu que sa voiture avait quitté la route. Je suis allée voir ce qui se passait. Il est... on l'a... on lui a tiré dessus.

— Il est mort ?

— Je crois, oui.

Je ne contrôlais plus ma voix ni mon élocution. Je parlais par monosyllabes, à peine plus haut qu'un chuchotement.

— À quelle heure êtes-vous arrivée ?

— Je ne sais pas, j'avais rendez-vous à 8 heures. Je devais être un peu en avance...

Je regardai ma montre qui marquait presque 8 heures et quart.

— Je vais vous demander de me suivre.

J'acquiesçai sans un mot et me laissai escorter jusqu'à l'une des voitures de police pour l'interrogatoire. Je vis du coin de l'œil un homme roux sortir de la voiture blanche et se diriger sans se presser vers la Rolls. Son attitude décontractée contrastait avec l'énergie crispée de l'officier de police à mes côtés. Il me tint la portière et je me glissai sur la banquette arrière. C'était une Caprice, bien trop propre et neuve pour être vraie, pas comme les guimbardes bleu et blanc de la police de Chicago, qui rebondissent sur les nids-de-poule dans les rues de mon quartier. Un écran métallique me séparait de l'avant, et d'une seconde à l'autre je me retrouvai seule avec le grésillement de la radio de bord. Je vérifiai les portières : j'étais enfermée.

Le choc, décidai-je après quelques minutes contemplatives, m'avait ôté tous mes moyens. Il est certes déconcertant d'arriver à l'heure chez un client pour le trouver mort. Mais je n'avais même pas eu la présence d'esprit de me demander qui l'avait tué, s'il y avait un coupable. Je restais songeuse, à réfléchir aux implications de la chose. Pourquoi avais-je automatiquement déduit que quelqu'un d'autre avait appuyé sur la détente, quand le suicide était plus probable ?

Sur le marché à terme, les profits sont quasiment sacrilèges, mais plus dure est la chute. S'il s'était tué, raisonnai-je sombrement, Bart Hexter n'aurait pas été le premier trader à cheval sur une bombe à retardement : plutôt bouffer une balle que sauter.

J'attendis presque une heure, sentant grandir mon impatience, ma fureur, et pour finir mon ennui, coincée dans cette voiture. Un rouquin d'une bonne quarantaine d'années dans un costume bleu électrique finit par m'ouvrir. Il avait un corps épais, à la limite du gros, et tapota le capot de ses doigts carrés tandis que je m'extirpais.

« Inspecteur Ruskowski », s'annonça-t-il sans me tendre la main. Je lui donnais 1,80 m ou presque. Nous étions les yeux dans les yeux. Des rides creusaient son visage semé de taches de son, et ses cheveux gingembre étaient mouchetés de gris. À la réflexion, il devait être plus vieux, ou il avait eu la vie dure.

— V'z'êtes Kate Millholland ?

— Oui.

— Un rapport avec les Millholland de Jessup Road ?

— Mes parents.

J'attendais une autre question, qui ne vint pas. Aucun de nous deux ne parlait. Le silence dura assez longtemps pour me taper sur les nerfs.

— Vous pouvez peut-être m'expliquer ce qui se passe ? demandai-je en évitant de mon mieux le mode agressif.

— J'attendais que vous me le disiez, fit-il d'une voix égale.

— J'avais rendez-vous ce matin avec Bart Hexter. Quand je suis entrée dans la propriété, j'ai vu sa voiture qui avait versé dans le fossé. Je me suis arrêtée pour voir ce qui se passait. Je l'ai trouvé derrière le volant. Il était en pyjama. On lui avait tiré dessus. Je crois bien qu'il est mort.

— Il l'était la dernière fois que je l'ai examiné, en tout cas.

Ruskowski sortit un carnet de la poche de son veston et se mit à le feuilleter. Nous étions plantés là, les anges passaient et la gêne s'épaississait à chaque seconde. J'étais agacée. Je croyais que les flics devaient poser des questions. Peut-être espérait-il qu'en attendant indéfiniment, il provoquerait une intervention de ma part — des aveux, pourquoi pas ?

— S'agit-il d'un suicide ? demandai-je, mettant fin à ce petit jeu.

— Ce serait votre théorie ?

— Ma théorie était de le trouver vivant au rendez-vous, répliquai-je.

— Quel était l'objet de votre visite ?

— De parler affaires.

— Quel genre d'affaires ?

— Mr. Hexter dirigeait une société de courtage, expliquai-je, consternée de voir à quelle vitesse je parlais de lui au passé. La CFTC, c'est-à-dire la Commission de contrôle du marché à terme, envisage de porter plainte contre lui et sa société pour avoir excédé ses limites sur le marché du soja, en mars et avril de l'année dernière.

— Est-ce suffisant pour mettre fin à ses jours ?

— Je ne pense pas. Cela ne relève même pas du droit pénal.

Je me rappelai la fois où Hexter avait traité de « PV » une amende du gouvernement de 25 000 dollars.

— Quand êtes-vous convenue de ce rendez-vous avec lui ?

— Vendredi en fin d'après-midi.

— Qui d'autre était au courant ?

— Je n'en sais rien. Sa secrétaire. Ma secrétaire. Sa femme, j'imagine, puisqu'on se voyait chez lui...

— Connaissez-vous Mrs. Hexter ? interrompit Ruskowski.

— Oui.

— Vous êtes en bons termes ?

— Pas vraiment. Elle est plutôt de la génération de mes parents.

— Êtes-vous en possession d'une arme ?

— Non, mentis-je.

— Depuis combien de temps connaissiez-vous Bart Hexter ?

— C'était mon client depuis l'année dernière.

— Vous ne l'aviez jamais rencontré avant, en société ?

— J'en avais entendu parler, bien sûr. Je l'apercevais dans des cocktails. Mais j'ai fait sa connaissance pour de bon au printemps dernier. Il venait de se séparer de son avocat et cherchait quelqu'un d'autre.

— Et c'est vous qui avez obtenu le mandat.

— Oui.

— Pourquoi vous a-t-il choisie ?

Quelque chose dans l'intonation de Ruskowski et la façon dont il me toisa du regard me hérissa.

— Il pensait certainement que j'étais la plus qualifiée, dis-je platement.

— C'était la seule raison ? continua-t-il.

— Je ne souhaite pas m'écarter du sujet, coupai-je sèchement.

— Miss Millholland, gronda Ruskowski, je suis inspecteur de police et je vous trouve sur le lieu du crime. En d'autres termes, sur ce petit arpent de terre, c'est moi qui commande. Je pose les questions et vous êtes priée de répondre. Je n'ai pas à me justifier, ni à prendre en considération vos états d'âme ou votre réputation. Je suis ici pour faire mon boulot, qui consiste aujourd'hui à trouver quel est le dingue qui a flingué Bart Hexter. Maintenant si vous n'appréciez pas mes questions, je me ferai une joie de vous emmener au poste où vous pourrez toujours attendre que j'aie l'occasion de venir vous reparler.

Mon humeur déborda comme une soupe au lait, au mépris de mon jugement :

— Quel pied, ce job de petit chef qui vous permet de vous exciter en public !

Cette fois, le silence dura si longtemps que j'eus la vision du commissariat de police de Lake Forest, dont j'allais goûter l'hospitalité le restant de la journée, pour délit de grande gueule.

— Suivez-moi, ordonna Ruskowski.

Il tourna les talons et partit d'un pas vif dans la direction du fossé. Je m'exécutai, trébuchant pour le rattraper le long de la pente qui menait au véhicule accidenté. Déjà, les arbres étaient tendus de bandes jaunes interdisant l'accès, et une flopée de policiers s'agitaient autour de ce périmètre.

Je chancelai à l'approche de la voiture, anticipant ce que Ruskowski me réservait. Une chose était de tomber sur un cadavre à l'improviste, une autre d'y retourner voir à deux fois.

— Vous croyez qu'il s'est tué ? hasardai-je en me baissant pour passer sous les bandes jaunes.

— Tout ce que j'ai pour l'instant, rétorqua l'inspecteur, c'est un macchabée dans une voiture de luxe.

CHAPITRE 2

De tout temps ma mère avait tranché : la maison de Bart Hexter était la plus vilaine de Lake Forest. Je n'avais jamais pénétré à l'intérieur, mais ce genre de décrets se révélaient à l'usage d'une exactitude mordante. Il paraît que c'était la copie d'un célèbre manoir anglais. Arrivant à pied, flanquée de deux policiers, je ne voyais qu'une bâtisse énorme et rébarbative. La voie privée serpentait longuement pour s'évaser en un vaste cercle devant la façade. En son centre se dressait une fontaine de marbre tarabiscotée, où dauphins et chevaux de mer entrelacés crachaient leurs jets d'eau dans le pâle soleil d'avril.

La police s'était approprié une pièce sombre et glaciale donnant sur le vestibule. On aurait pu tenir debout dans la cheminée de pierre ; des poutres de chêne noir soulignaient le haut plafond. Mobilier de bois sculpté style Renaissance, sièges recouverts de bordeaux et de noir, imposante tapisserie si usée qu'elle devait être authentique : c'est dans ce décor vaguement inquisitorial que l'inspecteur Ruskowski prit ma déposition officielle.

Il me cuisina dans les moindres détails. Chacune de mes rencontres avec le disparu fut inventoriée, ainsi que mes impressions sur la personne comme sur l'homme d'affaires, pour finir par le récit minute par minute des dernières vingt-quatre heures. Ruskowski ne se départit à aucun moment de son attitude belligérante et soupçonneuse, ce qui me donna à penser que les flics plus encore que les avocats s'attendent à un monde où le mensonge est la règle.

À la suite de quoi, il me remit à une jeune laborantine qui me tamponna les mains avec zèle en vue d'un test radioactif. Il s'agissait de détecter la présence de baryum et d'antimoine, deux substances que peut dégager le coup de feu. Puis, avec la sensation déplaisante de jouer dans un mauvais téléfilm, j'eus droit au relevé de mes empreintes digitales.

Une fois terminé avec la police, j'allai me laver les mains dans un cabinet de toilette. Là, dans une vasque de lavabo peinte à la main, je récurai l'encre et les produits qui me poissaient les doigts. J'allai pour prendre la serviette quand j'ai vu trois carrés de lin monogrammés, de ceux qu'on offre en cadeau de mariage. Mes mains se sont arrêtées à mi-course, dégoulinant sur le carrelage.

J'ai toute une vie empaquetée dans des cartons : un service en porcelaine de vingt-quatre couverts, des flûtes à champagne en cristal et des coupes en verre du Rhin. J'ai du linge de table, des gadgets pour la cuisine, des cadres, des plateaux en argent et des serviettes brodées aux initiales qui furent miennes quelques semaines.

Car je me suis mariée, il n'y a pas si longtemps. Russell et moi nous sommes rencontrés au cours de nos études de droit. On s'éreintait le jour lors des exercices de plaidoirie, et de nouveau (sur un mode très différent) la nuit, sur son matelas à ressort. Il était tout ce que je ne suis pas : sûr de lui, arrivé à la force du poignet. Il passait à travers tout — examens, entrevues professionnelles, présentation à mes parents — le pied sur l'accélérateur. Nous nous sommes mariés l'été qui suivit l'obtention du certificat, et sommes partis en Crète en voyage de noces. Nous avons fait du bateau, bronzé, veillé le soir à la terrasse des cafés, à siroter du retsina. Penchés l'un contre l'autre à la lumière des lampes à pétrole, nous chuchotions des projets d'avenir.

De retour à Chicago, nous avons démarré dans la vie active. Je suis entrée comme collaboratrice au cabinet Callahan Ross, Russell comme assistant auprès de la juge de cour d'appel, Myron Wertz. Nous étions trop pris pour nous occuper de cette légère claudication qu'il avait rapportée de Grèce. Le bon sens portait à croire que ce n'était rien — une ancienne blessure des jours de football qui refaisait surface — mais à force, Russell se résolut à consulter. Six mois après notre union, on lui diagnostiquait une tumeur au cerveau. J'étais veuve avant notre premier anniversaire de mariage.

C'était il y a trois ans. Chaque matin je me dis que le pire est derrière moi, mais toujours le chagrin, la perte cuisante, accompagnent ma vie comme une musique silencieuse. Et il y a des jours comme celui-ci, où un événement — le choc de la mort d'Hexter, mon face-à-face avec la police, ou la simple vue d'un objet usuel, un carré de lin proprement amidonné — suffit à libérer un flot d'émotions rentrées.

Je me suis regardée dans le miroir, luttant sévèrement contre l'envie de pleurer. J'ai dénoué mon chignon et secoué la tête, puis rentortillé mes cheveux bruns d'un geste automatique. Je me suis aspergé le visage d'eau froide, m'essuyant avec un kleenex — dans la hantise de toucher ces serviettes. J'ai respiré un grand coup et recomposé posément le personnage d'avocate surchargée de travail que je m'attache à présenter au monde extérieur.

J'étais perdue dans cette demeure caverneuse. Je suis partie en quête d'un membre de la maisonnée qui ne soit pas accaparé par la police. Je suis tombée sur une femme de chambre à l'air revêche, qui accepta d'aller demander si Mrs. Hexter pouvait me recevoir. En attendant son retour, j'ai regardé à travers les vitraux d'une haute fenêtre, à temps pour voir deux voitures de patrouille et une ambulance tournoyer dans l'allée circulaire. Bart Hexter quittait son domicile pour la dernière fois.

Pamela Manderson Hexter m'accueillit dans un joli salon à l'étage, dans une autre aile de la maison. Haute de plafond, ensoleillée, avec ses meubles à la patine ancienne et ses tissus jaunes ou cerise, la pièce détonnait dans l'atmosphère générale. Ce devait être son refuge à elle, isolé, confortable, décoré des souvenirs chéris de la maison de ses parents. La nouvelle veuve me salua depuis son fauteuil, installé devant une baie qui donnait sur un jardin en terrasse.

Pamela et Bart Hexter avaient formé un couple très en vue. Appréciant peu de vivre caché, Bart avait dès le début traîné sa timide épouse sous les feux des projecteurs. Et le temps passant, il s'avéra qu'elle s'y faisait très bien. Ils avaient à leur actif nombre d'œuvres charitables, dont une fondation à leur nom pour venir en aide aux familles d'enfants gravement malades. En outre, les Hexter sortaient sans relâche. Il ne s'écoulait pas deux semaines sans qu'il soit fait mention du couple dans la chronique mondaine des journaux.

Pamela était une élégante blonde, présentant bien, qui avait combattu les outrages du temps à l'aide de la chirurgie esthétique. Vêtue d'un simple tailleur gris, son casque de cheveux mi-longs semblait coiffé et laqué mèche par mèche. Elle était pâle, mais son maquillage n'avait apparemment pas souffert des larmes.

— Mrs. Hexter, dis-je en m'avançant vers elle, je suis désolée de faire intrusion en ces circonstances…

— Je vous en prie, appelez-moi Pamela, fit-elle avec l'accent en cul-de-poule des classes supérieures. Après tout, je connais votre mère depuis toujours ou presque. J'étais stupéfaite quand Bart m'a signalé que vous passiez ce matin. Rendez-vous compte, la fille d'Astrid travaille comme avocate !

Elle me désigna la chaise en face d'elle. Sur la table

basse qui nous séparait se trouvaient un panier à ouvrage et un bloc-notes. Une longue liste de noms y figurait, de cette écriture en anglaises qu'on vous inocule dans les écoles privées, pour s'appliquer ensuite à toute une vie d'invitations et de lettres de château.

— Veuillez accepter mes sincères condoléances, dis-je en recourant aux convenances. Vous devez être bouleversée.

— Je n'arrive pas à y croire, répondit-elle, les mains reposant sur les genoux, les chevilles croisées comme une écolière qui récite sa leçon. Je pensais, enfin nous pensions, que ce serait son cœur qui lâcherait. Il avait eu une crise cardiaque il y a quelques années — nous avions failli le perdre. Il était sous surveillance médicale, mais je me faisais plus de mauvais sang que lui à ce sujet. Ce matin, quand je ne l'ai pas vu revenir avec les journaux, je me suis inquiétée : avait-il bien pris ses médicaments ? Je suis sortie pour aller à sa rencontre. Quand j'ai vu la voiture... Le choc...

Son visage se voila à cette évocation et sa voix expira. Je n'avais donc pas découvert en premier le corps de Bart Hexter. C'était évidemment Pamela, arrivée avant moi, qui avait alerté la police.

— Mrs. Hexter... Pamela. Je suis désolée d'intervenir sur ces matières dès maintenant, mais vous n'êtes pas sans savoir que le marché à terme évolue très vite. Avec votre permission, j'aimerais prévenir les autorités boursières aujourd'hui. Je pense qu'il faudra examiner les positions de votre mari pour s'assurer qu'elles ne posent pas de problèmes dans l'immédiat.

— Comme vous voudrez.

— À votre connaissance, les affaires de votre époux présentaient-elles quoi que ce soit de nature à le préoccuper ? Quelque chose qui lui aurait causé du souci ? insistai-je doucement.

— Je n'en ai aucune idée. Comme je l'ai dit à la police, je n'ai jamais éprouvé le moindre intérêt pour la gestion des affaires courantes de mon mari. (Le ton indiquait clairement que Pamela Hexter s'estimait au-dessus de la mêlée des marchés boursiers.)

— Vous n'avez donc aucun motif de croire que votre mari avait des ennuis au sein de sa société ? Vous semblait-il inquiet ou préoccupé ?

— Pas le moins du monde. Notre week-end s'est déroulé tout à fait normalement. Nos enfants sont venus dîner vendredi soir. Samedi, nous avons reçu toute la journée au club. Chaque année, nous organisons un golf à dix-huit trous pour lancer la saison. C'était très réussi. Hier soir, nous sommes retournés au club qui organisait une fête. J'ai répété à la police que rien d'anormal n'est venu troubler notre week-end. Ils devraient cesser d'espionner notre vie privée et tâcher de trouver le déséquilibré qui a commis cette chose abominable.

— Dans la plupart des cas, l'assassin est une connaissance...

Pamela se raidit et toute lueur d'amitié disparut de ses yeux.

— Bart n'est pas la plupart des cas, coupa-t-elle. Il serait saugrenu d'imaginer l'une de nos relations à l'origine d'un tel crime. Il ne peut s'agir que d'un fou, de ceux qui s'en prennent aux célébrités, comme quand on a tué ce chanteur, comment s'appelle-t-il ? l'un des Beatles, Jack Lennon.

— John Lennon, corrigeai-je. (Elle ne pouvait pourtant pas ignorer que sa vie privée serait la première cible des enquêteurs. Je changeai de sujet.) Savez-vous si votre mari avait pris des dispositions... ?

— Tout est partagé entre les enfants, répliqua-t-elle. Notre fils, Barton Jr., est l'exécuteur testamentaire. Je crois qu'il vaut mieux discuter de ces questions avec lui. En ce qui me concerne, franchement ça m'est égal.

La nouvelle de la mort de Bart Hexter allait secouer le monde financier. De Londres à Tokyo, les marchés s'en ressentiraient. Les actifs d'Hexter Commodities représentaient des centaines de millions de dollars et la somme de toute une vie de travail. Quel héritage, que l'indifférence de cette femme !

— Puis-je vous être utile et faire renforcer la sécurité dans ces lieux ? Vous le dites vous-même, votre mari était un personnage public.

— Vous croyez que les journalistes vont s'en mêler ? dit-elle en écarquillant les yeux. Cela ne m'était pas venu à l'esprit. Bien sûr, s'il vous semble que nous serons envahis.

— Ne vous inquiétez pas, je m'en charge.

Une fois la nouvelle à la une des médias, il s'agirait bien de journalistes ! Les badauds se presseraient sur Parkland Road pour voir de leurs yeux la propriété où Bart Hexter avait été abattu. La sonnette retentirait des visites impromptues d'agents immobiliers venant s'enquérir du sort de la maison. Et avec un peu de chance, des cambrioleurs viendraient en repérage dans l'espoir de revenir au moment propice, quand tout le monde serait à l'enterrement.

— Une dernière chose. Votre époux devait me remettre des papiers ce matin, des documents relatifs à un éventuel procès. Savez-vous par hasard où il aurait pu les laisser ?

— Probablement dans son bureau. C'est là qu'il gardait toutes ses affaires professionnelles. Bart aimait fumer le cigare en travaillant. Et je ne permets pas qu'on fume dans le reste de la maison.

— Voyez-vous un inconvénient à ce que j'aille y jeter un coup d'œil ?

— Ne vous gênez pas. La police en vient ; ils étaient à la recherche d'un mot d'explication.

— Savez-vous s'ils ont trouvé quelque chose ? hasardai-je en croisant les doigts.

— Jamais Bart ne se serait suicidé, fit froidement sa veuve.

— Pas même s'il était acculé à des difficultés financières ?

— Vous ne connaissiez pas très bien mon mari, on dirait. Autrement, vous sauriez que si Bart avait eu des ennuis, il aurait tué un par un les responsables avant ne serait-ce que de songer à se tuer lui-même.

Pamela Hexter sonna Elena, la femme de chambre, pour qu'elle me conduise dans le bureau de son mari. « Mais que peut bien fabriquer cette fille ? » jeta-t-elle tandis que nous attendions en vain.

J'imaginais divers scénarios. Elena au téléphone en train de vendre son témoignage exclusif au *Daily Enquirer*. Elena flirtant dans le garage avec un bel officier de police. Elena appelant tous ses copains pour leur servir encore chaude la nouvelle de la mort de son patron.

J'ai fini par assurer Mrs. Hexter que je trouverais mon chemin toute seule, mais une fois au bas de l'escalier, je regrettai mon optimisme. C'était une énorme maison, à la distribution confuse, un lacis de couloirs faiblement éclairés et de pièces surchargées, à la fonction indéterminée. Salon de musique, salle des trophées, salon de jeu, galerie d'armes, je traversai l'ensemble dans ma quête du bureau du disparu. En procédant par élimination, j'empruntai un couloir dont je pensais qu'il me ramènerait vers la façade, mais une fois au bout, je me retrouvai, inexplicablement, dans les cuisines. Immense et blanche, la pièce était aussi récurée et brillamment éclairée qu'un pavillon chirurgical. J'avisai une porte au fond qui devait être l'office. En toute logique, celui-ci me mènerait à la salle à manger qui se trouverait dans la partie principale de la maison.

Mais quand j'ouvris la porte, le dos baraqué de l'inspecteur Ruskowski me barrait la route. Il était apparemment engagé dans une discussion avec quelqu'un de plus petit que lui, et qui parlait bas. Il se retourna à mon approche et j'eus la surprise de découvrir en son interlocuteur Ken Kurlander.

Kurlander est un vieil associé de mon cabinet, un avocat spécialisé dans les successions qui a passé sa carrière à servir l'argent de famille, mettant à l'abri la fortune de ses clients et guidant les patrimoines d'une génération à l'autre. À l'approche de l'âge obligatoire de la retraite, soixante-dix ans, Ken ressemblait en tous points à un prince des affaires. Le cheveu blanc argenté, la mâchoire ferme, il était vêtu comme à l'accoutumée d'un costume sombre. C'était une blague au bureau : la penderie de Kurlander devait être l'endroit le plus noir de Chicago.

Dire que Ken Kurlander ne m'apprécie pas n'est qu'une portion de la vérité. Ken a toujours considéré ma présence chez Callahan Ross comme une sorte d'affront personnel. Pour lui, je ne suis rien de moins qu'une traîtresse à ma classe. Que j'aie choisi le monde franchement mercenaire du droit des affaires le contrarie au plus haut point. Il lui est pénible de me voir passer mes journées à structurer des transactions, opérer des fusions, et représenter les Bart Hexter de ce monde, alors que je devrais être oisive à mon club, en train de recueillir les fruits de ma bonne éducation. De mon côté, je tiens Kurlander pour un raseur patenté.

— Ken, demandai-je avec plus de candeur que de tact, qu'est-ce que vous faites là ?

— Pamela m'a appelé tout de suite, la pauvre femme.

— C'est drôle qu'elle vous ait prévenu en premier, interjeta Ruskowski, qui n'avait pas l'air de trouver ça drôle du tout. La plupart des gens, lorsqu'ils découvrent un cadavre, réagissent en appelant la police.

— Comme je vous l'ai déjà expliqué, inspecteur, fit Kurlander avec une condescendance lassée, il était naturel dans cette circonstance, pour quelqu'un dans la position de Mrs. Hexter, de vouloir demander conseil. Encore une fois, c'est moi qui lui ai recommandé de composer le 17 après avoir raccroché.

— En ce cas, pourriez-vous aller là-haut lui recommander de collaborer avec la police ? J'ai encore des questions à lui poser.

— En tant qu'avocat de Mrs. Hexter, j'insiste, répondit Kurlander en s'étouffant d'indignation à mesure qu'il parlait, j'insiste pour qu'on ne la dérange plus de la matinée. Son médecin a été appelé. Vous l'avez déjà interrogée ; elle vous a laissé fouiller sa maison et s'est soumise au relevé des empreintes digitales. On penserait que la décence la plus élémentaire serait de laisser en paix une femme qui vient de découvrir l'assassinat de son mari !

Je vis Ruskowski toiser Kurlander comme il m'avait regardée juste avant d'éclater dans sa diatribe sur les prérogatives d'un inspecteur de la brigade criminelle. Je saisis le poignet parfaitement amidonné de Kurlander.

— Me permettez-vous, inspecteur, d'avoir un mot en privé avec mon collègue ?

Ruskowski, dégoûté, acquiesça.

J'attirai Kurlander dans la cuisine où nous fîmes retraite dans le coin le plus éloigné pour chuchoter :

— Quel est le problème ? Je viens de parler avec Mrs. Hexter. Elle est tout à fait maîtresse d'elle-même. Pourquoi ne pas la laisser en finir ?

— Je n'y suis pour rien. C'est Pamela. Ce policier s'est montré impertinent par ses questions. Elle est terriblement vexée. Elle vient de téléphoner à Bob Frackman, au bureau du maire. Elle dit qu'elle refuse de répondre si on ne lui envoie pas quelqu'un d'autre.

— Elle ne devrait pas faire perdre du temps aux flics avec ses humeurs, dis-je, frappée malgré l'habitude par l'extraordinaire muflerie des richissimes.

— Il faut comprendre que Pamela a l'habitude d'être servie en toutes choses.

— Ce que la police lui demande n'est rien auprès du scandale que déchaîneront les médias tant qu'on n'aura pas retrouvé l'auteur du crime. Ken, vous êtes son ami. Rendez-nous service à tous, et persuadez-la de coopérer avec la police.

Ruskowski m'attendait à l'office :

— Où est passé Collet-Monté ?

— Parti parler à Mrs. Hexter.

— Il ne lui en faut pas beaucoup pour sortir de ses gonds.

— Ce ne sont pas ses gonds, mais ceux de Mrs. Hexter. Il semble que certaines de vos questions l'aient indisposée.

L'inspecteur émit un gargouillis proche du rire :

— J'ai juste demandé à quand remontaient ses derniers rapports avec son mari.

— C'était suffisant.

— C'est une question de routine, continua Ruskowski. La réponse en dit long sur l'état d'une relation. À votre connaissance, s'agissait-il d'un mariage heureux ?

— Je ne saurais vous dire. Je ne les connaissais pas bien. Ils avaient l'air heureux en tout cas. Enfin, on voyait leur photo partout ensemble, ils souriaient dans les magazines. Et ils étaient encore mariés, ce qui n'est pas négligeable. Les traders ont tendance à consommer les femmes aussi vite que l'argent. Il y a une fête chaque année à la Bourse, le bal des Moissons, où l'on peut s'amuser à compter le nombre des premières épouses.

— Mais vous, avez-vous une idée de qui pouvait souhaiter sa mort ?

— Pas précisément, non.

— Ça veut dire quoi, ça ?

— Est-ce que vous connaissez bien le marché des produits dérivés ?

— Pas précisément.

— Cela s'apparente au combat singulier. À chaque gagnant correspond un perdant. Chaque dollar acquis sort de la poche de quelqu'un d'autre. Bart Hexter s'est enrichi sur ce marché sans discontinuer depuis trente ans. À ce rythme, on peut se faire quelques ennemis.

— Mais vous ne connaissez personne qui en veuille

à Hexter, quelqu'un qui l'aurait attaqué ou menacé dans le passé ?

— Non, personne. (Je regardai discrètement ma montre.) Je dois notifier les autorités boursières de son décès. Vous essayez de garder les journalistes à distance ?

— Le commissaire doit faire une annonce à deux heures. Mais ce n'est qu'une question de minutes avant qu'une andouille vende la mèche. On va avoir chaud aux fesses, je le sens d'ici. Vous savez pourquoi je dis ça ?

— Non, mais vous allez me l'expliquer.

— Travailler sur ce type d'affaires, c'est comme essayer d'éteindre un incendie dont chacun attise les flammes, depuis le gouverneur jusqu'au planton. Ça peut cramer sérieusement, avant qu'on trouve l'assassin. Autrement dit, miss Millholland, mieux vaut pas m'emmerder. Ou je vous traîne au feu avec moi.

CHAPITRE 3

Les contrats à terme, ou futures, font l'objet d'échanges partout dans le monde — à Singapour et Sydney, à Tokyo et New York. Mais les plus gros montants sont traités à Chicago, sur les parquets de la Bourse du commerce (Chicago Mercantile Exchange) et de la Bourse des valeurs (Chicago Board of Trade). C'est là, dans les pits* frénétiques, qu'on fixe les prix des produits agricoles, tels le maïs, le soja, le bétail; des métaux comme l'or ou le platine; des instruments financiers comme les bons du Trésor ou des collectivités locales; des devises étrangères comme le deutsche mark et le yen.

Un contrat dit « future » est simplement un accord pour acheter ou vendre à une date ultérieure une quantité donnée de tel ou tel produit, dont le prix est fixé d'avance. Créés à l'origine comme un moyen pour les fermiers de réguler le prix de leurs denrées, les futures restent une source importante de liquidités pour les agriculteurs. Prenons un exemple : au long de l'année, les actifs d'un producteur de soja sont bloqués dans ses cultures. S'il a besoin d'argent avant la récolte, comment peut-il en obtenir ? Les banques

* Terme anglais (littéralement la fosse) qui désigne la corbeille où se tiennent les traders, et par extension le parquet ou la Bourse elle-même.

demandent des garanties, et qui peut prédire le cours du soja six mois plus tard ? Après tout, ce n'est pas l'affaire des banques que de jouer sur les fluctuations des cours.

Mais les corbeilles du CBOT et de la Merc grouillent de spéculateurs. Longtemps avant la moisson, le fermier s'engagera à vendre sa récolte sur l'un de ces marchés, à une date et à un prix spécifiés à l'avance. Une fois établi le prix, la banque n'est que trop heureuse de prêter l'argent avec ces contrats pour nantissement. Dans le jargon du métier, le fermier est devenu un « hedger ».

Tout producteur qu'inquiètent les variations des prix peut ainsi se « couvrir ». Exxon, devant la menace d'une chute du prix du baril, se couvre sur le pétrole. Si Nabisco craint que la hausse du sucre ne réduise ses profits sur les biscuits ou les sodas, Nabisco achètera des futures pour fixer d'ores et déjà le prix du sucre qu'il faudra payer plus tard.

Dans ce cas de figure, le producteur n'est qu'une moitié de l'équation. Des gens comme Bart Hexter et ses clients ne font pas pousser de soja, ne raffinent pas de pétrole, ne mitonnent pas de petits biscuits. La possession de cargaisons de soja ou de containers de charcuterie les indiffère totalement. Ce sont des joueurs, des spéculateurs si vous préférez. Leur intérêt est de gagner de l'argent. Leur métier consiste à parier sur la direction que prennent les prix des matières premières. Ils jouent précisément sur les risques que les producteurs veulent éviter.

Mettons qu'en février dernier Bart Hexter ait acheté un contrat de 10 000 dollars pour une certaine quantité de soja à récolter à l'automne. Voilà qu'en juillet une forte sécheresse condamne la moitié de la récolte. Les prix flambent et la même quantité se vendra 30 000 dollars. Hexter sera en mesure de revendre son contrat, réalisant un profit de 20 000 dollars sans avoir vu la moindre pousse. En anticipant avec succès le cours des prix, il aura fait la culbute.

Pour un joueur de haut niveau, il n'y a rien de tel que les futures. On va à toute allure et les enjeux sont énormes. Là où ça devient grisant, c'est qu'il suffit d'avancer une petite quantité d'argent par rapport à la valeur réelle du contrat. Le spéculateur ne déposera marginalement que 5 % du contrat. C'est ce qu'on appelle l'effet de levier, qui permet à un homme comme Bart Hexter d'acheter 10 000 dollars de soja avec une mise initiale de 500 dollars. Mais attention, l'effet marche dans les deux sens. Si le cours des matières premières grimpe en flèche, cela se répercute sur le montant qui constitue 5 % de la valeur du contrat. Au jeu des futures, il n'y a en théorie aucune limite aux pertes qu'on peut faire.

J'ai un jour rendu visite à Bart Hexter qui venait de gagner plus de 600 000 dollars sur la montée du soja, comme un surfer glissant sur la crête des vagues. Il était d'humeur causante, le cigare aux lèvres, l'air particulièrement bichonné et content de lui. Il avait évoqué la logique zen du trading, la finesse, l'intuition et le sang-froid qui lui semblaient nécessaires pour réussir à long terme dans son métier. Il avait beaucoup parlé cet après-midi-là, et conclu par une phrase qui revint me tinter aux oreilles : « Dans ma profession, avait-il dit en riant, on se paye sur la bête, jusqu'à ce qu'elle vous dévore. »

Sur le moment, j'avais pris cette déclaration pour la vantardise bien légitime d'un homme qui avait eu la main heureuse, qui avait regardé la ruine en face et s'en était sorti. Mais ce matin, où un coup de feu venait de lui fracasser la tête, je ne pouvais pas m'empêcher de penser à la Bête qui s'était invitée au petit déjeuner.

*
* *

Le bureau de Bart Hexter évoquait le saint des saints du patronat, version *Architectural Digest*. Les murs étaient tapissés de rayonnages emplis de beaux volumes reliés de cuir, dont Hexter n'avait sans doute jamais lu une ligne. Sur la vaste surface du bureau reposait une panoplie complète de coutellerie présidentielle. On voyait aussi des photos encadrées et un humidificateur en cristal débordant de havanes de contrebande. Le fauteuil pivotant trônait derrière, avec son dossier démesurément haut. Une échelle de bibliothèque traînait négligemment contre un mur. Au-delà des portes-fenêtres s'étendait un jardin à la française. On avait retourné la terre des plates-bandes, brunes et humides au milieu du vert gazon, comme des tombes fraîchement creusées.

Je m'installai au bureau et entrepris, non sans une conscience aiguë de ma présence ici, de passer en revue les affaires du disparu. D'abord, les papiers étalés au hasard. J'y trouvai des mémos et des courriers, pour la plupart administratifs, relevant du CBOT comme de la Merc. La Bourse est un État dans l'État, et Hexter traitait avec l'une et l'autre. Il y avait un épais dossier concernant la proposition de révision de la procédure d'enregistrement des ordres ; des documents relatifs à Globex, le nouveau système informatique fonctionnant 24 heures sur 24 ; et toute une correspondance sur l'ouverture d'une seconde salle de trading prévue pour cet été à la Merc.

Et puis des paquets d'enveloppes non décachetées, reliés par élastique, qui semblaient être des relevés de comptes de différentes banques et courtiers. Hexter était visiblement en retard sur son courrier. Kurlander allait bien s'amuser pour régler tout ça.

Je me tournai vers les tiroirs. On y trouvait les fournitures habituelles — crayons, bloc-notes, trombones, timbres — le tout proprement rangé. Ici, Hexter gardait les bordereaux d'achats et de ventes ainsi que les formulaires officiels. Là, des prévisions météo mises bout à bout et roulées ensemble. J'ai fini par tomber sur quelque chose d'utile. Dans un tiroir du bas, parmi les annuaires d'une demi-douzaine de clubs, il y avait deux minces plaquettes listant les numéros personnels de tous les membres du CBOT et de la Merc.

J'ai d'abord appelé Ricky Sullivan, président du CBOT et compagnon de jeunesse de Hexter. Je l'interceptai alors qu'il partait pour la messe. Il accepta d'organiser une réunion à la Bourse à midi. Sullivan était visiblement choqué par la mort de son ami, mais il ne perdit pas de temps en jérémiades. L'on remettrait à plus tard le chagrin, le deuil et les considérations métaphysiques, autour d'un verre ou plus chez Butch McGuire, pour clore la journée de travail. Mais tant que Ricky Sullivan ignorait si Black Bart ne s'était pas fourré dans le genre d'endroit d'où l'on ne ressort que les pieds devant, sa première réaction à la mort du vieux copain, c'était la peur.

Après avoir fouillé méthodiquement le bureau de Bart Hexter, je n'avais rien trouvé concernant la CFTC, sinon un post-it rose au fond d'un attaché-case vide indiquant : *Dimanche, 8 h, Kate Millholland.* Il restait toutefois un tiroir fermé à clé. Je partis errer par les corridors élisabéthains à la recherche de la boudeuse Elena, qui alla s'enquérir auprès de sa patronne de l'emplacement des clés. Elle revint quelques minutes plus tard avec tout un trousseau.

Après quelques essais, je tombai juste et le tiroir s'ouvrit. À première vue, j'étais déçue. Rien d'intéressant : un peu de monnaie dans une boîte de bonbons en fer-blanc, un carnet de timbres au tarif urgent, un autre pour l'étranger, quatre cigares — des montclairs — chacun dans son propre sarcophage crème, et une boîte en carton. Je soulevai le couvercle : elle était pleine à ras bord de cartes et de papier à lettres à l'en-tête de Bart Hexter. Perplexe, je refermai le tiroir et restai assise les yeux dans le vide. Un échantillon de gamins me regardaient depuis leurs cadres argentés — sans doute les petits-enfants d'Hexter.

Je m'y collais depuis bientôt une heure et je n'avais

rien trouvé. Aucun indice de problème financier, pas de courrier menaçant, rien qui soit de nature personnelle non plus. Fort bien. Mais ce qui me troublait, c'était l'absence de tout matériel concernant l'enquête de la CFTC sur Hexter Commodities. C'était certes un détail mineur par rapport au meurtre. Cependant, il avait promis de me remettre les documents le matin même.

Où étaient-ils passés ?

Je ramassai les clés dans l'intention de les rendre à la femme de chambre, mais ces questions m'arrêtèrent. Pourquoi diable enfermer une poignée de piécettes, dix dollars de timbres et du papier à lettres ? Pourquoi dissimuler des montclairs alors qu'une boîte de havanes était bien en évidence sur le bureau ? Je soupesai les clés en réfléchissant, puis rouvris le tiroir.

J'ouvris les quatre étuis en plastique : des cigares, comme prévu. Je sortis la boîte du graveur et la posai sur le bureau. J'ôtai le couvercle puis le papier à lettres. Une autre boîte apparut.

C'est l'argent qui me sauta aux yeux — une liasse de billets de trois centimètres d'épaisseur, retenue par un élastique rouge. Je la saisis, c'étaient des coupures de 100 dollars, et comptai jusqu'à perdre patience : il y avait plus de 30 000 dollars. Je me tournai vers le reste du contenu, une enveloppe jaune demi-format.

Je la pris sur mes genoux, replaçai la boîte vide dans la grande, le papier à lettres par-dessus, à l'identique. Je posai l'argent sur le bureau, refermai le tiroir. Puis j'ouvris l'enveloppe.

Des photos bien différentes de celles des chérubins à risettes m'attendaient. Il y en avait plus d'une douzaine, des clichés noir et blanc de la même personne, une jeune femme d'une vingtaine d'années, entièrement nue.

Sur la première, elle était à quatre pattes les fesses au premier plan dans une pose féline. Elle regardait par-dessus son épaule vers l'objectif et l'on discernait un œil et l'aile du nez. Elle avait un corps souple, une longue chevelure brune. Il ne s'agissait pas, conclus-je après examen, du travail d'un professionnel tâchant de susciter l'érotisme chez un mannequin blasé. Il y avait une certaine complicité, et le charme amateur des photos de famille. N'empêche, quelle qu'elle soit, la fille avait accepté d'être photographiée comme dans les pages centrales d'un magazine : le dos cambré, une main aux lèvres simulant l'extase, l'autre enfoncée entre les jambes. Ou debout jambes écartées, dos à l'objectif, courbée en deux, la chevelure balayant le sol.

Clairement, ce n'était pas le visage de la femme qui intéressait le photographe. Le cadrage était fait de telle manière qu'on ne le voyait jamais en entier. Je regardai médusée, essayant vainement de deviner son identité, et qui était de l'autre côté de l'appareil.

Je sursautai de vingt centimètres quand la poignée de la porte s'enclencha.

— Je ne voulais pas vous surprendre, bredouilla Barton Jr., le fils du disparu, en guise d'excuses.

Je glissai prestement les photos dans l'enveloppe.

Lors de notre dernière entrevue, j'avais neuf ans. Lui et mon frère Ted étaient en train de piquer du bourbon dans le placard à liqueurs de mon père. C'était une grande perche d'adolescent, qui me toisait de sous sa tignasse noire, avec ses pantalons pattes d'éléphant, son tee-shirt crasseux, et une tentative de barbe clairsemée au menton.

Les années s'étaient liguées pour le transformer en son père. Barton portait court ses cheveux noir d'encre, qui entamaient une retraite inexorable vers le haut du crâne. Il avait les yeux de son père, la même carnation pâle, ses sourcils broussailleux. Il était plus mince, moins costaud, avec un air polisson que même le chagrin ne parvenait pas à effacer. La ressemblance était quand même effrayante.

C'était d'ailleurs un phénomène purement physique. Black Bart avait grandi sans le sou et passé sa vie à amasser une muraille de dollars entre lui et ses débuts. Barton Jr. évoluait dans un océan matérialiste et s'était choisi une voie où l'argent et les possessions comptaient pour peu de chose.

Professeur de mathématiques théoriques à la Northwestern University, le Dr. Barton Hexter était un spécialiste de la théorie du chaos : l'art de bâtir du complexe, de l'imprévisible, à partir de systèmes simples. Quand bien même le marché à terme présentait un tel système, l'intérêt de Barton pour les affaires de son père, au grand dam de celui-ci, était resté théorique.

— Ken Kurlander m'a suggéré de vous trouver, dit-il après que j'eus exprimé mes condoléances. Il m'a dit que vous auriez à me parler.

— Je regrette d'être la personne à le faire, commençai-je (consciente que dans mes fonctions j'allais accabler un homme dont le père venait d'être assassiné), mais je sais que Ken doit vous réunir dans les jours qui viennent pour discuter en détail de la succession. En attendant, on me dit que vous êtes l'exécuteur testamentaire.

— Je sais, Ken m'a prévenu. Et cela signifie quoi au juste ?

— Pas mal de choses, articulai-je lentement. Mais dans l'immédiat, que c'est vous qui prenez les commandes d'Hexter Commodities.

Barton Jr. prit une minute pour pondérer la chose. Hexter Commodities valait des centaines de millions de dollars. Ce n'était pas comme d'arriver pour reprendre la teinturerie familiale.

— Je ne suis pas un homme d'affaires, finit-il par dire d'une voix sourde.

— Vous serez bien entouré, dis-je. Il y a les employés de votre père, Ken Kurlander et moi-même. Le problème, bien sûr, c'est que les marchés n'attendent pas. Il y a des choses à faire aujourd'hui, des décisions à prendre dans les quarante-huit heures, qu'on ne peut ajourner, des décisions lourdes de conséquences.

Barton Jr. avait pris l'air sinistre.

— J'ai déjà pris contact avec les autorités du marché, continuai-je. J'ai rendez-vous à midi avec Ricky Sullivan pour vérifier les comptes de votre père, histoire de ne pas avoir de surprises.

— Vous voulez dire : de ne rien trouver qui ait pu inciter au meurtre.

— Entre autres, oui. Voulez-vous vous joindre à nous ?

— Non, je crois que ma place est ici pour l'instant.

— Je crois pouvoir me débrouiller seule. Sinon, je vous appelle. Les autorités risquent d'insister pour qu'on liquide les positions de votre père au plus vite.

— Mais nous ne pouvons rien faire avant d'être assurés qu'il n'a pas compensé sur d'autres marchés, enchaîna Barton. Je sais que Papa équilibrait la plupart du temps ses achats de Chicago par des contrats à Hong-Kong.

Je crus entendre des alléluias. Si Barton en savait assez pour se préoccuper d'annuler ou d'arbitrer ses positions, nous avions une bonne chance de sortir indemne des semaines à venir.

— Avec votre accord, j'aimerais soumettre aux Bourses un plan de liquidation graduelle, dépendant des positions qu'avait prises votre père, sur un calendrier d'une semaine à dix jours. Cela nous laissera le temps de faire la chasse aux éventuelles attestations de stockage ou aux récépissés d'opérations sur d'autres marchés. Savez-vous où l'on gardait ce genre de papiers ?

— Il faudrait voir avec mon cousin Tim. L'assistant de mon père.

— Vous avez son téléphone ? Ce serait bien que quelqu'un prévienne les employés de votre père, qu'ils évitent d'apprendre sa mort par les journaux.

— Je ne pense pas que vous pourrez joindre Tim avant l'heure du dîner. Il est membre d'un club de cyclisme. Ils partent en randonnée le dimanche. C'est une blague dans la famille. Tous les dimanches, Tim tente de fuir mon père. Pas de téléphone, rien. C'est sa façon de rester en forme.

— Peut-être que son chef trader serait au courant ? Carl Savage ? Ricky Sullivan essaye de le joindre pour la réunion.

— Je suppose que oui. Tout cela est si étrange. Je crois entendre la voix de mon père m'appeler dans tous les coins de la maison. C'est affreusement irréel. Ma sœur Krissy s'est évanouie à la nouvelle. Elle a dû prendre des calmants. Et notre mère là-haut, qui fait calmement ses listes d'invitations pour après l'enterrement... Je n'ai même pas pu joindre ma femme, Kate. Elle est partie dans le Wisconsin, passer le week-end chez ses parents avec les enfants. Quand j'ai téléphoné, elle était déjà sur le trajet du retour. Je n'ai pu que laisser un mot sur la table de la cuisine. Pourvu qu'elle ne soit pas seule quand elle l'apprendra. Pourvu qu'elle ne l'entende pas à la radio pendant qu'elle est en voiture avec les enfants...

Sa voix s'éteignit misérablement.

Soudain, la porte s'ouvrit avec fracas et une jeune femme fit irruption dans un grand tourbillon de boucles brunes et de bracelets sonores.

— Mon Dieu, Barton ! s'exclama-t-elle en se jetant dans ses bras.

— Margot, fit son frère. (C'était plutôt une constatation qu'un salut.)

Margot Hexter n'avait qu'un an de moins que lui, mais elle avait quelque chose d'immature qui la transformait en petite sœur. Elle était jolie à sa manière, avec une cascade de cheveux noirs et les grands yeux foncés de son père. Elle était habillée comme l'étudiante qu'elle était, d'un tee-shirt froissé imprimé d'un slogan, de jeans délavés, et d'épaisses sandales fourrées de chaussettes.

— C'est incroyable ! s'écria Margot sans prêter attention à ma présence. Quand Krissy m'a appelée, j'ai cru à une blague. Quelqu'un l'a assassiné. Je rêve ! Papa est mort. Le soulagement, la liberté !... Tous les clichés sont vrais. On m'ôte un grand poids de la poitrine ; j'ai l'impression de planer à cent mètres. Ça me fait tourner la tête !

— Margot ! fit son frère, horrifié. Tu n'es pas obligée de dire tout ce qui te passe par la tête, spécialement devant des étrangers.

La demoiselle se retourna et me considéra comme un enfant regarderait un animal de cirque.

— Qui êtes-vous ?

— Kate Millholland. J'étais l'avocate de votre père.

— Ah bon ! Alors c'est vous qui allez nous dire combien ?

— Je vous demande pardon ?

— Combien d'argent. Je croyais que c'était leur job, aux avocats, quand un richard casse sa pipe. Vous savez, ceux qui arrivent sur les lieux pour lire le testament ?

— Je suis une avocate d'affaires, répliquai-je d'un ton sévère. Je représente Hexter Commodities.

— Vous m'en direz tant. Une avocate d'affaires. Quelle tristesse !

Elle se laissa tomber sur le canapé et s'adressa à son frère.

— Mais qui a bien pu assassiner notre cher petit Papa ?

— Personne ne sait encore ce qui s'est passé, répondit Barton, sincèrement éprouvé. La police vient d'ouvrir une enquête.

— Arrête ton cinéma, fit Margot. Qu'y a-t-il de si terrible ? Le vieux monstre est mort et nous héritons de tout l'argent. Tu sais, ce qui me choque vraiment, c'est qu'on lui ait tiré dessus. Franchement, je pensais qu'on l'aurait trouvé au lit, tout nu avec des filles de seize ans, une paire de ciseaux dans le dos.

CHAPITRE 4

Le temps de décider Margot à disparaître saluer sa mère, et j'ai remis l'argent que j'avais trouvé dans le tiroir à Barton Jr. C'était beaucoup d'argent, même pour eux, surtout en liquide — mais cela représentait encore plus pour Barton. Hasard ou destinée, les coups de feu qui avaient mis fin à la vie de son père avaient tout bouleversé pour lui. Sous le choc de la nouvelle, accablé par l'émotion, il n'en avait pas encore pris conscience. Mais les événements l'avaient propulsé au sommet d'une vaste fortune, qui touchait à un grand nombre de gens. Il resta debout, soupesant en silence cette liasse, premier signe tangible des responsabilités qui fondaient sur lui.

J'ai gardé les photos. Barton en avait assez vu pour aujourd'hui. Mais j'avais des scrupules à les remettre dans le tiroir. Qui sait celui ou celle qui pouvait tomber dessus la prochaine fois ? En fait, j'aurais dû les confier à la police. Mais l'idée me répugnait. Je savais comment Ruskowski s'était débrouillé pour transformer un interrogatoire de routine en un tissu de sous-entendus graveleux. Qu'en serait-il, quand il aurait une fille à poil comme pièce à conviction, pour cuisiner Pamela Hexter sur ses rapports avec son mari ?

Brièvement, je songeai à consulter Kurlander. Cependant, la perspective de discuter de photos pornos avec le principal associé de mon cabinet me donnait les chocottes. En plus, je voyais d'avance sa réaction — qu'on les brûle, qu'on les supprime, n'importe quoi plutôt que de les remettre à la police. Ces photos étaient inconvenantes et il était de notre devoir de faire disparaître tout désagrément sans laisser de traces. À la réflexion, je les mis sous enveloppe avec une note griffonnée pour expliquer où je les avais trouvées. Je tendis le tout au premier officier de police que je croisai avec instruction de les remettre à l'inspecteur Ruskowski.

Je n'imaginais pas à quel point je serais soulagée de quitter l'atmosphère oppressante de la maison du mort. La réaction de ses proches devant cette terrible épreuve m'avait semblé bizarre. Mais enfin, qui pouvait définir ce qu'était un comportement « normal » en de telles circonstances ?

En route vers ma réunion à la Bourse, j'appelai Elliott de la voiture. Elliott Abelman est un détective privé et le premier qui me vint à l'esprit s'agissant de la protection de la famille Hexter. Je le trouvai chez lui et lui narrai les événements de la matinée.

— Ça t'apprendra à être l'avocate des gens riches et célèbres !

— Voilà qui les rendra encore plus célèbres, constatai-je tristement.

— C'est sûr. Donc, tu dis qu'il est mort par balles. Est-ce qu'il ne se serait pas suicidé ?

— Je n'en sais rien. Il était au volant de sa Rolls dans son pyjama de satin rouge, avec deux trous dans la tête.

— Hum, ce n'est pas le costume que je choisirais pour faire mes adieux à la scène. Était-il lié à la Mafia ?

— Je ne sais pas. Ça te paraît une possibilité ?

— La Mafia est connue pour blanchir de l'argent sur les marchés financiers. Cela dit, je n'ai jamais rien entendu circuler de particulier sur Hexter. Mais tu dois admettre que se faire dégommer proprement à son domicile, cela ressemble à un travail de commande. Est-ce qu'il y a des suspects ?

— S'il y en a, je ne suis pas dans la confidence.

— De toute façon, tu peux être sûre qu'il en a fait baver autour de lui. Je n'ai jamais cru à ces bondieuseries sur l'homme, le chef de famille, le philanthrope. Monsieur Propre. On n'amasse pas une telle fortune sans baiser son prochain.

— Sur les marchés à terme, tout le monde baise tout le monde, soupirai-je. Tu n'as rien d'autre à m'apprendre ?

La Bourse des valeurs était déserte en ce dimanche. Un malheureux gardien régnait sur le rez-de-chaussée de marbre art déco ; il nota mon nom sans même lever les yeux des pages sportives de son journal. Je pris l'ascenseur, aux portes incrustées d'épis de bronze, jusqu'au 14e étage.

Si les futures sont un jeu, c'est la Chambre de Compensation qui lui permet de se dérouler dans les règles. Les contrats s'échangent face à face dans la foule, pour ainsi dire à la criée. Les traders hurlent littéralement d'un bout à l'autre de la corbeille, communiquant leur intention d'acheter ou de vendre par un langage qui mêle le geste à la parole, comme des parieurs sur un champ de courses. Silos de grains, wagons de bétail, des centaines de milliers de dollars changent de main d'une seconde à l'autre, sans autre procédure qu'un simple signe du doigt. On n'a pas le temps de vérifier que la personne en face de soi possède bien l'argent ou la marchandise nécessaire à la transaction.

La Chambre de Compensation évite de se poser la question de la solvabilité et sert d'intermédiaire pour toute opération. Dans le rôle d'une banque centrale, elle achète simultanément au vendeur ce qu'elle revend à l'acheteur. Par nécessité, cet organisme garde la trace de tous les échanges et oblige ses membres à disposer de capitaux proportionnels aux risques encourus sur le marché.

Le directeur de la Chambre de Compensation s'appelait Kent Rush. Son bureau était un chef-d'œuvre d'autorité destiné à rassurer et à donner l'impression d'une impartialité absolue — à l'intention des esprits soupçonneux pour qui sa fonction se réduirait, à la base, à celle d'un directeur de tripot. Son bureau était même flanqué de petits drapeaux, comme le Bureau ovale à la Maison Blanche. Il y avait une petite porte de côté, pour le cas où une retraite discrète s'avérerait plus judicieuse qu'une confrontation.

Kent me serra la main et Ricky Sullivan, président de la Bourse, me salua depuis sa place sur le canapé. Il était pendu au téléphone, d'un appel à l'autre répandant la nouvelle de la mort de Bart Hexter, sondant les rumeurs possibles qui lieraient cet assassinat à des problèmes financiers. Rush me fit asseoir et me tendit le dernier listing des positions personnelles d'Hexter. Le papier était encore chaud de son passage dans l'imprimante laser.

Je commençai à m'y plonger quand arriva Carl Savage. Savage était un spécimen importé du Texas. Dans les trente-cinq ans, avec de belles épaules et un cou de taureau, une large figure harmonieuse où deux petits yeux d'acier vous scrutaient. Une queue de cheval retenait ses cheveux longs gominés en arrière.

Le chef trader d'Hexter serra les mains à la ronde dans un murmure de condoléances, avant de s'atteler à la tâche d'analyser les positions que son patron avait conservées durant le week-end. Ricky Sullivan vint se joindre à nous pour éplucher une à une toutes les transactions. Les trois hommes recouraient volontiers au jargon de la salle : Hexter était long en blé de janvier, short en deutsche marks, et traitait le crush spread sur le soja...

Je m'efforçai de suivre, mais une immense fatigue

m'envahit, semblable en tous points à la léthargie qui s'emparait de moi au cours de trigonométrie. J'étais assommée, comme chaque fois qu'on m'entraînait dans une discussion en profondeur sur des matières comptables. Avec le temps, j'avais appris à feindre un vif intérêt, mais le cœur n'y était pas.

Quand bien même tous ces détails me picotaient les yeux, le tableau général qui s'en dégageait était réconfortant — les positions de Bart Hexter étaient énormes et dans tous les sens, mais rien de quoi tirer la sonnette d'alarme. Après moult analyses, Kent Rush conclut que les réserves du disparu étaient suffisantes pour couvrir son exposition sur les marchés, et nous poussâmes un grand « ouf ».

Je revins à la vie quand on passa au sujet de la liquidation des comptes d'Hexter. Je savais que les autorités insisteraient pour que tout soit vendu dans les meilleurs délais. Ce genre de procédure était la règle. Mais Bart Hexter n'était pas un gagne-petit à 100 000 dollars par an. Dans certains cas, ses positions étaient telles qu'on risquait de déstabiliser spectaculairement les cours. Et encore une fois, on pouvait envisager qu'Hexter compensait certains de ses contrats par du physique, stockant les matières premières pour se couvrir, ou qu'il traitait aussi à l'étranger. Je ne voulais pas précipiter la liquidation sans nous donner une chance de déterrer attestations, confirmations d'ordres et autres documents.

En somme, il y eut moins de friction que je n'avais anticipé. Je crois que le soulagement de n'avoir rien découvert de vilain dans les affaires d'Hexter rendait chacun accommodant. Nous tombâmes d'accord pour une liquidation en cinq jours de toutes ses positions, sauf sur le soja, dont la seule importance nécessitait un calendrier de huit jours ouvrables.

Le silence et l'abandon du week-end enveloppaient les locaux d'Hexter Commodities. Vide, le dédale d'alvéoles habituellement rempli de brokers et d'opérateurs, vides, les écrans de cotation qui encerclaient la table. Savage ouvrit à clé la porte de son bureau latéral, et tira une chaise. D'un tiroir, il sortit deux verres ébréchés et une bouteille de scotch. Il les remplit en silence et m'en tendit un.

— À nos morts, fit-il en levant son verre. Qu'ils reposent en paix.

On trinqua. Je n'ai pas l'habitude de boire le dimanche avant l'heure du dîner, surtout à jeun. Mais ce n'était pas un dimanche comme les autres. J'avalai tout d'une traite.

— La police a appelé chez moi, fit Savage en se resservant. Ils veulent passer demain me voir et parler de Bart avec toute l'équipe. Dans le but, je suppose, de comprendre qui aurait voulu le tuer.

— C'est leur boulot. Et vous, avez-vous une idée ?

— Non. C'était un sale type. Je n'ai aucune confiance dans la moitié des gens qui travaillent ici, y compris moi-même. Donnez-leur une arme et je ne réponds de rien. Mais enfin, dans ce métier, ce n'est pas grave d'être un sale type. Je dirai même plus, ça aide. La seule chose qui importe, c'est de gagner de l'argent, et Bart faisait ça très bien.

— Il paraît. Son succès dans les affaires ne s'est jamais démenti. Quel est le secret de cette longévité ?

— Ah ça, je serais capable de tuer pour le savoir, fit-il avec un sourire dépité. C'était proprement incompréhensible. Loretta, qui dirige le clearing*, lui avait trouvé un surnom : Tournesol. Le savant fou. Vous vous souvenez du film *Rain Man* ? Une espèce d'attardé, mais qui possède à fond un talent extraordinaire, que ce soit jouer du piano ou parler latin.

— Elle l'appelait comme ça devant lui ?

— Loretta ? Ben tiens ! Loretta n'avait pas peur de Bart. Quel génie ! Le mec n'avait pas ouvert un livre depuis le lycée, se contrefichait de savoir si la terre

* Service de compensation.

était plate ou ronde, était infoutu de se servir d'un ordinateur, mais quand on en venait au trading — aux chiffres — personne ne pouvait suivre.

« On en trouve à la pelle, des bons techniciens, des salariés de grosses boîtes comme CRT qui planchent sur leurs graphiques multicolores. Merde, Hexter faisait tous ses calculs de tête. Il avait une mémoire photographique des nombres. Il n'avait pas de carnet de téléphone. Une fois composé un numéro, il le savait par cœur. Il récitait la table de 12 en moins de temps qu'il n'en faut pour brancher sa calculette...

— Et maintenant que le maître n'est plus ? interrompis-je.

— C'est vous, l'avocat. C'est à vous de me le dire.

— Comment réagiront les clients quand ils sauront la nouvelle ?

Les activités d'Hexter Commodities se divisaient en trois branches. L'intermédiation représentait un tiers de l'activité de la société : il s'agissait de transactions pour le compte de tiers — particuliers ou institutionnels impliqués dans les marchés à terme comme on peut l'être sur les marchés d'actions — les clients "finaux". Un autre tiers consistait en services de compensation pour des traders indépendants, les "locaux". Le rôle d'Hexter Commodities était de garantir et de traiter leurs opérations, moyennant un forfait par transaction. Les affaires menées pour le compte personnel de Bart Hexter constituaient le dernier tiers. Une fois liquidées ses positions, Hexter Commodities se réduirait à l'intermédiation et au clearing pour compte de tiers.

— Ils n'auront pas plus tôt appris sa mort, que 90 % des clients transféreront leur compte ailleurs, à moins qu'on leur donne une bonne raison de ne pas le faire.

— Que suggérez-vous ?

— À qui appartient la firme aujourd'hui ?

— À ma connaissance, les enfants en héritent intégralement. Le fils, Barton Jr., est l'exécuteur testamentaire.

« Barton Jr. ? » Savage se versa un doigt de scotch. Il tourna une gorgée dans sa bouche tout en réfléchissant. « Se peut-il qu'il prenne la tête de la société ?

— Aucune idée. Pour l'instant, il fait son deuil. Il est professeur de mathématiques théoriques, et si je comprends bien, une pointure dans son domaine.

— Je le sais. Pourtant, lui seul serait capable de reprendre les affaires de son vieux. Il agirait autrement, mais il agirait.

— J'ignore quels sont ses plans. Il va falloir lui laisser le temps...

— Le temps, c'est de l'argent, coupa Savage. Surtout pour nous. Qu'est-ce qui se passe si le marché pique une tête demain ?

— Et si Barton décide de vendre la société ?

— Vous savez aussi bien que moi, répondit-il avec son gros accent texan, que si les clients nous retirent leurs comptes, il ne restera plus rien à vendre.

Peu encline à retourner vers Lake Forest et la maison Hexter, je pris Lake Shore Drive vers le nord jusqu'à Sheridan Road. On aurait dit que tout Chicago était sorti pour saluer l'arrivée du printemps. Les gens avaient déballé leur matériel de base-ball, leur frisbee, et lâché les chiens, tous attirés vers la frange de parcs émeraude qui borde le lac Michigan. Sur la piste cyclable, les vélos aussi nombreux que les abeilles par beau temps slalomaient avec les patineurs et les joggers. Peut-être que Tim, l'assistant de Bart, se trouvait parmi eux, jouissant de cette journée sans nuages, ignorant tout de la mort de son oncle.

Le fait d'être arrivée sur les lieux sitôt après le drame, d'avoir découvert le cadavre, m'empêchait de prendre du recul : il m'était impossible de chasser la mort d'Hexter de mon esprit. Je me surprenais à repasser le film de mes prises de bec avec Ruskowski. Pourtant, je n'aurais pas dû me soucier de l'identité de l'assassin. Cela ne me regardait pas. Tant qu'il n'y avait pas de rapport avec Hexter Commodities, pas de pertes en perspective, ni d'irrégularités boursières, je devais me contenter de laisser la police faire son travail pour concentrer mon énergie sur le mien.

Mais les avocats ne sont pas vaccinés contre la curiosité, loin s'en faut, et l'on ne pouvait pas nier l'intérêt de ce crime. Bart Hexter était un personnage public, qui s'était érigé en parangon de labeur, de discipline et de vertu — le genre d'homme à mourir dans son lit, entouré de sa famille en pleurs. Carl Savage avait beau dire qu'il était un sale type, les gens ne se faisaient pas descendre pour autant. Si c'était le cas, cette ville pataugerait dans le sang. Il devait y avoir une autre raison. Malheureusement, tant qu'on n'aurait pas mis le doigt dessus, la presse et la police — je ne sais lequel était le pire — allaient s'acharner sans merci sur les siens.

Je trouvai les Hexter rassemblés autour d'une table-bar dans le grand salon, à une heure inédite pour un cocktail. Pamela Hexter était assise sur le canapé, un verre à portée de main, avançant une broderie au petit point. Près de la porte, isolé du reste de la famille sur un fauteuil en bois, se tenait un grand et gros jeune homme en tenue complète du Tour de France. Tim Hexter, avec ses fortes cuisses enserrées dans un maillot de lycra noir, semblait remarquablement mal à l'aise en compagnie de ses cousins.

Barton Jr., visiblement soulagé de me voir réapparaître, se précipita à ma rencontre pour me présenter. Sa femme Jane, pâle et très enceinte, s'extirpa avec effort de sa chaise pour me serrer la main. Krissy, sa sœur cadette, une blonde de luxe, enregistra l'information sans manifester le moindre intérêt. Son mari, Fourey Chilcote, m'accorda un « Enchanté ». Les Chilcote, je le savais, vivaient sur la propriété, dans l'ancienne résidence Manderson. Comment se fait-il que je ne les avais pas croisés plus tôt aujourd'hui ?

Je déclinai l'offre d'un verre, jetai un œil concupiscent sur un bol de cacahuètes, et me retirai avec Barton dans le petit salon adjacent. Sur un signe, Tim nous suivit en se traînant. Avec sa silhouette bovine et obtuse, il rappelait immanquablement le chien bébête mais loyal qui vient pleurer sur la tombe de son maître.

Je déployai le relevé des positions de Bart Hexter sur une table basse, en expliquant le calendrier de liquidations que j'avais négocié avec la Bourse. À ce stade, c'était peine perdue. Barton et Tim étaient en état de choc : ils se fermaient au monde dans l'espoir de retrouver leur équilibre interne.

— Il n'y a donc rien là-dedans qui puisse être lié à ce qui s'est passé ? finit par dire Barton, comme quelqu'un qui essaie de percer dans le brouillard.

— Rien pour l'instant. Mais cela ne préjuge pas de la suite. Carl Savage est parti à la Merc pour inventorier les opérations de votre père sur ce marché-là.

— Papa siégeait partout, à la Merc, au NYFE, au COMEX, même dans les petites places comme le MidAmerica, mais pour le compte de ses clients. Pour ses affaires personnelles, il préférait traiter ce qu'il connaissait le mieux — le blé, le soja, le maïs — toujours au CBOT.

— Savage prétend que les clients suspendront leurs comptes dès qu'ils apprendront la mort de votre père, à moins que vous ne veniez à la tête des affaires.

— Moi ? Il n'en est pas question. Je ne suis pas un homme d'affaires.

— Ce serait provisoire, jusqu'à ce qu'on trouve un arrangement.

— J'ai moi-même du travail, figurez-vous. Mes cours, mes conférences, la recherche... Je donne des examens la semaine prochaine. Je ne vais pas tout laisser tomber à cause de ça.

— Je suis désolée d'insister, surtout en un jour comme celui-ci. Mais les marchés ouvriront demain comme d'habitude.

— On croirait entendre Kurlander, coupa Barton en sautant sur ses pieds. Tout me retombe dessus que je le veuille ou non. Si j'avais voulu spéculer sur le marché à terme, je l'aurais fait. Je me moque de l'argent. J'aime la vie que j'ai choisie. Je ne veux pas de ce genre de responsabilités.

— Mais si ce n'est pas vous, à qui dois-je demander d'assurer le spectacle ? demandai-je doucement, comme à un enfant qui fait un caprice. Carl Savage ne veut pas non plus tenir ce rôle. Il dit que son travail consiste à s'assurer que les ordres sont passés, et qu'il n'y a pas de heurts entre brokers, commis et traders.

Rusant, je me tournai vers Tim : « Êtes-vous en mesure de prendre le relais jusqu'à ce qu'on trouve une solution ? »

Tim vacilla sur ses jambes et se mit à rougir.

— N-Non. Pas moi. Je ne suis qu'un grouillot. J'ai essayé d'agioter une fois, il y a deux ou trois ans. Je n'ai réussi qu'à perdre de l'argent.

— Le reste du personnel est commercial, continuai-je sans désemparer. Ce ne sont que des agents de change — des types qui appellent le dentiste du coin pour le persuader qu'il y a une fortune à faire en Bourse. Je regrette si je vous rappelle Kurlander, mais voyons les choses en face — votre père vous a donné sa confiance.

— Et je n'en veux pas, gémit amèrement Barton.

— Regardez ça, dis-je en saisissant la première page du listing de la Chambre de Compensation. 174 contrats pour acheter 870 000 boisseaux de blé de janvier à 15 000 dollars le contrat. Cela représente un engagement de 2 610 000 dollars sur un seul produit. Si le prix chute ne serait-ce que de 5 cents, vous faites une perte de 430 000 dollars. Maintenant à vous de me dire : qui va prendre ce genre de décisions à votre place ?

CHAPITRE 5

Persister à vivre dans le quartier de Hyde Park est l'une des constantes de ma rébellion contre ma famille. Ici, dans les rues qui entourent l'Université de Chicago, lauréats du prix Nobel, étudiants et chercheurs du monde entier vont à leurs affaires aux côtés des bookmakers, policiers, voleurs à la tire, petits escrocs et sectateurs de cultes africains ressuscités. Au sein de ses frontières, on trouve des îlots de splendeur médiévale, des pâtés de logements sociaux trapus et sordides, de belles résidences et des musées. L'on y développe des psychotropes complexes dans des laboratoires hightech, tandis qu'à l'autre bout de la chaîne pharmaceutique, les junkies arpentent les terrains vagues.

Je partage un appartement avec Claudia Stein, une amie de collège, aujourd'hui interne des Hôpitaux de l'Université de Chicago. Comme tous les immeubles sur cette portion de Hyde Park Bld, le nôtre date des années 20 et ne manquait pas d'ambition. Les pièces sont immenses, avec quatre mètres de hauteur sous plafond, agrémentées de ces détails d'architecture qui font se pâmer les promoteurs yuppies. Les occupants qui nous succéderont lui rendront certainement justice : nouvelle cuisine, vitrification des parquets, boiseries cérusées, etc. En attendant, Claudia et moi nous sommes contentées de larguer notre étrange assemblage de vieux meubles, et de pendre la crémaillère.

J'entrai et me dirigeai vers la cuisine, mue par l'optimisme autant que par la faim. J'ouvris le frigo pour être gratifiée de la vision de deux bouteilles d'Évian, d'une gousse d'ail d'incertaine provenance (de mémoire de locataire, ni Claudia ni moi-même n'avions jamais fait la cuisine), et d'une bouteille de vin à moitié vide. Mieux valait ne pas inspecter le freezer.

Je débouchai une bouteille d'eau et partis écouter mes messages dans le salon.

« Katharine Anne Prescott Millholland, c'est ta mère au téléphone », entendis-je après l'enroulement crissant de la bande. La voix de ma mère ne débordait pas précisément d'affection, mais quand elle énumérait tous mes noms, c'était carrément mauvais signe. Je m'assis dans un gros fauteuil, l'échine hérissée par l'appréhension.

« Je viens de parler avec ton ami Stephen Azorini », continua l'enregistrement. « Imagine ma surprise quand j'ai découvert que tu n'avais pas pris la peine de l'inviter au dîner de ce soir. Mais où as-tu la tête ? »

C'était une question rhétorique, mais je tenais ma réponse prête. J'avais appelé Stephen en début de semaine pour l'inviter — non, le supplier — de m'accompagner chez mes parents, mais il était à Los Angeles pour affaires. Quand il avait rappelé, c'était à mon tour d'être à Phoenix où je négociais une acquisition pour Cragar Industries. À mon retour, avec Bart Hexter qui me rendait chèvre en annulant tous ses rendez-vous, j'avais purement et simplement oublié.

La voix de Stephen s'éleva après le bip : « Salut, Kate. Je crois que j'ai gaffé, avec ta mère. On dirait qu'elle nous attend à dîner. J'ai une réunion avec le DG du département de recherche hématologique, mais je peux passer te prendre à 7 heures moins le quart. J'espère que je ne t'ai pas créé d'ennuis. À toute. »

Ma montre indiquait 6 heures moins vingt. J'ôtai mes habits en écoutant la suite : quelqu'un pour Claudia qui voulait lui fourguer des plots dans un cimetière, un journaliste du *Knight Ridder* et un autre du *Wall Street* en quête de citations sur Hexter.

Je n'avais plus le temps mais j'attrapai quand même un jogging et un tee-shirt élimé sur le tas d'habits en bas de mon placard. Je laçai mes chaussures et partis en flèche. Je traversai le parc en diagonale jusqu'au pont piétonnier de Fifty-first Street et pris la piste au bord du lac. Cela grouillait encore de monde, malgré le soleil à son déclin qui laissait un air frisquet. J'allai en direction du sud, esquivant les cyclistes autour de la péninsule rocheuse dite de la Pointe, pour revenir par la passerelle de Fifty-seventh Street Beach. Là, au vu des touristes qui traînaient leurs enfants épuisés sur l'aire du Museum of Science and Industry, je me suis forcée à grimper dix fois les escaliers à toute vitesse. Les flancs haletants, j'ai terminé par les six cents mètres qui me séparaient de chez moi.

J'ai pris une douche bien trop rapide à mon goût, et, sous le coup de la frustration et d'une angoisse montante, je me suis servi un Chivas on the rocks. Ruisselante dans ma serviette, j'ai tâtonné dans ma penderie à la recherche de quelque chose à me mettre. Pour être tranquille, j'ai décroché un pantalon en flanelle noire et une blouse de soie blanche. Quand Stephen a sonné, j'étais habillée, coiffée, et après deux scotchs, à moitié résignée à mon sort.

J'allais ouvrir. Stephen fit son entrée à sa façon : comme s'il était propriétaire des lieux. Il semblait marcher dans la lumière des projecteurs. 1,85 m, avec ses boucles brunes et son profil ciselé, on ne pouvait pas le rater et il le savait. PDG de son propre groupe pharmaceutique, il avait appris à utiliser son charisme et se vendait à merveille.

Stephen et moi, nous croisons nos vies et nos corps depuis le lycée. Il y a des périodes avec et des périodes sans, où je ressens à peine l'impact de son physique. Mais il y a toujours quelqu'un pour me le rappeler. Les femmes se retournent sur lui dans la rue. Les hommes nous jaugent tous deux et l'on peut lire dans leur regard : il mériterait beaucoup mieux qu'elle.

Sans songer à nier notre attirance mutuelle, la relation que nous entretenons est avant tout d'ordre pratique. Nous sommes l'un comme l'autre surchargés de travail, et n'avons ni lui ni moi la patience nécessaire aux aléas des rencontres et des amours naissantes. Nous sommes tombés dans un schéma d'arrangements, pris dans l'étrange espace de l'amitié amoureuse. Sa secrétaire appelle ma secrétaire. Elles sortent les carnets de rendez-vous et se mettent d'accord : le gala de soutien à la Fondation rénale est faisable le 15, en revanche je suis à Bruxelles le 19 quand Stephen reçoit ses ingénieurs chimistes et leurs épouses. J'apprends le plus souvent ces engagements à la lecture de l'agenda que Cheryl dépose sur mon bureau chaque matin. Bien que ces soirées se terminent généralement au lit, Cheryl se fait du souci pour l'absence de romanesque dans ma vie. Depuis quelque temps, elle a pris l'habitude de faire précéder le nom de Stephen d'un petit cœur rouge.

Stephen étendit ses longues jambes sur le sofa défoncé et se servit d'un joint dans la petite boîte de marbre rose qui prenait la poussière sur une table basse, en compagnie d'un livre de botanique appartenant à Claudia.

— C'est le dernier, fit-il en craquant une allumette.

Il me le tendit mais je secouai la tête : « Pour l'instant, je me concentre là-dessus. » (Je désignai mon verre de scotch.)

— Tu es bien la seule personne à devoir se saouler la gueule avant d'aller voir sa mère.

— C'est qu'il n'y a qu'une Astrid Millholland... Enfin. Donne-moi une minute pour me maquiller.

— Tu n'as pas besoin de maquillage, fit Stephen en m'attirant sur ses genoux.

L'électricité que nous générons me prend toujours par surprise. J'ignore de quelles profondeurs elle sourd, mais ce manque de compréhension n'altère en rien mon excitation. Au moment où cédait le dernier bouton de ma chemise, j'eus une pensée pour Claudia : pourvu qu'elle soit coincée à l'hôpital et non en train de rentrer. Mais l'alcool aidant, mes inhibitions se diluèrent aussitôt. Déphasée par le stress bizarre de cette journée, je ne proposai même pas de passer dans la chambre à coucher.

Comme les héritiers d'Hexter, j'ai grandi dans une maison bien protégée des regards. Un haut mur de pierre encercle la propriété, et l'on doit franchir un rempart de conifères avant d'apercevoir notre demeure XVIIIe en brique rose. C'est un triomphe de l'architecture géorgienne, spacieuse, gracieuse et remplie de belles choses. Depuis des années que je suis partie, j'ai acquis le recul nécessaire pour apprécier le coup d'œil de ma mère, son énergie et son talent pour trouver la pièce unique, le meuble rare, qui iront parfaitement dans tel coin.

Vu de l'extérieur, c'est une réussite d'avoir su créer tant de beauté. Mais ma perception du décor est toujours assombrie par le souvenir des algarades, des scènes éthyliques et des propos définitifs que j'y ai entendus.

Mon père nous accueillit sur le perron, son éternel gin tonic à la main. Il me pinça la joue et serra la main de mon compagnon. Stephen, je m'en étais rendu compte, tolérait à peine ma mère, mais s'était pris d'une réelle affection pour Papa. Ma mère, de son côté, n'acceptait Stephen que dans la mesure où je lui avais démontré que j'étais capable du pire — du moins à ses yeux. N'avais-je pas épousé un homme dénommé Russell Dubrinski, la forçant à recevoir les félicitations debout, aux côtés d'un tailleur juif immigré et de sa femme ?

Nous suivîmes Papa dans la bibliothèque où il prépara des cocktails. Je monopolisai un plateau de fromage et de crackers, tandis que les messieurs zappaient les chaînes de télé, du base-ball au hockey au basket et retour.

— On ne t'a jamais dit que le fromage était plein de matières grasses ? lança ma mère depuis le seuil.

— Alors pourquoi en présenter à tes invités ? répliquai-je.

Je ne me souviens pas d'une époque où nous avons pu parler sans nous chamailler.

Ma mère est une très belle femme, occupée à plein temps à être qui elle est : Astrid Millholland. Elle s'adonne sans compter à ses œuvres, érige l'élégance vestimentaire en art, et se surveille dans son miroir avec une discipline toute militaire. Après vingt-neuf ans de mariage, son poids n'a pas bougé de cent grammes. Sa peau est impeccable, ses grands yeux étincellent. Sa crinière de cheveux châtains est toujours aussi fournie, et beaucoup plus stylée que la mienne.

— Je sais que nous sommes entre nous, mais tu aurais pu prendre le temps de te maquiller, sermonna Mère. Comment peux-tu laisser Stephen te voir dans cet état ?

— Et si nous passions à table ? fis-je en me tournant vers mon père. Je n'ai rien mangé de la journée.

Ces soirées en famille ont pris un tour étrange, surtout depuis le départ de ma petite sœur, Beth, en pension. C'est comme si ma mère, rompue à l'usage de milliers de dîners, ne savait plus converser dès lors que son interlocuteur ne porte pas de smoking. Nous faisons de la figuration, parmi l'argenterie et la cristallerie, en luttant pour remplir les vides qui séparent l'apéritif du dessert.

Pendant le consommé, Mère nous entretint de son dernier projet de décoration : une révision complète du salon, du salon de musique et du solarium.

— Je sais que je vais choquer, confia-t-elle. Mais j'ai

décidé de faire appel à un nouveau décorateur. Mimi Ashford est un peu surfaite. Ses créations sont comme les tee-shirts signés Chanel. Je sens tout de suite, quand j'entre dans une pièce, si Mimi y a mis la patte. Il y a des signes, des choses qu'elle recommence partout, comme ces bouillonnés dans les draperies du salon de musique. Et puis, elle manque terriblement de souplesse. Nous avons déjeuné l'autre jour, et j'ai suggéré qu'il serait délicieux de pouvoir poser un verre quelque part. Elle m'a regardée droit dans les yeux : « Pas de table basse, point final. » C'est pourquoi je suis tentée d'essayer quelqu'un d'autre — Gordon quelque chose. Binnie Wadsworth ne jure que par lui. Au moins, il ne sera pas si directif. Et il risque d'avoir du temps libre après ce qui s'est passé. C'est lui qui devait refaire la salle de bal chez les Hexter. Je vois mal Pamela en train de se lancer là-dedans.

— Car savez-vous la nouvelle? fit mon père en s'adressant à Stephen, quelqu'un est allé liquider Bart Hexter. Tué à bout portant, sur le chemin de sa propriété...

— Miriam m'a prévenue cet après-midi par téléphone, reprit Mère. Il semble qu'une de ses employées ait une sœur qui travaille chez les Hexter — vous savez, ces domestiques étrangers sont tous cousins... L'audace croissante des cambrioleurs est scandaleuse. Miriam envisage d'ailleurs de mettre une clôture électrique, et de faire appel à une de ces sociétés de gardiennage qui louent des chiens.

— Je ne pense pas qu'il s'agisse d'un cambrioleur, intervins-je.

— Qu'est-ce qui te fait dire ça? Miriam tient de Sissy Linder qu'il y a un gang de voleurs qui se relaient dans le quartier depuis des semaines.

— C'était un client à moi. J'étais chez lui ce matin, juste après qu'on l'a assassiné.

Stephen, qui avait eu droit au récit complet durant le trajet en voiture, raconta poliment les événements de la journée.

— Il en aura escroqué un de trop, décréta mon père, le visage enflammé par le gin.

— Ça ne veut rien dire, fit ma mère. Ceux qui investissent dans les futures s'attendent à être escroqués un jour ou l'autre.

— Escroquer n'est pas le bon mot, protestai-je, toujours loyale envers le client. Ceux qui spéculent sont prêts à perdre de l'argent. Ils savent qu'ils prennent des risques.

— C'était un bougre d'Irlandais, qui a fini par prendre une leçon, déclara mon père.

— C'était quel genre d'homme ? demanda Stephen.

— Pas notre genre en tout cas, coupa Maman. Trop voyant. Pamela essayait au mieux de le tenir, mais Bart voulait toujours ce qu'il y avait de plus gros et de plus cher. C'était lassant, à la fin. Les gens lui faisaient bonne figure, par égard pour elle, mais il n'a jamais été véritablement accepté.

— Est-ce qu'ils étaient heureux ensemble ?

— Heureux ? répéta ma mère comme si la signification de ce mot lui échappait. Qui peut dire si un mariage est heureux ? C'est vrai qu'ils ne se privaient pas d'étaler leur affection en public. Mais Bart avait un caractère épouvantable, et je sais qu'ils ne s'entendaient pas toujours très bien. Ils étaient au club samedi soir, il paraît qu'ils se sont disputés — en tout cas, Gladys et Elmer Cranshaw ont dû raccompagner Pamela chez elle. Malgré tout, on dit que c'était un couple uni.

— Et c'est tant mieux, intervint mon père. Pamela était une fille très spéciale. Bizarre. Personne ne s'attendait à ce qu'elle se marie. Bart n'était peut-être pas un gentleman, mais il a beaucoup fait pour la sortir de sa coquille. Les Manderson sont des gens à part. Son père, Sterling, était un tyran et un malotru.

— Qu'importe ce qu'on peut penser de Bart, fit ma mère, je suis sûre que c'est une épreuve terrible pour Pamela. Quelle horreur ! Je ne peux rien imaginer de plus vulgaire que de se faire tirer dessus.

*

* *

De retour à la maison, je trouvai ma camarade étendue par terre dans le salon. Vêtue de son habituel pyjama d'hôpital, elle s'était barricadée derrière des écouteurs. Le câble qui la reliait à la stéréo serpentait à travers la pièce.

— Mauvaise journée ? criai-je.

Claudia ouvrit les yeux, se leva pesamment et alla baisser le volume. C'est une femme fluette, d'à peine 1,60 m, mais possédée d'un tempérament d'acier qui transcende sa taille.

— On se serait cru à Calcutta, fit-elle avec émotion. Attends, je ne pense pas que Calcutta soit aussi terrible. Disons, Calcutta sous acide.

— Qu'est-il arrivé ?

— Oh, la merde habituelle, simplement deux fois plus. On a eu une bagarre au couteau : deux ados qui se disputaient un magnétophone volé. Ils ont failli s'éventrer avec des couteaux de cuisine. L'un des deux avait pratiquement saigné à mort le temps qu'on l'admette. Une fois bichonnés pour l'intervention chirurgicale, un petit génie a eu l'idée de les placer côte à côte en salle pré-opératoire. L'un des gosses a sauté de sa civière pour tenter d'étrangler l'autre. Il y avait du sang partout.

« Là-dessus, j'hérite d'une Portugaise de soixante-trois ans avec une fracture du tibia. Seulement le service de rééducation a mal noté les radios, et je commence par ouvrir la mauvaise jambe. J'en termine avec elle ; ensuite, j'ai une péritonite en urgence, et je vais prêter main-forte pour bander vite fait mal fait une vieille de quatre-vingt-deux ans qui vient de se faire renverser par un bus et souffre d'une hémorragie interne. Enfin, il semble que l'action se relâche, et qui est-ce qu'on m'apporte ? La Portugaise de tout à l'heure.

« Apparemment, alors qu'on changeait les patients de place en post-opératoire, l'infirmier a laissé sa civière une minute et un énorme chariot sanitaire lui est rentré dedans. Elle est tombée, elle s'est ouvert le front et cassé le nez. On a tiré au sort pour savoir qui l'annoncerait à sa famille. C'est moi qui ai perdu.

— Ça m'a l'air d'une journée bien remplie.

— Et je ne t'ai encore rien dit de l'Homme jaune.

— Qui est, je te prie, cet Homme jaune ?

— Il s'agit d'un résident célèbre et quasi permanent des hôpitaux de la ville. C'est un Blanc, âgé de cinquante-huit ans, et atteint d'une cirrhose si exceptionnelle qu'il en est devenu jaune comme un citron et qu'il en a perdu la tête. Je parie que tu l'as déjà vu dormir sous le viaduc de la 55e Rue. Il porte en permanence un casque de hockey rouge, car il se cogne la tête quand il est pris de crises. Bref, il était aux soins intensifs pour un grave problème d'œsophage. Il a réussi à se libérer de tous ses branchements et s'est jeté par la fenêtre du sixième étage. Le problème, c'est qu'il a raté son coup. Il a chuté un étage plus bas pour atterrir sur le toit de la maternité.

— Comment s'en est-il sorti ?

— Il s'est cassé tous les os, mais le casque l'a préservé d'une blessure à la tête. On l'a recousu de partout et renvoyé aux soins intensifs.

— Calcutta sous acide, approuvai-je.

— Et toi ?

— Je trouvais ma journée très excitante jusqu'à ce que tu me racontes la tienne. J'avais rendez-vous chez un client ce matin : quand je suis arrivée, on venait de le tuer.

— Tu plaisantes ? Raconte !

Je fis le récit à Claudia. Avec la pratique, j'étais devenue une conteuse professionnelle.

— Et qui te dit que ça n'est pas un accident ?

— Genre, je grimpe dans ma Rolls en pyjama et je m'installe au bout de l'allée pour nettoyer mon fusil ?

— Mmh. Et que dit la famille ? Ont-ils pensé au suicide ?

— À ce stade, tout le monde est trop bien élevé pour en discuter. Mais sa femme m'a assurée qu'il n'aurait jamais attenté à sa vie. Et personne n'a trouvé de lettre d'adieu.

— 50 % des suicides se passent de mots d'explication, rétorqua ma camarade. Les études que j'ai faites sont une mine de renseignements pratiques.

— Tout est entre les mains de la police, soupirai-je.

— Ne sous-estime pas les flics, m'avertit Claudia. Des inspecteurs divisionnaires, j'en vois plein la salle des urgences. Rien ne leur échappe.

— Celui qui m'a interrogée ce matin, c'est sûr qu'il n'en rate pas une. En tout cas, il est corrosif.

— C'est parce que tu es sur la liste des suspects, crétine. Il ne va pas perdre son temps à te faire des courbettes.

— Tu es ridicule. Il n'a aucune raison de me soupçonner de quoi que ce soit.

— Je croyais que tu avais fait ton droit ? Tu dis toi-même que tu es la première arrivée sur les lieux. Hexter allait pratiquement à ta rencontre. Tu peux être sûre que tu es dans le collimateur des flics en ce moment même.

— Arrête, dis-je. Tu me fous le moral à zéro. J'ai assez de boulot comme ça. Je n'ai pas le temps d'être soupçonnée de meurtre. D'ailleurs, que diraient tes parents s'ils savaient que tu as une si haute opinion de la police ?

Les parents de Claudia étaient tous deux profs à New York University. C'étaient des gens de gauche, juifs et intellos, des rebelles aux tempes grisonnantes.

— Tout ce que je dis, c'est que la Brigade criminelle, en règle générale, se débrouille bien. Les policiers, c'est comme les plombiers. Certains sont bons, la plupart sont mauvais. Je passe un paquet de temps à recoudre des gens qui n'en seraient pas là si les flics avaient fait leur job. Tu sais ce qu'on dit, aux urgences ?

— Vas-y.

— Appelle la police et commande une pizza : tu verras qui arrive en premier.

CHAPITRE 6

La Bourse de Chicago allongeait son ombre sur le canyon d'immeubles de bureaux qui bordent LaSalle Street, notre version de Wall Street. Du haut de son toit pyramidal, une statue de bronze de Cérès, déesse romaine des moissons, préside impassiblement au tumulte des marchés. Dissimulées sous ses voiles, des antennes satellites annoncent aux quatre coins du monde le prix des matières premières.

Depuis tôt ce matin, j'étais enfermée dans une salle de conférences enfumée attenante au Parquet, avec Barton Jr., Carl Savage et Tim Hexter — lequel, à tout prendre, avait l'air encore plus déboussolé que la veille. Nous avions convoqué l'un après l'autre les traders d'Hexter Commodities pour orchestrer la liquidation des positions massives de Bart. Plus tard, il était prévu que Barton Jr., malgré ses réticences, s'adresse à tout le personnel. Il m'avait également donné son accord pour rester au bureau l'essentiel de la journée, et se rendre disponible pour toutes les décisions à prendre. On pouvait espérer que sa présence physique serait le gage aux yeux de tous de la continuité familiale et de son engagement personnel dans la société.

Une fois terminée notre besogne, Barton se retira pour préparer son discours. Je m'éclipsai jusqu'à la galerie des visiteurs à l'étage au-dessus, pour observer l'ouverture de la journée de trading dans le pit du soja. À Chicago, on a tendance à considérer les pits comme des lieux mythiques ; en réalité, ils se présentent tout simplement. Peu importe les matières premières qu'on y traite, toutes les corbeilles se ressemblent : estrades octogonales et surélevées, tapissées de caoutchouc noir censé étouffer les bruits et être confortable aux pieds.

Depuis mon observatoire en hauteur, j'observais les fichistes en jaquette verte, dont certains travaillaient depuis 4 heures du matin, affairés auprès des listings ordinateurs exposés sur des tables pliantes. Tous les matins, ils vérifient fébrilement si le nom de leur employeur figure dans la liste des opérations litigieuses de la veille — dans lesquelles l'acheteur et le vendeur n'ont pas des positions symétriques et qui doivent être rectifiées avant l'ouverture du marché. À l'approche de l'heure, les membres du personnel de la Bourse bourdonnent impatiemment, prêts à surgir de leur box.

Le pit du soja était déjà comble, rempli de commis pour l'essentiel. Guère plus âgés que des adolescents, ils sont payés pour garder la place privilégiée de tel ou tel trader. Normalement, on les voit faire des mots croisés ou même jouer au gameboy, mais aujourd'hui la plupart déployaient les suppléments économiques où s'étalait à la une la nouvelle de la mort d'Hexter.

Le code vestimentaire de rigueur dans les pits est affaire d'information plus que d'esthétique. Les traders portent des vestes aux couleurs codées, taillées comme celles des vendeurs de glace et de soda, correspondant à la firme pour laquelle ils travaillent. Par exemple, les traders de Merrill Lynch sont en vert foncé ; ceux de Dellsher en bleu ciel ; et ceux d'Hexter en noir. Les commis sont tous en jaune. Ils courent des opérateurs au téléphone qui reçoivent les ordres d'achat et de vente des diverses firmes dans les étages, aux traders dans les pits qui exécutent la transaction pour de bon.

Au signal de l'ouverture à 8 h 30, le bruit me percuta comme un mur tandis que la corbeille s'enflammait dans un tournoiement de mouvement. De haut, on aurait dit un tourbillon psychédélique, avec ces courants de traders colorés qui gesticulent, les bras levés, donnant de la voix. L'activité semblait particulièrement intense ce matin, et je savais cette frénésie en partie liée à la mort d'Hexter.

Doug Wirtman traitait le soja pour Hexter Commodities. Je le repérai à sa place habituelle sur la première marche du pit. Le badge carré accroché au revers de sa veste noire identifiait sa firme en quatre lettres — BART. C'était un bel athlète qui avait joué deux saisons dans le World Professional Soccer League avant de se reconvertir dans la compétition plus acharnée de la Bourse. Rien dans le comportement de Wirtman ne trahissait la disparition brutale de son employeur. Il était entièrement concentré sur son trading, les mains levées paumes ouvertes, manifestant l'intention de vendre.

Au physique, les pits sont un lieu de travail infâme. Le bruit n'est rien de moins qu'assourdissant et prend son dû avec le temps. Les vieux pros sont atteints d'une forme bénigne de surdité, et leur voix s'est enrouée d'avoir tant crié d'ordres. La promiscuité est aussi une épreuve chaotique — on est au coude à coude comme pour une partie de basket de huit heures de long. Parfois, le trading est si intense que les corbeilles se mettent à tanguer sous la poussée des officiants.

Ce sont des endroits essentiellement masculins, où l'on a tout intérêt à être grand, gros et fort. Le jargon des futures est d'ailleurs ouvertement sexuel. Les traders essayent de «faire le marché», «lever une jambe» «vendre les ailes d'un papillon». On essaye de «pomper», «chevaucher» ou «caresser» le marché. Et chacun sait que si vous allez contre lui, vous risquez de vous faire baiser à moins de vous retirer à temps.

Les pits sont des endroits dépouillés, univoques, qui ne laissent pas de place aux fioritures. Dans la course aux profits, le temps n'est pas aux poignées de main, aux « pardon Monsieur » et « merci Madame ». Les traders se bousculent, distribuent des coups et se marchent sur les pieds. Ils s'aspergent de postillons en gueulant leurs ordres. Déchaînés, ils brandissent leur carnet et leur crayon comme des armes.

Et pourtant, les pits représentent autre chose que l'arène ultime, le creuset où le machisme se mesure en dollars gagnés ou perdus. Pour des hommes comme Bart Hexter, c'est l'occasion de venir tester leur capacité ... et d'y rester tandis que les sirènes du marché leur confirment à chaque minute ce qu'ils valent.

La première chose qui saute aux yeux quand on entre dans le bureau d'Hexter, c'est le tigre du Bengale, ramassé sur lui-même face à la porte, et comme prêt à bondir. Hexter avait fait empailler la bête après un safari. Le message au visiteur était clair : si vous croyez me faire peur, à moi le tueur de tigre...

Barton Jr. s'adressa aux employés d'Hexter Commodities depuis le bureau de son père. Ce choix était à la fois symbolique et pratique. Il fallait donner le sentiment qu'un Hexter continuait à mener la barque. Isolé des coups de téléphone incessants et du scintillement des panneaux d'affichage, c'était aussi le seul endroit assez grand pour rassembler tout le monde.

Barton avait vieilli de dix ans, son visage était marqué des lignes sévères de l'endurance. Avec ses cheveux noirs de jais plaqués en arrière, il ressemblait si fort à son père que je ne devais pas être la seule à frissonner devant cette réincarnation.

Il parlait avec la calme assurance des cours en amphi, la voix posée, exercée de manière à porter jusqu'au fond de la pièce afin que tous, jusqu'aux commis en livrée dorée sur la pointe des pieds derrière la porte, puissent l'entendre. Il confirma ce qu'on avait pu lire dans les journaux sur la mort de son père et pressa le personnel de coopérer avec la police. Il sut leur parler avec sincérité, comptant sur leur loyauté, affirmant la volonté de la famille de maintenir la firme en pleine activité.

J'étais debout à ses côtés, charmée par la bonne grâce qu'il mettait à s'acquitter d'une tâche qui ne lui plaisait pas. Tim Hexter écoutait au premier rang, l'air catastrophé. C'était le fils unique du frère aîné de Bart, Bill, qui portait lui aussi le cachet de la famille Hexter : des hommes larges comme des ours, avec des mains en forme de battoirs. Mais tandis que Bart et à un moindre degré Barton traduisaient cette masse en puissance, elle devenait chez Tim un handicap — trop gros, trop mou, voûté, il était le contraire de la vivacité.

Les marchés à terme sont le règne des clans. Père et fils, oncles et cousins s'y serrent les coudes, tenus par les liens du sang et de l'argent. On trouvait naturel que Bart, à défaut d'avoir pu attirer son fils dans les affaires, ait fait appel à son neveu, quelles que soient ses limites, pour être son acolyte et partager ses secrets.

À côté de Tim, une petite dame ronde et proprette pleurait dans son mouchoir — la secrétaire de toujours de Bart Hexter, Mrs. Titlebaum. C'étaient les premières larmes que je voyais verser en faveur du défunt.

Le groupe se dispersa rapidement après la fin du discours. Après tout, les marchés étaient ouverts. La plupart des employés se hâtèrent de retourner à leur poste et à la cacophonie des téléphones, tandis qu'une partie de la direction s'avançait pour présenter ses condoléances. Je restai en retrait, pour laisser Barton terminer.

Je ne pus m'empêcher de remarquer une jeune femme au fond de la pièce. Vêtue du gilet jaune sur une petite robe noire, elle était adossée au mur, la poitrine enserrée dans ses bras. Elle avait un visage extraordinaire. Ses cheveux bruns encadraient et soulignaient une peau translucide, de hautes pommettes, des lèvres pleines et délicates. Son regard fumé bordé de longs cils aurait suffi à chavirer les hommes.

Une autre femme — coiffée d'un carré de cheveux auburn, la quarantaine extrêmement chic dans un audacieux tailleur lavande — s'avança vers elle. Leur conversation, si l'on peut dire car la plus jeune n'ouvrit pas la bouche, fut brève et concluante. L'autre se contenta de quelques mots et la quitta, le visage illuminé d'une joie mauvaise. La jeune femme se tint immobile jusqu'à ce que l'autre ait disparu de sa vision. Puis elle éclata en sanglots et s'enfuit le long du couloir.

— Il adorait cette vue, fit Barton en admirant la vaste perspective sur LaSalle Street qui lui faisait face. Je suis sûr qu'à cette place, il se sentait le maître des marchés.

La fidèle secrétaire vint nous servir le café, et repartit à son bureau le visage baigné de larmes.

— Quelle ironie du sort ! Savez-vous ce que mon père désirait le plus au monde ?

— Quoi ?

— Que je vienne travailler avec lui. On s'est même disputés à ce sujet la dernière fois que je l'ai vu, vendredi soir, quand nous sommes allés dîner chez mes parents.

— Au moins, vous étiez réunis.

— Un vrai désastre. Papa était en retard, mes enfants crevaient de faim, mais Mère tenait à l'attendre pour servir le dîner. On était tous de mauvais poil. Margot est arrivée. Avec sa copine, Brooke.

— Quel est le problème ? Vous prononcez ce nom du bout des lèvres.

— Aucun problème. Je n'ai rien contre Brooke. C'est simplement qu'à Noël, Margot nous a annoncé, je cite, son intention « d'explorer le mode de vie lesbien ». C'est avec Brooke qu'elle l'explore. Personnellement, si Margot est heureuse, j'en suis content pour elle. Mes parents sont un peu moins tolérants. Du coup, sa présence au dîner de famille a jeté un froid.

« Quand Papa a franchi la porte, j'ai vu qu'il était de sale humeur. Ça le prenait de temps en temps. Une contrariété au bureau, et il rentrait à la maison prêt à tomber à bras raccourcis sur le premier venu.

— Et c'est tombé sur Margot ?

— Non. Qu'elle ait amené Brooke n'a pas arrangé les choses, mais Margot sait se défendre. Papa a choisi sa cible préférée — moi-même. Il a repris ses vieux griefs : les gens qui travaillent pour lui sont des voleurs, ils encaissent leur chèque en fin de mois et passent leur temps à le poignarder dans le dos, etc., etc. Papa jurait tant qu'il pouvait. Cette habitude date de ses années de trader, mais il se trouve que ma femme, Jane, ne le supporte pas, surtout devant les enfants. Et je suis d'accord avec elle. Ce n'est pas drôle de se faire reprendre par la crèche pour les insanités de mon petit Peter. Jane l'a donc prié de faire attention. Ça l'a mis hors de lui. Il s'est mis à hurler qu'il était chez lui, et que personne n'allait lui faire la leçon à sa table.

« Vous ne connaissez pas Jane, mais avec elle, ça ne sert à rien d'élever la voix. Simplement, elle s'est levée. En deux minutes, elle avait rassemblé les garçons, mis les manteaux et passé la porte. Je me suis levé pour l'accompagner. Vous auriez dû voir la tête de ma mère — son regard me suppliait de rester...

— Votre père m'a pourtant dit que vous aviez travaillé pour lui, une fois.

— C'était une fois de trop.

— À quelle époque ?

— Il y a une dizaine d'années. Je venais de terminer ma première année de doctorat et j'étais lessivé. Je ne rêvais que de m'affaler sur une plage. Papa a pris ma fatigue pour le signe que je n'avais pas la carrure d'un matheux. Il ne s'est jamais intéressé à ce que je faisais. Pour lui, "théorie" est synonyme d'impuissance et de futilité. Les types comme moi ne sont que des songe-creux, qui jouent avec les chiffres et parlent en l'air.

« Bref, Papa ne peut pas sentir une ouverture sans foncer dessus. Il posa comme condition au financement de ma deuxième année que je travaille avec lui durant l'été. Mais il est impossible de travailler pour mon père. Je ne comprends pas comment les gars d'ici ont tenu. C'était l'homme le plus autoritaire de la création. Il avait toujours raison. Aucune initiative n'était bienvenue. Avec ça, d'un caractère de cochon. Je ne sais quels démons le poussaient — il a eu une enfance difficile, d'accord —, sinon qu'il jouissait de terroriser le moindre de ses employés. J'en avais soupé de ses colères étant enfant ; je n'avais nulle envie de repiquer en tant qu'adulte. Et quelle déception ! Toute ma vie, on m'avait seriné à quel point il désirait me voir à ses côtés. Dès le premier jour, j'ai compris qu'il ne pourrait jamais me traiter autrement qu'en petit garçon. Bien sûr, il avait du succès. Pourtant je voyais des moyens d'améliorer son rendement. Des choses simples, comme d'informatiser sa comptabilité. Mais Papa avait horreur des ordinateurs. Il connaissait tous ses dossiers par cœur ; il considérait l'écriture comme une forme de paresse.

« C'était vraiment un psycho-rigide. À l'époque, j'étais déjà emballé par la théorie du chaos. Je trouvais ça excitant d'y chercher des applications pour le trading des futures, mais Papa ne voulait rien savoir. Il s'en tenait à ce qu'il connaissait : traiter les produits agricoles, faire de la prospection téléphonique, et terroriser les brokers. Avez-vous une idée de ce qu'est le chaos ?

— En pratique, oui, mais pas en théorie.

— C'est un domaine relativement nouveau des mathématiques théoriques, qui s'attache à la représentation de systèmes complexes, à l'image du monde. À l'origine, la théorie du chaos s'est développée avec la météorologie, dans un effort pour comprendre et prévoir les variations du temps, qui ont une influence directe sur les prix dans le domaine agricole. Mais cette théorie peut aider à figurer tout système non linéaire, hautement instable — comme le marché des futures. Avouez que la plupart des gars plongés dans les pits ne sont pas très futés. Ils traitent un coup par-ci, un coup par-là. Ils soutirent un peu de fric en anticipant les ordres des brokers. Mais il y a une ou deux équipes qui ont appliqué avec succès les mathématiques supérieures au trading. Prenez CRT. C'est une bande de physiciens et de philosophes qui ont mis au point un système de trading sophistiqué. Avec le temps, ils ont réussi cent fois mieux que Papa.

— Mais il a refusé.

— Mon père ne voulait rien entreprendre qu'il ne puisse contrôler. Bien sûr qu'il voulait me former et me voir à ses côtés. Mais au fond, ce que j'avais à offrir ne l'intéressait pas. Il voulait une autre créature rampante dans le genre de Tim. Vous savez comment on appelait Tim quand je travaillais ici ? Il avait un surnom : Sniff.

— Sniff ?

— Parce qu'il était toujours à renifler d'où venait le vent. Je sais qu'il est mon cousin et que Papa l'a mis au boulot parce qu'il est le fils de son frère, mais Tim n'a pas hérité des meilleures qualités de la famille. Il a le caractère de Papa sans son talent pour les affaires. Cela dit, comme mon père ne se lassait pas de le faire remarquer, il s'est montré loyal à l'égal d'un fils.

— Alors, comment a réagi votre père quand vous avez laissé tomber ?

— Il était furax. Mais ma réaction à moi fut encore pire. J'étais sans travail. Mon père refusait de me payer mes études. J'ai fait une demande de bourse et tenté d'expliquer ma situation. On m'a ri au nez. Pauvre Barton Hexter sans le sou. Là-dessus, j'ai appris que la Merc organisait un concours avec un premier prix de 20 000 dollars et j'ai décidé d'y participer.

— Vous parlez de ces simulations où les concurrents disposent de la même somme au départ...

— ... Et celui qui a gagné le plus d'argent au bout de trente jours remporte la compétition. J'ai terminé avec 890 000 dollars de plus que la deuxième place. J'ai reçu mon chèque et un certificat de premier prix. J'ai gardé l'argent pour mes frais de scolarité et envoyé le certificat à mon père. Cet enfoiré l'a fait encadrer. Tenez, le voilà, à côté de la photo où on le voit jouer au golf avec Bob Hope.

— Et la suite ?

— Il n'y a pas eu de suite. J'ai continué mes études. Vers la fin du second semestre, les chèques de Papa ont recommencé à tomber. Il est venu me rendre visite avec ma mère un week-end, et nous avons fait comme si de rien n'était.

— Vous avez bien fait de lui pardonner, remarquai-je, songeant à la tension permanente entre ma mère et moi.

— C'est que j'avais rencontré Jane. Elle m'a vraiment aidé à trouver un équilibre entre nous. Papa avait une telle personnalité, je me suis toujours senti relégué à la périphérie. Jane m'a montré que je pouvais le prendre comme il était, et continuer ma route de mon côté.

— Vous êtes bien tombé.

— Je sais. Bart n'a jamais compris ce que je lui trouvais. Savez-vous que Jane est pianiste dans l'orchestre symphonique de Chicago ?

— Je me disais bien que je la connaissais ! m'exclamai-je. Je l'ai vue jouer. C'était en novembre. Un concerto pour piano de Beethoven. C'était extraordinaire. Vous savez comme certains solistes prennent la scène d'assaut, et vous étourdissent de leur virtuosité ? Son interprétation n'avait rien à voir. Elle était comme possédée par la musique.

Barton buvait du petit-lait, fier des prouesses de sa femme.

— C'est drôle. Votre père aurait dû être sensible à sa notoriété.

— Ce n'était pas sa tasse de thé. À ses yeux, une femme est faite pour se parer et pour dépenser, un peu comme ma mère ou Krissy. Il ne concevait pas qu'une épouse soit autre chose qu'un trophée.

— Votre mère apprécie Jane ?

— Je ne dirais pas qu'elle ne l'apprécie pas. C'est juste qu'elle ne comprend pas les gens qui ne sont pas comme elle. Elle s'est habituée à Jane, mais je crois qu'elle aurait été plus heureuse si j'avais épousé la fille d'une de ses amies, par exemple.

La porte du bureau de Bart Hexter s'ouvrit, et la rousse en costume lavande s'arrêta net, surprise de nous trouver là.

— Oh, je... je suis désolée, bredouilla-t-elle. Je ne savais pas qu'il y avait quelqu'un.

— Vous cherchez quelque chose ? demanda Barton.

— Juste un ou deux dossiers de clients, fit-elle en reculant. Je repasserai plus tard.

— Qui était-ce ? demandai-je après son départ.

— C'était Loretta Resh. Elle dirige le clearing. Si j'en crois les histoires de Margot, c'est une des vieilles maîtresses de mon père.

CHAPITRE 7

Deux imposants piliers de marbre flanquent les doubles portes en acajou de Callahan Ross, incongrus au 42e étage d'un immeuble de bureaux du centre ville. Selon la légende, le fondateur de la firme, Ewald Callahan, les aurait rachetés à une banque en faillite pour rehausser de prestige et de respectabilité sa pratique vacillante. De nos jours évidemment, le prestige et les honneurs coulent à flots. Avec plus de deux cents avocats à Chicago et des bureaux à New York, Washington, L.A., Atlanta, Londres, Paris et Bruxelles, le travail des collaborateurs de Callahan tisse sa toile sur le monde des affaires internationales.

Dans la réception sombre comme une nef, les noms des associés sont inscrits dans un cadre doré à l'or fin. Mon nom vient de s'ajouter au bas de cette généalogie. En février dernier, je suis devenue la plus jeune associée de l'histoire auguste du cabinet.

J'avais osé espérer que cette promotion me procurerait le sentiment de la réussite et de l'intégration. Au lieu de quoi, j'avais obtenu une première loge pour observer le fonctionnement véritable des lieux, un certain répit de la part de l'associé tyrannique qui m'avait formée, et bien sûr une grosse augmentation. Les avocats qui avaient plus d'ancienneté que moi et que j'avais doublés dans la carrière me regardaient avec aigreur. On dit que la jalousie, comme une mauvaise toux, ne peut se cacher. Quant à mes pairs, ils m'ont acceptée avec une cordialité empreinte de soupçon. Nous ne sommes que quatre femmes à posséder le titre, et j'ai les oreilles qui sifflent des commentaires sur mon âge ou mon sexe.

En revanche, on ne peut nier que j'ai reçu les honneurs dus à mon rang. Mon nouveau bureau est une petite merveille d'espace et de lumière. Si l'on se hisse sur les étagères, on peut voir la rivière depuis la fenêtre à l'ouest. J'ai même un voisin célèbre : Howard Ackerman. Howard est un redoutable plaideur — une vipère à lunettes cerclées et nœud papillon.

On raconte que, alors qu'il défendait une grosse société accusée de manipulation des cours, il répondit au procureur qui avait exposé au long des charges hautement techniques : « OK, mais vous n'avez aucune preuve. » Tout en se grattant la tête comme Columbo, il avait argumenté par A + B jusqu'à démolir l'adversaire et remporter le procès. Parfois, je l'entends à travers la cloison qui nous sépare ; il lance des objections à la tête d'un jury imaginaire, et la moquette de son bureau est tout usée de ces répétitions trépidantes. Comme d'habitude, sa porte est ouverte quand je passe devant.

— Paraît que tu descends tes clients, maintenant, Kate ?

— Ne jamais sous-estimer une femme !

— J'y penserai la prochaine fois que je te contredis, rigola-t-il tandis que je tournais le coin pour atteindre mon bureau.

Je jetai ma serviette sur la table et tombai la veste. C'est ici mon refuge, l'endroit où l'amertume et le chagrin du passé cèdent la place à la charge incessante de travail — téléphones, dossiers et courriers qui sont la machine à moudre du droit des affaires. Cela ne va pas sans crises ni catastrophes, mais c'est comme si elles concernaient une autre que moi. Je les gère à distance, avec l'impunité de qui facture son temps à la minute.

Je survolai l'agenda du jour et le courrier, épluché et classé par ordre d'importance présumée par Cheryl, ma secrétaire. Elle arriva justement avec une liasse de messages et une cafetière fumante. J'avais beaucoup de chance d'avoir hérité de Cheryl à mon arrivée chez Callahan Ross, et me l'étais appropriée avec un féroce instinct de survie. Elle est la cadette de huit enfants et la seule de sa famille à avoir fait des études. Elle suit les cours du soir à la Loyola Law School et le jour, elle veille à ce que le ciel ne me tombe pas sur la tête.

Elle s'assit à sa place, versa deux tasses de café et ouvrit son bloc d'une pichenette.

— Mauvaises nouvelles pour toi et moi. Par qui on commence ?

— Attends que je devine. Ma mère a appelé.

— Tout plein de gens ont appelé. Ta mère était la plus chouette.

— Mon Dieu ! Alors, commençons par toi.

— Voyons voir. J'ai eu onze coups de fil de journalistes. Tout le monde y est passé, du *Crain's Chicago Business* au *Daily Star*. Le type du *Star* m'a proposé 500 dollars pour lui obtenir une interview avec toi. Quand j'ai dit qu'il rêvait, il a répondu qu'il verrait avec son rédac' chef s'il pouvait faire mieux.

— Je te remercie de maintenir la barre si haut.

— Pas de quoi. Ken Kurlander a téléphoné pas moins de six fois. Il doit absolument et impérativement te parler à la minute où tu arrives.

— Maintenant les mauvaises nouvelles, demandai-je, sachant que Cheryl les gardait pour la bonne bouche.

— Je tiens entre mes doigts une assignation du bureau du Procureur du district de Lake County. Un type est venu te la notifier, mais j'ai fait en sorte que Skip Tillman signe pour toi au nom de la firme.

Elle me tendit une feuille que je parcourus rapidement. J'étais tenue de produire tous les documents en ma possession concernant Hexter Commodities. Je poussai un gémissement. Quand Bart m'avait engagée, son ancien cabinet avait affrété un camion pour m'expédier les dossiers. On mettrait des semaines à faire les copies.

— Ils n'ont pas perdu de temps ! Il est mort hier matin. Regarde si tu peux me trouver le numéro du service qui a signé ça. Je voudrais qu'ils comprennent le volume de papier que ça représente. Ils consentiront peut-être à préciser leur demande.

Cheryl se fit une note tout en commentant :

— C'est vraiment sinistre, cette histoire. J'ai lu les journaux. On a dû l'assassiner juste avant que tu arrives.

— Je sais. Je suis pratiquement la première à l'avoir trouvé.

— Je te plains.

— Plains plutôt Hexter. C'est sa famille qui souffre le plus. Non seulement ils perdent l'un des leurs, mais le cirque médiatique ne fait que commencer. Du jour au lendemain son fils, qui n'a aucun goût pour la finance, se retrouve à la tête d'Hexter Commodities. Avec ça, nul ne sait qui a appuyé sur la détente ni pourquoi.

— Comment peux-tu affirmer que personne ne le sait ? interrogea ma secrétaire.

Le téléphone sonna. Cheryl alla décrocher tandis que je remâchais sa question. « Bureau de miss Millholland », susurra-t-elle. Je vis son fin minois se contracter Elle hocha la tête et, camouflant l'appareil de la main :

— C'est quelqu'un de ta banque. Un huissier est arrivé avec un ordre de saisie pour tes comptes, et ils demandent quoi faire.

Il peut y avoir pire que de voir son client assassiné : c'est qu'on vous soupçonne d'en être l'assassin. Il n'y avait pas d'autre explication à cette avalanche soudaine d'assignations en justice. Je plaçai un coup de fil chez l'inspecteur Ruskowski, c'était toujours mieux que de ne rien faire, et laissai un message. J'étais en train d'évaluer dans quel pétrin je m'étais fourrée quand Ken Kurlander me tomba dessus.

— J'ai appelé toute la matinée, fit-il d'un ton comminatoire.

— J'étais au siège d'Hexter Commodities.

— Pamela Hexter m'a téléphoné. Elle est dans tous ses états. La police est revenue ce matin. Cette espèce d'inspecteur lui a dit que l'assassinat ne faisait aucun doute. Ils avaient un permis pour fouiller la maison. On lui a posé toutes sortes de questions déplaisantes.

— Un meurtre est une affaire déplaisante », répondis-je avec plus de véhémence que prévu. Je faillis déballer mes histoires d'assignations et me ravisai : « J'allais vous rappeler. J'ai besoin de savoir les dispositions exactes du testament concernant Hexter Commodities.

— Je vous ai justement apporté une copie, répondit Kurlander en me tendant le document au verso bleu.

Il sortit de sa poche une paire de demi-lunes et je me mis à parcourir les dernières volontés du défunt.

Les possessions d'Hexter étaient immenses et le testament complexe en conséquence. En plus de sa résidence de Lake Forest, je notai qu'il possédait des maisons à Vail et à Palm Beach, ainsi que des propriétés dans le Montana, le Texas et le Maine. Il avait des baux commerciaux à Chicago et un immeuble de bureaux à New York. Selon son testament, les propriétés foncières revenaient à ses trois enfants, à charge pour eux de les partager équitablement. La résidence de Lake Forest faisait exception, puisqu'il la léguait à Barton Jr., à condition que Pamela en conserve l'usufruit sans payer de loyer, et ce, jusqu'à sa mort ou son remariage.

— Attendez voir, dis-je en levant les yeux. À qui appartient la propriété de Lake Forest ? J'avais cru comprendre qu'elle était à la famille de Pamela, qui en hériterait à la mort de ses parents.

— C'est en effet le cas, à l'exception des trois hectares où est bâtie la maison. Cette parcelle ainsi que la maison sont la propriété du seul Bart Hexter, et reviennent donc à Barton Jr. au terme de ce testament.

— Vous voulez dire que Pamela ne possède pas l'endroit où elle vit ?

— Ni le terrain qui l'entoure, c'est exact.

J'étais stupéfaite. La propriété ainsi divisée perdait considérablement de sa valeur. Qui voudrait d'un immense terrain au prix fort quand deux hectares en plein milieu appartenaient à quelqu'un d'autre ? Les Hexter s'imaginaient peut-être que ça n'avait pas d'importance dans la mesure où tout restait en famille. Mais les avocats n'étaient pas faits pour les chiens et servaient précisément à éviter de telles erreurs. J'en attendais plus de Ken. Il dut le lire sur mon visage.

— Il faut que vous compreniez que Bart et Pamela avaient sur les questions d'argent des points de vue très différents, m'expliqua l'homme de l'art. C'était une cause de discorde dans leur mariage. Pamela ne s'est jamais remise de la donation par son père de cette parcelle à Bart. Pourtant, quand je lui ai suggéré de mettre l'ensemble de la propriété en commun, Pamela a refusé tout net.

— Mais pour quelle raison ?

— C'est une de mes plus vieilles amies, commença Ken. Je l'adore mais il faut reconnaître qu'elle est excentrique. Elle est spéciale en matière d'argent, disons qu'elle est très économe. Laissez-moi vous raconter une histoire. Il y a longtemps de ça, Pamela est venue me consulter : Bart avait des ennuis d'argent — techniquement, si j'ai bien compris, il s'est retrouvé collé avec une grosse position vendeuse sèche. Inutile de dire qu'il était dans l'incapacité totale d'assurer le paiement de ses appels de marge. Il l'a appelée au secours. Il lui fallait une grosse somme, plus d'un million de dollars, mais pour quelqu'un d'aussi riche que

Pamela, c'était faisable. Or, elle était plus que réticente à couvrir son mari, même si son refus pouvait le mener à la ruine. Ce fut un épisode difficile. J'ai fini par la convaincre de la nécessité d'un prêt, mais elle exigea en retour 10 % des actions de la société ainsi qu'un accord financier en bonne et due forme. Je crois me rappeler qu'elle avait même obtenu un taux d'intérêt supérieur d'un ou deux points aux banques, arguant qu'avec les risques qu'il encourait aucune n'accepterait de lui prêter.

— Il devait y avoir une bonne ambiance à table, ne pus-je m'empêcher de remarquer.

— Je répète : Pamela et Bart avaient un rapport conflictuel à l'argent. Pamela, qui n'a jamais gagné un sou de sa vie, trouvait plus moral d'épargner — à un point que Bart jugeait ridicule. Lui, qui ne doit sa fortune qu'à lui-même, passe pour un flambeur aux yeux de sa femme. Mis à part ça, autant que je sache Pamela et Bart formaient un couple remarquablement uni.

— Il y a des clauses intéressantes, fis-je en retournant au testament. « Hypothèques remises : Janice Titlebaum, 2719 Manor Drive, Skokie ; Loretta Resch, 19501 Sherbrooke, Naperville ; Tim Hexter, 2349 Lake Road, Wilmette… »

— Au cours des années, Bart a accordé des prêts immobiliers à certains de ses employés. Si je ne m'abuse, sa secrétaire, Mrs. Titlebaum, a presque tout remboursé. Vous verrez plus loin qu'il a consenti un autre prêt de 120 000 dollars il y a six mois à son neveu. Il l'abandonne également.

— C'est une belle somme. Sait-on à quoi elle correspond ?

— Cela s'est passé au moment de la mort de son frère, Bill. Je ne sais pas si vous vous souvenez, c'était dans tous les journaux. Lui et sa femme Lillian rentraient d'une soirée ; il a eu un malaise cardiaque. Il a perdu le contrôle du véhicule et percuté les voitures en sens inverse. Billy est mort sur le coup, la jeune femme en face aussi. Lillian a été atrocement blessée. Deux jambes cassées, fracture du bassin et Dieu sait combien de traumatismes internes. Elle n'est sortie du coma qu'après les funérailles de Bill. Quand elle a compris ce qui s'était passé, son état s'est détérioré de nouveau. Elle est morte en vingt-quatre heures.

— Quel cauchemar !

— Ce n'est pas tout. Billy s'est évertué à le cacher toute sa vie, mais c'était un gros joueur — Bart était certainement au courant. Il possédait une grosse quincaillerie qui rapportait pas mal d'argent, n'empêche qu'au moment de la succession, il y a eu des surprises.

— C'est-à-dire ?

— Par exemple, Billy n'avait pas payé son loyer depuis six mois. Il devait trois ans d'arriérés d'impôts au fisc et plus de 50 000 dollars à des types peu recommandables. Pire, il n'avait pas réglé son assurance maladie. Et la malheureuse Lillian avait laissé une ardoise de milliers de dollars à l'hôpital.

— Pauvre Tim !

— Je ne vous le fais pas dire. Tim n'a pas eu d'autre choix que de recourir à Bart, et lui-même n'a pu que venir en aide à son neveu, d'autant plus qu'un gang faisait pression sur lui pour qu'il règle ses dettes. La situation était franchement déplaisante. Pamela, je le crains, n'a rien fait pour arranger les choses. Elle faisait la leçon en permanence à son mari, l'accusant de jeter l'argent par les fenêtres, sans trop s'apitoyer sur le sort de Tim.

— Où est donc la section qui traite d'Hexter Commodities ? demandai-je en avançant. (Ces histoires de famille ne manquaient pas d'intérêt, mais à ce point de ma carrière, le temps pour les digressions à la Kurlander manquait.)

« Ah, j'ai trouvé. » Je dus m'y reprendre à deux fois pour être sûre de n'avoir pas mal compris. Je savais d'après les statuts que les 90 % d'actions appartenant à Bart se répartissaient en deux catégories, préférentielles et ordinaires. Les CI* représentaient la valeur totale de la société, mais ne comportaient aucun droit de vote. À sa mort, ils devaient être répartis à égalité entre les trois enfants — 30 % d'Hexter Commodities échouant ainsi à Barton, à Margot et à Krissy, tandis que Pamela conservait ses 10 %. Les CDV**, dépourvus de valeur financière, étaient en un sens plus importants puisqu'ils conféraient le droit de vote. Barton Jr. en héritait en totalité. En clair, les femmes possédaient les deux tiers de la société, mais n'avaient pas leur mot à dire sur la conduite des affaires.

— Cette passation de pouvoir est vraiment rétrograde, protestai-je. Les femmes n'ont aucun contrôle sur la société !

— Bart voulait justement éviter qu'elle ne change de mains. Il a tout fait pour dissuader ses filles, qui auraient pu être tentées de vendre leur part sous l'influence des maris.

L'explication de Kurlander était d'une telle mauvaise foi, le testament reposait sur des prémisses si fautives, que l'envie me prit de le tailler en pièces. Mais je me calmai. Je n'avais ni le temps ni l'énergie de réformer Ken Kurlander et de le traîner vers une époque plus éclairée.

Je repris le document depuis le début.

— C'est tout ? Il n'a rien laissé à Pamela ? m'enquis-je, réellement surprise.

Ken n'avait pas pu laisser Bart ignorer qu'une donation à sa femme serait exemptée d'impôts.

— Hélas, fit Ken en secouant la tête. J'ai soulevé la question chaque année. La seule explication, c'est qu'il y a un contentieux entre eux, et que Bart avait ses raisons pour exclure Pamela. Peut-être que ce fameux prêt le tourmentait encore. Peut-être qu'il s'est vengé de son avarice. J'ai pu constater que Pamela est près de ses sous — elle fait le compte du

* Certificats d'investissement.
** Certificats de droit de vote.

moindre penny qui sort de sa poche comme si c'était le dernier. Je sais aussi qu'elle excipait de ses droits d'actionnaire minoritaire d'Hexter Commodities pour faire vérifier les comptes chaque trimestre. Je vous le dis, c'est une originale.

— Avez-vous déjà discuté de ce testament avec la famille ?

— Nous nous réunissons demain à 10 heures. Mais il y a autre chose que je voulais vous dire. J'ai découvert un détail perturbant en arrivant à mon bureau ce matin.

— De quoi s'agit-il ?

— J'étais absent tout vendredi, et je ne m'en suis rendu compte que ce matin en consultant mon agenda. Il se trouve que Bart a téléphoné vendredi matin et fixé rendez-vous avec ma secrétaire pour me voir aujourd'hui.

— Est-ce qu'il a donné une raison ?

— Non, il ne lui a rien dit de spécial. Mais les Hexter sont mes clients l'un et l'autre depuis une trentaine d'années. En tout ce temps, je ne me suis jamais occupé pour Bart que de la transmission de son patrimoine. La seule hypothèse, c'est qu'il venait me consulter pour modifier son testament.

L'inspecteur Ruskowski me surprit avec un reste de chili et de la crème au menton — reliefs d'un déjeuner servi par ma secrétaire au grand cœur. J'ai sauté sur mes pieds à sa vue, d'un geste tamponnant ma bouche et secouant les miettes de ma jupe. Depuis le seuil, il jaugea rapidement les lieux.

— Entrez donc, dis-je en allant à sa rencontre selon le code des bonnes manières de la profession.

Il refusa ma poignée de main et se dirigea vers la fenêtre. Je restai debout au milieu de la pièce, mal à l'aise. Après un temps qui me sembla très long, il se tourna vers moi et passa ses doigts épais dans sa brosse de cheveux blond-roux.

— Et si vous me disiez quand vous avez commencé à coucher avec Bart Hexter ?

Déconcertée, je mis quelques secondes à réagir.

— Je n'ai jamais couché avec Bart Hexter, répondis-je finalement, me disant que ça ne devait pas être agréable tous les jours de faire son boulot.

— Ne faites pas la mijaurée. Vous êtes une grande personne. Je suis un flic. Rien de ce que vous avez pu faire ne m'est étranger.

Je remarquai qu'il portait le même costume bleu que la veille. Il avait les paupières rougies par la fatigue et sa peau tachée de son avait pris une pâleur maladive. Ça ne m'aurait pas étonnée qu'il n'ait pas dormi depuis la découverte du cadavre d'Hexter.

— J'apprécie votre compréhension, inspecteur, mais le fait est que je n'ai jamais eu le moindre rapport physique avec Bart Hexter. J'étais son avocate. Il était mon client. Je représente beaucoup de gens, dont je connais la plupart bien mieux que je ne connaissais Hexter.

— Au sens biblique ?

— C'est-à-dire ?

— Le Pr. Azorini n'est-il pas un de vos clients ?

— Pas personnellement, non. Je défends les intérêts de sa société, Azor Pharmaceuticals.

— Et vous couchez ensemble, n'est-ce pas ?

— J'ai une liaison avec Stephen depuis l'adolescence...

— Je ne vous demande pas depuis quand vous baisez Stephen Azorini, éructa Ruskowski, c'est Bart Hexter qui m'intéresse !

Je résistai à cette soudaine hausse de ton au mépris de la diplomatie.

— Ce n'est pas parce que j'ai une relation sexuelle avec un de mes clients que je couche avec tout le monde. Si c'était le cas, j'aurais un lit au lieu d'un bureau, et j'augmenterais mes tarifs.

— Bart Hexter louait un appartement à l'insu de sa

femme, à Lake View Towers. Vous n'allez pas me faire croire que vous l'ignorez.

— Non, je ne le savais pas.

— Je vous apprendrais donc que le portier de nuit vous a formellement identifiée comme la jeune femme qu'il allait y retrouver.

— Tout le monde peut se tromper, rétorquai-je, mais le ton manquait d'assurance.

Ruskowski sortit de sa veste l'enveloppe de photos que j'avais trouvée dans le bureau d'Hexter. Tout en parlant, il les étala une à une sous mon nez, non sans les reluquer consciencieusement :

— Je suppose que vous vous êtes dit, comme on ne voit pas le visage, qu'on ne vous reconnaîtrait pas. Ou pensiez-vous qu'en les remettant vous-même à la police, vous détourneriez les soupçons ? Si vous me permettez cette remarque, vous avez de beaux nichons.

L'expérience m'avait appris qu'un avocat épidermique est un mauvais avocat, et qu'en affaires, ça ne paie pas de perdre son sang-froid. Je fis quelques pas et me postai nez à nez contre lui. Je le regardai de tout mon haut, droit dans les yeux. Je voulais qu'il comprenne : j'étais offensée, mais pas intimidée.

— Vous êtes venu pour m'arrêter ?

— Si vous le souhaitez.

— Ne jouez pas au con avec moi. Je ne suis pas un gamin que vous avez pris avec une stéréo volée. Si nous devons continuer cette discussion, je suis en état d'arrestation et vous m'instruisez de mes droits. Sinon, fichez le camp de mon bureau.

Ruskowski resta campé sur ses jambes, soupesant l'alternative. Je le foudroyai du regard, bien décidée à ne pas lâcher le terrain.

Puis son vilain visage roussâtre s'éclaira d'un sourire. Il chercha au fond d'une poche et sortit ses clés de voiture, qu'il fit sauter crânement dans sa main.

— Nous en reparlerons, dit-il en tournant les talons.

CHAPITRE 8

— C'était quoi, son problème ? questionna Cheryl après son départ.

En règle générale, je me targuais d'être sur un pied d'égalité avec le sexe fort. Mais j'avoue que mes entrevues avec la Brigade criminelle commençaient à m'ébranler.

— Il croit que c'est moi qui ai tué Bart Hexter, dis-je dans un souffle.

— Mais c'est absurde !

— Je sais. Mais Hexter avait rendez-vous avec moi quand on l'a assassiné. Je me tenais près du corps à l'arrivée des flics.

— Voyons, si tu l'avais tué, pourquoi serais-tu retournée au rendez-vous ? Ça n'a pas de sens.

— Il aurait bien fallu que j'y aille. On m'aurait soupçonnée, autrement.

— Ils te soupçonnent de toute façon. Ne devrais-tu pas prendre un avocat ?

— Je n'ai pas besoin d'avocat. Je suis innocente.

— Dans les films, c'est ce que clame le héros juste avant qu'on lui passe les menottes.

— Merci de me le rappeler.

Je poussai un soupir et changeai de sujet : « Tu as réussi à joindre Herman Geiss ? » Herman était le chef de la commission de contrôle de la CFTC.

— Non, il est en réunion toute la matinée. J'ai laissé deux messages.

— Alors peux-tu m'avoir Greg Shanahan au téléphone ?

— C'est un avocat pénal ?

— Non, un trader — un client. Tu devrais le trouver dans le rolodex.

— Tu devrais quand même envisager un avocat.

— Ce qu'il me faut, dis-je avec une feinte sévérité, c'est une secrétaire qui m'obtienne Greg Shanahan au bout du fil.

— Oui, patronne, répliqua Cheryl en claquant des talons.

— J'aime qu'on m'appelle ainsi, dis-je tandis qu'elle disparaissait.

— Que ça ne devienne pas une habitude, entendis-je.

Le restant de la matinée, j'ai tenté de me libérer du fantôme de Bart Hexter pour me concentrer et rattraper la pile de travail qui s'était accumulée sur mon bureau. Si je n'y mettais pas un terme, j'allais devenir folle avec mes raisonnements paranoïaques. J'avais la chair de poule à l'idée que Ruskowski contrôlait mes comptes. Il devait être en train d'interroger mes voisins, de montrer ma photo à tous les taxis du secteur de Lake View Towers. Je le revis en train de disposer les photos pornos tout autour de moi. Je l'avais ressenti comme une agression obscène.

À une heure, Cheryl m'annonça qu'Elliott Abelman était dans les murs, en rendez-vous chez Daniel Blumenthal. Il demandait s'il pouvait passer une minute. Ravie de la distraction, j'acceptai avec joie.

Elliott défiait toute catégorisation. Fils et petit-fils d'inspecteurs de police, il avait rompu avec la tradition familiale et choisi les études, avant de s'enrôler au Vietnam comme pilote d'hélicoptère. Au retour, il avait fait son droit. Il avait travaillé pour Elkin Caufield, le célèbre avocat, jusqu'à se persuader qu'il préférait l'objectivité de l'enquête aux récompenses douteuses de la plaidoirie. Il était passé de chez Elkin au bureau du Procureur, avant de s'établir à son compte comme détective privé.

Elliott est beau garçon à sa façon discrète, avec ses yeux et ses boucles noisette. Il ne se distingue pas d'un millier d'autres types en costume Brooks Brothers — sauf à capturer le reflet de son Browning dans l'étui qu'il dissimule à l'épaule.

Il arriva avec un pot de café et deux tasses vides à la main.

— J'ai dit à Cheryl que je ferais le service, fit-il en souriant.

Quand Elliott souriait, c'était comme un rayon de soleil. Ce fut le meilleur moment de la journée.

— Alors, comment vont les affaires ?

— On ne peut pas se plaindre, dit-il l'œil malicieux. Il y a tout plein de gangsters et pas assez de flics. C'est une équation qui est bonne pour le commerce.

— Je t'ai recommandé à deux ou trois gus de Callahan Ross. Je suis contente de voir que ça marche.

— Et je t'en remercie. Mais on dirait que tu progresses, toi aussi, dit-il en jetant un œil circulaire sur mes nouveaux locaux. Ça fait quoi, d'être associée ?

— Comme d'être la seule fille à un enterrement de vie de garçon. Les collaborateurs ne peuvent plus me sacquer, et les associés ne savent pas comment le prendre. L'opinion générale étant que j'ai été nommée grâce à mon nom, qui fait bien sur le papier à en-tête de la firme.

— Mais tu t'es cassé le cul pour être associée ! D'ailleurs, je croyais qu'on recrutait de plus en plus de femmes ?

— Dans la profession, peut-être, mais pas chez Callahan. Nous ne sommes que quatre. Margaret Schwager est venue de New York où elle était associée chez Epps & Fenix, en amenant ses clients. Nous opérons sur deux planètes différentes, elle et moi. Elle passe dans le couloir et les gens se signent pratiquement. Tant elle est parfaite et rigoureuse. Quand nous sommes en réunion, je me sens disparaître en comparaison. Même chose pour Elizabeth Seidel. Elle était numéro deux à la Justice sous le gouvernement de Bush. Je crois qu'elle fait un petit tour chez nous pour arrondir son compte en banque, avant d'être nommée juge. Enfin, il y a Claire Halpern. Elle est formidable, mais elle a dix ans de plus que moi ainsi qu'une famille. Après le troisième bambin, on ne l'a plus vue autour de la machine à café. Comprends-moi bien : elle travaille comme une bête tant qu'elle est au bureau, puis elle se précipite chez elle. On ne peut pas lui en vouloir, mais ça lui laisse peu de temps pour être mon mentor.

— Tu dois être assez seule.

— C'est ce que je voulais, répliquai-je. Je ne vais pas m'en plaindre maintenant. Il faut juste que je trouve mes marques. En attendant, j'évite la salle des archives, de peur qu'on me poignarde dans le dos.

— À propos de meurtre, comment te retrouves-tu mêlée à l'affaire Hexter ? J'ai eu mon père : il dit qu'on ne parle que de ça dans les commissariats. Bien qu'on ait retrouvé l'arme dans la voiture, il paraît que le médecin légiste conclut à l'homicide.

— Ils ont retrouvé l'arme ? Tu m'étonnes. J'ai vu le corps juste après. Hexter était encore au volant. Je n'ai pas remarqué de revolver.

— Il était à ses pieds, sur le sol. Tu ne l'as pas vu parce que tu ne le cherchais pas. Je parie que tu ne pouvais pas ôter les yeux de son cadavre.

— Mais si on l'a retrouvé dans la voiture, n'est-ce pas une preuve de suicide ?

— D'après mon père, les flics disent qu'on s'est débarrassé de l'arme en la laissant tomber par la fenêtre ouverte.

— Mais comment peuvent-ils en être sûrs ?

— D'une part, Hexter était droitier et l'impact des

balles se trouve du côté gauche. Les gens ont tendance à agir de façon caractéristique. En général, les droitiers tirent de la main droite.

Elliott fit un pistolet de sa main droite et se contorsionna pour atteindre la tempe opposée et me montrer la difficulté de la chose.

« D'autre part, il y avait de la poudre — des grains incrustés sous la peau — sur le visage et le dos de la main gauche, qu'il a dû lever pour se protéger. C'est courant dans les blessures à la tête. Le type voit venir le coup et essaye de parer, instinctivement. »

Je fis la grimace.

« Ironiquement, continua-t-il, celui qui a descendu Hexter n'avait pas besoin de se donner tout ce mal. Bart Hexter avait de sérieux ennuis cardiaques. Selon le médecin légiste, il avait le cœur dans un tel état qu'il n'aurait pas passé l'été.

— Mais comment es-tu au courant de tout ça ?

— Les policiers papotent plus que les dames dans les salons de coiffure. Les gens s'imaginent que le boulot est excitant, mais 95 % du temps, c'est d'un ennui mortel — interrogatoires de routine et procès-verbaux en trois exemplaires. Un tel événement, c'est comme la finale de la coupe d'Europe : tout le monde en parle. Moi ce que aimerais savoir, c'est ce que tu viens faire dans cette histoire ?

— Je suis arrivée sur les lieux juste après sa mort. Je représente sa société, Hexter Commodities. La CFTC leur cherche des poux pour des infractions. J'avais un rendez-vous de travail chez lui le matin où il a été assassiné. Ce qui me sidère, c'est qu'en vertu de cette coïncidence, on me traite comme un suspect. Tous mes dossiers sur Hexter ont été saisis. Quelqu'un du bureau du Procureur est allé à ma banque vérifier mes comptes. Et je viens d'avoir la visite d'un certain Ruskowski, du commissariat de Lake Forest, qui s'est mis dans la tête que j'avais une liaison avec Hexter...

— Rusty Ruskowski ? s'écria Elliott.

— Vous vous connaissez ?
— Il était dans la brigade de mon père. Un boulet que Papa a traîné tout le temps qu'il est resté sous ses ordres.
— Pourquoi, il n'était pas compétent ? demandai-je, saisie de nausée.
— Ce n'est pas ça. Il manquait d'imagination. Il était procédurier ; tout devait marcher selon la règle. Malheureusement, on n'attrape pas les tueurs en trois exemplaires. Papa disait toujours que Ruskowski était un enquêteur génial, du moment que la solution était là.
— Et pourquoi se retrouve-t-il à Lake Forest ?
— Pour des raisons politiques. Il s'est fait rétamer dans l'affaire Shawana Morton. Tu te souviens ?
— Impossible de l'avoir ratée à moins d'être dans le coma. Une fillette de onze ans, enlevée en rentrant de l'école, retrouvée trois jours plus tard violée puis étranglée. C'est resté pendant des mois à la une des journaux.
— Ruskowski était chargé de l'enquête. Il faut être juste, tout le monde sait qu'il a travaillé dur ; mais au bout d'un an, on n'avait arrêté personne. Le maire de Chicago cherchait un bouc émissaire — Ruskowski était en première ligne. Il l'a très mal pris. Il s'est mis à boire sérieusement. Je crois que sa femme l'a quitté avant qu'il ait une chance de se nettoyer.
— Pas étonnant qu'il soit si agressif, remarquai-je, déconfite.
— Quand il a fallu trouver un homme d'expérience sur le district de Lake Forest, tu penses que Ruskowski était une aubaine.
— Ce que je vois mal, c'est pourquoi l'inspecteur de Lake Forest est un ancien de la criminelle. Je croyais que le comble de la violence dans le secteur, c'était de s'énerver un peu et d'entrechoquer des caddies dans les magasins.
— C'est que tu as oublié le meurtre de Leslie Fassbinder.

— Ça ne me dit rien, avouai-je.

— L'affaire a été étouffée. C'était une lycéenne de quinze ans qui s'était échappée de chez elle pour passer la nuit avec son petit ami, un condisciple du nom de Peter Wishburn. Vers 3 heures du matin, un voisin a entendu des hurlements et alerté la police. Quand les flics sont arrivés, ils ont trouvé Wishburn ensanglanté, pleurant sur le corps de Leslie. Elle était transpercée de coups de couteau. Ces génies n'ont eu besoin que d'un regard pour se convaincre qu'ils tenaient le coupable. Ils ont embarqué le gosse, salopé les lieux, et l'ont mis en détention provisoire pour lui extorquer une confession.

— Il a fini par avouer ?

— Non, puisqu'il n'avait rien fait. Leslie et lui étaient convenus de se retrouver dans une cabane près de chez elle, mais elle baignait dans son sang quand il est arrivé. Il se trouve qu'un autre garçon de la classe les avait entendus faire des plans — un déséquilibré, qui la harcelait depuis longtemps. Évidemment, la police s'est ruée dans la mauvaise direction. Le temps de s'apercevoir qu'ils s'étaient trompés de canasson, le véritable coupable avait savamment éliminé l'arme du crime et toutes les traces qui pouvaient le compromettre.

— Comment ça s'est terminé ?

— Pas trop bien. Ils ont fini par relâcher le petit ami. Les parents ont fait un procès. Ils n'ont jamais pu recueillir suffisamment de preuves pour inculper l'autre. Le type est aujourd'hui en troisième année à l'Université de l'Illinois. C'est un coureur de jupons. À la suite de quoi, le commissariat de Lake Forest a décidé qu'au prochain cadavre, il valait mieux avoir un expert sous la main. Et ils ont pris Ruskowski.

— Je suis dans une merde noire, dis-je en gémissant.

— Pourquoi ça ?

— Ruskowski s'est mis dans la tête que j'ai tué Bart Hexter.

— Et c'est le cas ? demanda Elliott avec un sourire qui annula la question.

— Ce n'est pas dans mes habitudes de zigouiller les clients. Et si ça l'était, il y aurait plus urgent qu'Hexter.

— Wow ! Là, tu m'impressionnes. Tu connais pire que lui ?

— Qu'est-ce qui te fait penser tant de mal de lui ? Tu ne lis pas les journaux ? Cet homme était un héros des temps modernes, un parangon de vertu !

— Je croyais qu'il fallait être une ordure pour réussir dans son métier. Plus gros le succès, plus grosse l'ordure. Non, franchement, je n'imaginais pas que Bart Hexter fût un ange descendu sur terre.

— Jusqu'à présent, j'ai entendu dire que c'était un type impossible, d'un caractère infernal. Je crois savoir qu'un de ses enfants le déteste.

— Tu me fais le profil de tes associés, on dirait. Je me trompe ?

— Mes associés sont bien vivants. Et il y a un inspecteur de police en chair et en os qui me soupçonne de meurtre. J'ai du mal à optimiser la situation.

— Je sais, fit gentiment Elliott. Mais ne te monte pas la tête. La police finira bien par trouver un coupable. Elle y arrive à tous les coups, enfin presque...

*
* *

J'ai trouvé Greg Shanahan dans la cour de Butch McGuire's, à faire des paniers de basket contre un autre trader. Ils pariaient 5 dollars le coup. Déclinant l'invitation de me joindre à l'action, j'allai m'asseoir au bar où je commandai un scotch et un soda. De mon tabouret, je vis Greg marquer un point avec aisance. McGuire's est le repaire favori des traders de futures. En ce lundi soir, l'endroit était rempli d'aspirants Gatsby en compagnie des filles qu'ils attirent. Les visages étaient si juvéniles qu'on aurait pu croire à une bande d'étudiants, n'étaient les vestes de costume accrochées aux chaises, le scintillement des Rollex, et le fait qu'on se vantait en dollars plutôt qu'en bonnes notes.

Greg, qui semblait s'en être sorti vainqueur, s'installa à mes côtés.

— Excuse-moi de t'avoir fait attendre, mais je ne pouvais pas laisser passer l'occasion de dépouiller ce mec de quelques billets. Faut bien vivre, comme tu sais.

De ses doigts il repeigna ses mèches blondes et commanda un gin tonic. Avec sa belle gueule et ses yeux bleus, il ressemblait plutôt à un moniteur de surf qu'à un capitaliste enragé. Mais il ne fallait pas s'y fier. Greg, comme tous ses collègues des pits, était braqué sur la poursuite des richesses, avec un goût effréné du cash et du glamour. Avec ça, dans ses habits de travail — Nike, jeans, chemise blanche, col ouvert sur une cravate branchée — il aurait pu être n'importe quel employé faisant une pause après le boulot.

— Comment ça va? demandai-je en faisant signe au barman de remplir mon verre.

— Hé hé, j'ai de la chance aujourd'hui. J'ai fait cinq bâtons à l'ouverture sur deux op, récolté une patate dans la cagnotte Bart Hexter, enfin, dit-il en sortant une liasse de billets, 55 dollars en paniers. La journée n'a pas été mauvaise.

— La cagnotte Bart Hexter? Vous n'avez pas perdu de temps.

— Ce sont les malades du pit Eurodollar qui ont commencé, se défendit Greg. On parie 50 dollars pour ou contre le suicide, plus 50 dollars sur l'heure exacte, à cinq minutes près, où le rapport du médecin légiste sera dans les journaux.

— Tu plaisantes?

— Pas du tout. Il y a des individus sérieusement tordus dans les marchés à terme. Tu devrais le savoir.

— On pourrait raisonnablement en déduire que

tout le monde n'est pas mort de chagrin en apprenant la nouvelle ?

— Certains adoraient Bart, la majorité le détestait. Et puis qu'est-ce que tu veux, un pari est un pari. Est-ce que je t'ai déjà raconté comment j'avais obtenu mon premier job à la Bourse ? C'est grâce à lui.

— Je ne savais pas.

— Ouais, j'ai commencé comme commis pour Bart Hexter. C'est lui-même qui m'a recruté, et je te jure que je ne l'ai jamais revu de tout le temps où j'ai travaillé pour lui. Il y avait une ouverture dans le pit deutsche mark. Je n'avais pas la moindre idée de ce qu'étaient les futures, sinon qu'un pote m'avait dit qu'on finissait à 2 heures de l'après-midi — ce qui laissait plein de temps pour aller à la plage et draguer les filles. Bref, j'essaye de l'impressionner, alors je dis : les marks, ça me conviendrait, parce qu'il se trouve que je parle un peu l'allemand. « C'est très intéressant, dit-il, mais il me faut quelqu'un qui sache compter jusqu'à dix et arriver à l'heure. »

On a rigolé.

— Qu'est-ce que tu peux me dire d'autre sur Hexter ? J'imagine que quand un truc pareil arrive à quelqu'un d'aussi visible sur les marchés, il doit y avoir de la nervosité dans l'air. Au cas où il aurait fait ce qu'il n'aurait pas dû. Tu as entendu des choses ?

— Bof ! tu sais ce que c'est dans ce milieu. Il y a toujours des rumeurs. Tiens, on m'a raconté l'histoire d'un mec qui traitait à terme sur le jus d'orange. Un jour il a soif, il envoie un commis chercher un soda au distributeur. Le commis s'exécute, mais la cannette est gelée, c'est de la glace, comme si la machine était pétée. Il retourne au parquet et prévient son trader qu'il n'a pas pris de jus d'orange parce qu'il était gelé. Eh bien, quelqu'un dans les pits a compris : les oranges ont gelé. En un quart d'heure, le prix du jus d'orange a grimpé au plafond.

— Alors, quels sont les bruits sur Bart Hexter ?

— Il y a deux ou trois trucs bien crades qui flottent

autour de lui. Rien de spécial. C'est surtout la jalousie qui fait parler les gens. Jour et nuit, le type faisait de l'argent. Il avait horreur de perdre. On dit qu'il était prêt à tout pour réussir un coup. Y compris casser le marché. Mais on dit toujours ça. Tu sais que je suis sorti avec sa fille, autrefois ?

— Krissy ?

— Nooon, répondit Greg avec un sourire sardonique. Je suis sorti avec Margot-la-Dingue.

— Comment ça s'est fait ?

— Figure-toi que c'est son père qui nous a présentés. Je vais te dire une chose : Hexter était un magouilleur de première. Je ne le savais pas, mais avant d'arriver à moi, il avait fait défiler la moitié des mecs de la Bourse pour l'inviter à dîner.

— Et ça a duré combien de temps ?

— Je ne l'ai vue qu'une fois, fit Greg en demandant un autre verre. Ça m'a suffi.

— Pourquoi, que s'est-il passé ? C'était horrible ?

— Non, pas horrible, répondit Greg pensivement, surtout bizarre. Un jour, je me retrouve dans l'ascenseur avec Bart Hexter. Maintenant, rappelle-toi que même si je compense mes opérations par Hexter Commodities, je n'ai pas échangé un mot avec lui depuis la fois où il m'a engagé. Et tout à trac, il se met à me poser des questions sur moi, à me dire qu'il sait que je marche bien dans les T-bonds — c'était vrai, mais pas grâce à son trader, qui ne me passait jamais d'ordres — et bref, il voulait savoir ce qu'en pensait ma femme. Je l'informe que je ne suis pas marié. Ah bon ? dit-il, est-ce que je fréquente quelqu'un ces temps-ci ? Pas vraiment. Bon. Et est-ce que j'aime le basket ? Sûrement, je réponds, sans comprendre où il veut en venir. Et le voilà qui se fait tout sucré, tout mielleux. Je m'impatiente, l'ouverture des T-bonds est dans deux minutes. Finalement, il demande si je peux lui rendre un service. Ça dépend, je dis, pensant que ce n'est pas rien qu'un type comme Hexter me soit redevable. Alors il m'explique que sa fille est une fan de basket, qu'il lui a promis de l'emmener au match des Bulls ce soir. Ils jouent contre les Lakers et les places sont excellentes. Malheureusement, il doit filer à la dernière minute pour Washington, faire du lobbying pour la Bourse. Puis-je le remplacer ?

« Évidemment, le dernier des crétins se serait demandé pourquoi la fille n'a personne d'autre sous la main, pourquoi Hexter se commet avec des inconnus dans l'ascenseur pour qu'on le débarrasse de sa gamine. Mais comme je te dis, je ne voulais pas rater l'ouverture. Sans compter qu'Hexter est — était — l'un des super-boss du marché.

— Tu as donc emmené Margot au match ?

— Et survécu pour te le raconter. En fait, il s'avère que la fille déteste le basket, et n'a pas la moindre idée de qui joue contre qui. Elle ne voit même pas qui est l'équipe de Chicago. Son père l'avait simplement persécutée pour qu'elle accepte. Et la voilà devant sa porte, face à un type qu'elle ne connaît ni d'Ève ni d'Adam. J'étais dans mes petits souliers. J'ai vaguement proposé de donner les tickets et d'aller dîner quelque part, mais elle répond texto : "Non, Papa serait furieux s'il l'apprenait." Et elle va chercher son manteau.

— Et vous vous êtes marrés ?

— De l'instant où elle est montée dans ma voiture à celui où je l'ai raccompagnée, elle n'a pas ouvert le bec. Elle est restée l'œil fixe, l'air souffreteux, et m'a totalement ignoré. Le lendemain, quand j'en ai parlé au bureau, j'ai pu constater que je n'étais pas le seul aux Olympiques des cavaliers de Margot. Un autre m'a raconté que Bart lui avait organisé un dîner en tête à tête avec elle. Au lieu de l'attendre au restaurant, Margot était accoudée au bar dans un long déshabillé de soie noire, avec des talons aiguilles. Il était bien trop gêné pour faire des commentaires ; elle a fini par lui demander s'il aimait sa toilette. Il répond poliment que c'est un brin inhabituel. Eh bien, dit-elle, puisque mon père se comporte en maquereau, autant que je m'habille en pute... Je t'assure, une rigolote !

« Le pire, c'est qu'après le match, Hexter n'arrêtait pas de m'appeler pour savoir quand on se reverrait. C'était complètement dingue. »

Le barman fit glisser le téléphone jusqu'à nous.

— Kate Millholland ?

— C'est moi.

— Téléphone pour vous.

Je pris le combiné. « Kate, c'est toi ? fit Claudia d'une voix contractée. Cheryl m'a dit que j'avais une chance de te joindre ici.

— Qu'est-ce qui ne va pas ? demandai-je, instantanément paniquée.

— Je suis à la maison. C'est le concierge qui m'a appelée. L'appart grouille de flics. Ils disent qu'ils ont un mandat de perquisition. »

CHAPITRE 9

Il y avait des voitures de police garées en double file devant mon immeuble, qui ralentissaient la circulation normalement paresseuse de Hyde Park en un filet chaotique. Les klaxons résonnaient. Les tempéraments s'échauffaient. Quand je parvins à m'extraire de ma voiture, mes émotions avaient dépassé le stade où je peux encore les qualifier. J'étais furieuse, exaspérée, apeurée surtout. J'ai monté quatre à quatre le grand escalier de pierre de l'immeuble, bousculant au passage le gardien polonais et ses amis, réunis sur le perron pour commenter les arrivées.

La porte de mon appartement était entrouverte. Je l'ai poussée au pas de charge pour me retrouver face à l'inspecteur Ruskowski et deux autres policiers, qui échangeaient des plaisanteries dans l'entrée. Derrière eux, du haut de son mètre soixante, ma colocataire bloquait la circulation, bras croisés sur la poitrine.

— Inspecteur Ruskowski, lançai-je d'une voix moins ferme que je l'aurais souhaitée, quelle mauvaise surprise ! J'espère que vous avez un mandat.

— Tenez, c'est votre exemplaire, me répondit-il ; son visage constellé de taches de rousseur se fendit de ce qui pouvait passer pour un sourire. J'étais sûr que vous voudriez vérifier.

Il enfonça la main dans une poche et me tendit le bout de papier.

— Vous devez aimer jouer les méchants, lui répondis-je, en lui arrachant le mandat des mains. Si vous me l'aviez demandé gentiment, c'est avec plaisir que je vous aurais laissé fouiller l'appartement.

— Facile à dire, maintenant ! D'ailleurs, je n'ai jamais su demander gentiment. Si vous croyez que je joue les méchants, vous risquez d'être surprise. Pour l'instant, vous avez eu droit au traitement « gant de velours » que nous réservons aux filles les plus coincées des riches familles de Lake Forest. J'aurais pu entrer ici et mettre l'appartement sens dessus dessous, mais la municipalité ne veut pas froisser vos vieux. En plus, dit-il en désignant Claudia du menton, cette petite teigne nous a menacés des pires choses si nous ne vous attendions pas. J'aurais pu la boucler pour entrave à la justice, sans parler de certains mots qu'elle a employés... On ne croirait jamais qu'une si petite chose puisse avoir une si grande bouche !

— Je vois que vous n'avez pas été présentés. Docteur Claudia Stein, voici l'inspecteur Ruskowski. » Je pris un moment pour examiner le mandat. « Tout a l'air en règle », dis-je en mettant mon sac sous le bras.

— Ça risque de prendre deux ou trois heures ; si j'étais vous, j'irais boire un café en face.

J'ai pris la mesure de l'alternative avant de répondre :

— Je préfère assister à la fouille, si vous n'y voyez pas d'inconvénient. Je ne voudrais pas que vous succombiez à la tentation de déposer de faux indices. Laisse-les entrer, Claudia !

Ma camarade, le visage livide, fit un pas de côté.

— Est-ce que ça a un rapport avec l'assassinat de ton client ? murmura-t-elle au moment où Ruskowski divisait ses hommes en deux équipes qu'il envoya aux deux extrémités de l'appartement.

— Oui. Essaye de surveiller un peu ceux qui sont dans la chambre. Moi je garderai l'œil sur ceux de la cuisine. Je ne tiens pas à ce qu'ils me faussent compagnie, même une minute.

— Je n'aime pas ça, commença Claudia. Ils ne vont tout de même pas inspecter le congélateur, j'espère ?

— Je m'en occupe, coupai-je pour suivre le bruit sourd des voix masculines dans la cuisine.

Ruskowski avait adopté la posture du contremaître, appuyé contre l'évier de la cuisine, tandis que deux policiers en civil inspectaient les placards.

— Vous n'êtes pas un cordon-bleu, ma petite Katie ! me taquina Ruskowski. Ces étagères sont plutôt vides.

— J'aimerais vous parler de quelque chose, lui dis-je.

— C'est en rapport avec Bart Hexter ?

— Non.

— Alors gardez ça pour vous. J'ai eu plus que ma part de conneries juridiques pour aujourd'hui.

— Mais je pense...

— Pas question ! aboya l'inspecteur.

J'ai songé un instant faire une troisième tentative, mais j'y ai renoncé en me disant que c'était tant pis pour lui. J'ai ôté lentement mon imperméable et l'ai pendu à mon bras, de sorte qu'il masque mon sac à main, en espérant qu'il ne remarquerait rien.

— Nom de Dieu, vous avez vu ça ? » s'exclama un des policiers, la main accrochée à la poignée du congélateur ; son visage s'était transformé en une caricature de l'étonnement. « Qu'est-ce que ça peut bien être, bordel ? Rusty, viens jeter un coup d'œil, merde ! »

Ruskowski s'avança jusqu'au congélateur et regarda. Je me haussai sur la pointe des pieds pour voir au-dessus de son épaule et refrénai un gloussement.

— Allez-vous me dire ce que c'est que ce bordel ? demanda l'inspecteur d'un ton furieux.

— Mais qu'est-ce que vous croyez ? C'est un bras.

— Un bras humain ?

— Non, répliquai-je, un bras de girafe ! Bien sûr que c'est un bras humain.

— Et qu'est-ce qu'il fout dans votre congélateur ?

— Ma colocataire, le Dr. Stein, est chirurgien. Elle exerce tour à tour à l'Hôpital de l'Université de Chicago et à Michael Reese. Il arrive qu'elle hérite d'un spécimen de dissection dans un hôpital et qu'elle l'emporte dans l'autre pour y travailler le lendemain. Entre-temps, elle le stocke au congélateur pour la nuit. Je vais vous montrer.

Je sortis le macabre paquet du congélateur — un bras humain, soigneusement plié au coude, aussi dur qu'un gigot surgelé, enveloppé dans du plastique. Je le passai comme un ballon en direction du policier en civil. Il l'attrapa, un peu effrayé. « Vous pouvez voir qu'il porte le cachet de l'hôpital Michael Reese. » Le flic éloigna le sac en plastique de son corps, comme s'il craignait que le bras ne reprenne vie et se saisisse de lui.

— Enlevez-moi ça ! » lança Ruskowski avec une grimace. Puis, se tournant vers moi : « Pas étonnant que la cuisine vous dégoûte ! »

Claudia et moi avons suivi les policiers pendant presque trois heures dans l'appartement ; ils examinaient chaque placard, chaque tiroir, retournaient chaque coussin et chaque chaise. Ils ont pris les clés de la cave et l'ont laissée dans le plus grand désordre. Dans la ruelle qui jouxtait l'immeuble, ils ont fouillé ma voiture et, après des conciliabules avec le concierge, ils se sont même mis à faire les poubelles.

J'ai fini par surmonter mon indignation et entrepris d'élaborer une hypothèse fondée sur leur méthode. Par exemple, ils paraissaient mépriser les objets inférieurs à une certaine taille — ils n'avaient pas daigné inspecter les petites boîtes, dont celle en marbre qui ornait notre table basse. Mais ils avaient enroulé le tapis de la salle de séjour, ce qui déclencha une tornade de poussière sur nos chevilles et une série de blagues vaseuses sur nos capacités de femmes d'intérieur. Surtout, leur attention se porta sur ma garde-robe que les policiers inspectèrent pratiquement au microscope. La paire neuve d'escarpins de chez Ferragamo que j'avais portée pour aller chez Hexter, dimanche matin, fut saisie comme pièce à conviction. Curieusement, ils m'avaient confisqué toutes mes chaussures de course, ainsi qu'un pull en shetland, qu'ils avaient trouvé dans la cave, et que j'avais porté la dernière fois pour faire du cheval plus d'une année auparavant. Sans oublier une paire de gants pleins de boue qu'ils dénichèrent dans le fond de l'armoire de l'entrée. Les chaussures de Claudia, comme celles de tous les chirurgiens, étaient maculées de sang, ce qui sembla poser un problème particulier à la police. Claudia leur expliqua, cachant mal son énervement, que même en les recouvrant de sacs de papier lorsqu'elle allait en salle d'opération, il était pratiquement impossible de ne pas les tacher. Je leur fis remarquer que Claudia chaussait du 36 et moi du 40 ; mais Ruskowski ne voulut rien entendre. Il les saisit donc toutes, ce qui eut pour effet de mettre Claudia en rage.

— Qu'est-ce que je vais bien pouvoir me mettre pour aller travailler demain matin ? demanda-t-elle, tandis que je signais les décharges.

— Et moi, qu'est-ce que je fais pour mon jogging ? dis-je en lui rendant les papiers.

— Achetez-en une nouvelle paire, répliqua Ruskowski. Mais à votre place, je n'investirais pas trop dans les baskets de luxe. On ne vous les laissera pas aux pieds à la prison pour femmes.

— Je ne manquerai pas de suivre votre conseil, ai-je répondu en fermant la porte derrière lui.

— Je ne sais pas ce que tu en penses, me dit Claudia, mais j'ai besoin d'un verre. Il nous reste quelque chose ?

— Je crois qu'il y a encore une bouteille de vin qu'a apportée Stephen. Elle est au frigo.

— Et il y a quelque chose à manger?» s'enquit Claudia quand je revins avec la bouteille que le tire-bouchon ne parvenait pas à ouvrir. «Me faire violenter par la police m'ouvre toujours l'appétit.»

— Tu te souviens de ce qu'ils ont dit: les étagères sont vides.

— On pourrait se faire rôtir un petit bras! lança-t-elle.

— Je préfère autant commander une pizza.

— D'accord. Mais tu pourrais peut-être commencer à m'expliquer ce qui s'est passé ce soir?

Je ne me fis pas prier, me versai un verre de vin et m'assis avec Claudia à la table de la cuisine.

— Je t'avais dit qu'on me soupçonnait, commençai-je. Les flics ont saisi mes dossiers et tous mes documents bancaires; à présent, ils fouillent mon appartement.

— Mais pourquoi? Quelle raison aurais-tu d'assassiner cet Hexter?

— Ce matin, l'inspecteur Ruskowski est venu me faire une petite visite au bureau et m'a accusée d'avoir été sa maîtresse. Il semblerait que j'aie une jumelle qui s'est installée avec lui dans un appartement en ville. Les flics ont montré ma photo au portier de l'immeuble qui m'a formellement identifiée.

— Super! s'exclama Claudia, une jumelle un peu salope... Que vas-tu faire, à présent?

— Rien. Que pourrais-je bien faire?

— Tu as songé à prendre un avocat?

— C'est ce que m'a conseillé Cheryl.

— Elle est de bon conseil.

— Il est trop tôt, répliquai-je. Je ne veux pas aller trop loin. Si je prenais un avocat, ce serait comme d'avouer à Ruskowski que je prends ses soupçons au sérieux.

— Mais c'est du sérieux, me répondit Claudia qui, d'habitude, considérait comme futile tout ce qui n'impliquait pas une hémorragie générale. La police me semble impatiente d'arrêter quelqu'un, même si c'est un innocent ; ça ne t'inquiète pas ?

— Bien sûr que ça m'inquiète. Mais je ne peux rien y faire. S'ils réfléchissent ne serait-ce qu'une minute, ils comprendront qu'il vaut mieux boucler un dossier qu'inculper la première venue.

— J'ai quand même l'impression que tu joues avec le feu.

— Je ne te le fais pas dire !

— Quand je suis rentrée et que j'ai trouvé tous ces flics à la maison, j'en suis presque morte de peur. J'ai un vieux sac de dope dans le congélo, caché dans une boîte de margarine.

— Ils n'ont même pas regardé, l'ai-je rassurée. Ils se sont arrêtés au bras.

— Sauvées par un bout de macchabée ! dit Claudia.

Nous éclatâmes de rire.

— Je vais te dire ce qui m'a vraiment inquiétée. D'après le contenu de ce mandat de perquisition, les flics auraient pu nous fouiller toutes les deux. J'étais terrifiée à l'idée qu'ils me demandent d'ouvrir mon sac.

— Pourquoi ? Qu'est-ce qu'il y a donc, dans ce sac ?

J'allai chercher mon grand sac de chez Dooney & Burke, assez grand pour faire fonction de petite valise, où je garde les objets essentiels à ma vie quotidienne. J'ouvris la fermeture Éclair et renversai son contenu sur la table de la cuisine : crayons, pièces de monnaie, petits bouts de papier gribouillés, lunettes de soleil, épingles à nourrice et tubes de rouge à lèvres s'entrechoquèrent en une averse de notes de téléphone cornées, de mouchoirs de papier froissés, et d'emballages de bonbons. Et finalement, l'ayant secoué une deuxième fois, un revolver Sig Sauer de calibre .38 tomba au sommet de ce fouillis avec un bruit sourd.

— Tu es folle ! s'exclama Claudia horrifiée. Où astu trouvé cela ?

— C'est mon père qui me l'a offert après mon

agression de l'année dernière*. C'était pour mon bien. Je veux dire qu'il était vraiment inquiet. C'était très touchant, il me l'a donné d'un air presque timide. Je crois qu'il avait peur que je le prenne mal.

— Et comment l'as-tu pris ?

— Que voulais-tu que je fasse ? Je lui ai dit merci et je l'ai fourré dans mon sac. À présent, au moins, il ne m'embête plus tout le temps, comme ma mère, pour que je déménage du centre ville. Je n'y ai pratiquement jamais plus pensé. Mais quand Ruskowski m'a tendu ce mandat de perquisition, ma première année de droit pénal m'est revenue en mémoire. S'il l'avait trouvé, Ruskowski aurait pu m'inculper de possession illégale d'arme à feu, ce qui constitue un délit, et de port d'arme prohibée, ce qui est carrément un crime.

— Je peux toucher ? me demanda Claudia.

— Fais attention, il est chargé. Tu veux que je retire les balles ?

— Non, ça ira... » dit-elle en le ramassant soigneusement puis en le pointant sur le réfrigérateur. Son visage était tout de concentration solennelle. « C'est lourd, fit-elle remarquer, le déposant finalement sur la table. Tu sais, tous les jours, je dois réparer les dommages causés par des armes à feu. Tout le monde a un flingue — les dealers, les gosses des bandes, les mères divorcées qui n'ont pas les moyens de vivre dans un quartier convenable et qui essayent de protéger leurs rejetons des dealers et des gangs. Je vois des as de l'attaque à main armée, des types qui veulent jouer aux durs, des gamins de seize ans qui se sont trouvés au mauvais endroit au mauvais moment, et d'autres, de quatre ans, qui se sont fait tirer dessus par accident par leur grand frère de six ans... Il faut que je te dise. Je n'ai jamais rien vu de bon sortir d'une arme à feu.

— Je sais, mais admets que d'autres, qui ne se seraient jamais retrouvés dans ce triste état s'ils

* Cf. *Le Prédateur*, Grasset, 1995.

avaient eu un flingue, finissent en salle d'urgence. Des gens qui se sont fait violer, agresser, tabasser sans raison.

— C'est vrai, admit Claudia à contrecœur.

— Je sais bien qu'il y a peu d'occasions où l'on ait réellement besoin d'un revolver, dis-je lentement en songeant à cette nuit, six mois plus tôt, où l'on m'avait sauté dessus sur la plage privée de mes parents, rouée de coups, et finalement laissée pour morte, mais quand on en a besoin, on en a vraiment besoin !

Ruskowski et ses hommes n'avaient pas seulement dérangé le contenu de mes tiroirs. J'ai passé la nuit à lutter contre l'insomnie, rêvant qu'on me forçait à tout nettoyer après le meurtre de Bart Hexter. Pamela Hexter me tendait un seau d'eau savonneuse et je me mettais à quatre pattes pour laver les éclaboussures de sang sur l'intérieur en cuir blanc de la Rolls Royce, jusqu'à ce que l'eau du seau fût devenue rouge et mes bras poisseux de bulles savonneuses. Quand l'aube pointa finalement, je sombrai dans un sommeil sans rêves. Au son de l'alarme, je me ruai sur le bouton, persuadée, durant un doux moment, que Russell était allongé à mes côtés. J'entendais le rythme lent de sa respiration, je sentais sa chaleur ; mais au moment de le prendre dans mes bras, la froideur des draps vides m'expulsa durement vers la réalité.

Il fut une époque où je me réveillais ainsi chaque matin, un cri bloqué dans la gorge tandis que la spirale douloureuse de la solitude m'entraînait vers le fond. Avec les années, cette sensation est allée en diminuant, mais je l'ai toujours combattue de la même façon — en forçant mon corps à jaillir du lit, et en passant un survêtement pour aller courir. Ce n'est qu'en farfouillant dans le désordre de mon placard que je réalisai que toutes mes chaussures de course avaient été jetées dans des sacs en plastique, étiquetées, et déménagées par l'inspecteur Ruskowski.

Je suis arrivée au bureau de très mauvais poil, pour découvrir, en passant en revue mon emploi du temps avec Cheryl, que je devais aller le soir même à un dîner de charité au profit de la recherche contre l'arthrite.

— Bon sang, râlai-je, j'avais totalement oublié. J'aurais dû apporter ma robe au bureau pour pouvoir me changer. Il faut à présent que je retourne à Hyde Park rien que pour ça !

— Tu te rends compte, répondit ma secrétaire, que la seule raison qui te pousse à oublier ces choses-là, c'est que tu ne les désires pas ? Depuis quatre ans que je travaille pour toi, je ne t'ai jamais vue oublier le moindre détail en matière de boulot. Mais dès qu'il s'agit de soirées mondaines et de ce que vous faites en compagnie de Stephen, tu te retrouves toujours avec ta robe, mais sans tes chaussures, ou alors tu as prévu de travailler sur un dossier, dont tu sais pertinemment qu'il te prendra quatre heures, deux heures avant la soirée en question... En fait, pourquoi vas-tu dans ce genre de galas puisqu'il est évident que tu détestes ça ?

— Je le fais parce que c'est mon devoir.

— Voyons, me corrigea Cheryl, tu ne t'en tireras pas comme ça.

— Ma mère est très active dans tout un tas de bonnes œuvres. Pour certaines raisons que je n'ai jamais élucidées, il semble vital que j'assiste aux réunions dont elle s'occupe. Et je te prie de croire qu'il m'est plus facile d'y aller que d'écouter ses invectives. Stephen, très gentiment, m'y accompagne, et je lui rends la pareille en le suivant dans des mondanités auxquelles il préfère ne pas assister seul. Et voilà le résultat : ni robe, ni chaussures, ni excuses.

— Tu m'inquiètes vraiment, Kate. Que fais-tu exactement pour t'amuser ? Et ne me parle pas du jogging ;

je sais très bien qu'une personne saine d'esprit est incapable de trouver du plaisir dans la course à pied.

C'est un appel téléphonique de Herman Geiss, l'insaisissable chef de la commission de contrôle de la CFTC, qui mit fin à cette minutieuse enquête sur ma vie mondaine. Herman était un ancien combattant de plusieurs guerres bureaucratiques. Comme tous les procureurs, il était convaincu que le reste de l'humanité se composait de gredins. Il avait dédié sa vie, avec la ferveur caractéristique de ceux qui travaillent trop pour un salaire minable, à stopper les filouteries dans les marchés à terme.

Avec les années, mon respect pour l'intelligence d'Herman et son humour grivois n'avait fait que grandir. Nous avions toujours eu, selon moi, des relations aussi bonnes qu'il est possible entre deux professionnels qui se retrouvent invariablement dans des camps opposés.

En décrochant le combiné, je m'attendais à quelque grosse plaisanterie de bureaucrate sur le décès prématuré de mon client ; aussi le ton très dur d'Herman me prit-il au dépourvu.

— Millholland, je vous ai déjà accordé trois prolongations, me déclara-t-il. C'est simple : ou vous crachez ou je vous enterre vivante !

— Mais mon client est mort, protestai-je. Je ne suis pas en train de vous arnaquer, Herman. C'était en couverture du *Chicago Tribune* d'hier.

— Lisez attentivement la circulaire Wells, Millholland. Nos accusations portent non seulement sur Bart Hexter, mais sur Hexter Commodities. Je me fous qu'il soit mort. Il vaudrait mieux pour vos fesses que vous me répondiez avant vendredi.

— Mais voyons, cher Herman, suppliai-je, soyez sympa. Je suis en train de me battre pour que la société survive après ce qui vient de se passer. Vous n'êtes pas raisonnable, même selon les critères administratifs.

— Ne me la jouez pas « cher Herman » ! Hexter

Commodities n'a pas cessé de se payer la tête du gouvernement depuis le temps où vous portiez des couches. Cela fait très longtemps que je veux me les faire. Restez branchée, Millholland, je vais vous apprendre deux ou trois choses sur ce qu'on appelle un meurtre dans les règles.

CHAPITRE 10

La matinée promettait d'être si agitée que je regrettais que mon fauteuil ne soit pas équipé d'une ceinture de sécurité. Mis à part le fait que je me trouvais au beau milieu d'une guerre larvée entre la CFTC et Hexter Commodities, un autre problème, longtemps inactivé, était sur le point de se transformer en crise majeure. Ce qui m'obligea à consacrer tout mon temps à parler sur deux lignes à la fois pour essayer de maîtriser l'incendie.

Quand Barton Jr. entra dans mon bureau, j'étais en train de maudire la terre entière. On venait à peine de m'informer qu'un accord d'acquisition que j'avais eu le plus grand mal à négocier sur une période de quatre mois venait d'avorter sans espoir de rémission, deux jours avant la signature définitive.

— Ce n'est pas vous que j'insultais, expliquai-je en lui faisant signe de s'asseoir.

Il était sur le point d'entrer chez Kurlander pour le rendez-vous qu'il avait pris avec ses sœurs à propos du testament. Il semblait infiniment fatigué, comme si le poids de ce qui était arrivé à son père s'était logé quelque part entre ses épaules, et l'écrasait.

— Comment vous débrouillez-vous? demandai-je.

— C'est très dur. Mon père prenait en charge tout ce qui touchait à la famille. À présent, par une sorte de perversion du droit d'aînesse, tout le monde se tourne vers moi pour que je prenne sa place. Kurlander me convoque pour me faire un sermon sur mes responsabilités, Krissy vient pleurer dans mon giron et me supplie de m'occuper d'elle, et Margot... Margot, elle, me glace littéralement les sangs. Je ne sais jamais ce qu'elle va dire ou à qui elle va le dire. Jane et moi avons passé une nuit blanche à nous demander jusqu'à quel point de folie il fallait passer pour devenir réellement fou.

— Et votre mère, comment va-t-elle ?

— Je dois dire que durant cette discussion sur la folie, son nom a été cité plus d'une fois. Tout ce machin — le meurtre de Papa, toute la publicité autour de cela — l'a gravement affectée. Ma mère a toujours été assez... spéciale, mais là, elle a disjoncté. Elle se prend pour la Madone des enterrements. Elle m'a appelé à 4 heures du matin pour mettre au point la cérémonie. Elle a absolument tout organisé dans sa tête jusqu'au moindre détail. Le téléphone sonne toute la journée et je suis obligé de l'écouter disserter gravement sur le costume que je devrais mettre, sur le fait de savoir si les domestiques doivent porter leurs uniformes ou s'il est concevable qu'ils viennent en civil, sur la musique qui accompagnera le service funèbre, etc. Jane m'affirme que c'est ainsi que ma mère compense le scandale de la mort de Papa, mais je persiste à trouver tout cela dément. De plus, elle se montre très vindicative pour tout ce qui touche à la Bourse.

— Comment cela ?

— Eh bien, pour commencer, elle refuse que qui que ce soit ayant eu des relations d'affaires avec Papa puisse porter le cercueil. Elle a demandé à Buck Farnscroft — que Papa connaissait à peine, avec qui il devait jouer au golf une fois l'an — de le faire, alors qu'elle a récusé Tim sous prétexte qu'il travaillait avec lui au CBOT. Bon Dieu, Tim était quand même son neveu !

— Tim va sûrement être vexé.

— Bien entendu ! Encore qu'il se soit fait une raison, avec le temps. Maman ne s'est jamais souciée une seconde de ce qu'il pouvait ressentir. Elle l'a toujours méprisé parce qu'oncle Billy tenait une quincaillerie et que tante Lilian est venue un jour à la maison avec une robe en polyester. Elle n'a jamais vraiment traité Tim comme un membre de la famille. Je ne sais pas trop, mais j'ai l'impression que les événements font ressortir les pires aspects de sa personnalité.

— Le deuil provoque souvent ce genre de réactions, lui dis-je.

— Pour couronner le tout, elle s'est mis en tête qu'un enterrement convenable devait avoir lieu à 10 heures du matin. Et quand je lui ai fait remarquer que c'était jour ouvrable et qu'un grand nombre de gens de la Bourse ne pourraient pas y assister, elle m'a carrément raccroché au nez. Elle m'a également annoncé qu'elle fermait la maison et qu'elle partait à Palm Beach dès la fin des cérémonies. Elle a même donné congé aux domestiques ; quand je suis passé, ce matin, ils étaient tous en train de faire leurs paquets.

— Mais pourquoi ?

— Elle dit qu'elle a toujours détesté cette maison, qu'elle nécessite beaucoup trop de personnel, et qu'elle coûte une petite fortune en chauffage. Maintenant que Papa est mort, elle ne veut plus y vivre. Elle me dit qu'elle nous laisse la place, à Jane et moi, mais Jane refuserait de s'y installer pour tout l'or du monde. Qui sait ce qui va arriver, maintenant ? Quoi qu'il en soit, j'ai demandé à ce qu'on emballe tous les dossiers de Papa et qu'on vous les fasse parvenir ici.

— Merci... Toute cette affaire de la CFTC est un casse-tête. J'ai parlé au chef de la commission de contrôle et sa réponse m'a choquée. Non seulement il refuse de nous accorder un délai supplémentaire, mais il semble même prendre un plaisir pervers à nos malheurs. Il m'a déclaré tout de go qu'il était déterminé à faire fermer Hexter Commodities.

— C'est étrange que la CFTC s'acharne ainsi sur nous, dit Barton Jr., je pensais que sa principale activité consistait à exercer des pressions sur le Congrès pour avoir les rallonges budgétaires qui le maintiennent en vie. Qu'est-ce qu'ils reprochent à mon père ?

— Il y a un mois, il a reçu un avertissement. C'est en fait la copie d'un rapport officiel de la commission de contrôle de la CFTC adressé à ses membres ; cette circulaire Wells, au terme d'une enquête approfondie, recommande à l'agence de lancer une procédure contre un individu ou une société. Contre les deux, dans le cas qui nous intéresse. Selon le rapport, votre père et Hexter Commodities ont joué sur deux comptes en tandem, en mars et avril derniers, pour prendre des positions supérieures aux limites autorisées sur le marché du soja. Vous savez que, dans chaque matière, la CFTC détermine une limite aux montants des contrats qu'on peut acheter ou détenir sur un seul compte. La Commission rogatoire accuse votre père d'avoir négocié en même temps sur son compte personnel et sur celui d'une société nommée Deodar Commodities ; ce qui lui aurait permis de prendre des positions excédentaires de façon illégale.

— Cela ne semble pas constituer un crime, protesta Barton Jr.

— C'est vrai. Dans un cas semblable, il y a deux tactiques : soit vous décidez d'aller au tribunal, soit vous négociez un arrangement à l'amiable. De toute façon, le résultat est à peu près le même : la CFTC vous colle une amende. C'est exactement pour cela que je n'arrive pas à comprendre l'attitude de Geiss. On dirait qu'il mène une sorte de vendetta contre Hexter Commodities. Vous savez pourquoi ?

— Absolument pas. Mais une chose est sûre — Papa détestait la CFTC. Il avait coutume de dire que c'était une bande de ronds-de-cuir qui prenaient leur pied en bricolant des règlements impossibles pour faire obstacle à la liberté du marché. Papa a été très actif dans le lobby qu'avaient constitué les grands opérateurs de la place ; et je sais qu'il disait ouvertement que la CFTC était un organisme inutile et inefficace qui n'avait d'autre but que sa propre conservation. Il est possible qu'ils aient enfin trouvé un moyen de lui rendre la monnaie de sa pièce. Qu'en pensez-vous ?

— Malheureusement, votre père et moi n'en avons jamais discuté. Je n'ai même pas reçu les doubles des avis d'opéré au crédit des deux comptes. Je ne sais pas ce qui se cache sous le nom de Deodar Commodities. Votre père m'avait promis de me confier tous les dossiers concernant cette affaire dimanche matin. Vous comprendrez que je sois étonnée de n'avoir rien trouvé dans la maison. À votre connaissance, est-ce que la police aurait emporté des documents après avoir fouillé la maison ?

— Je ne suis pas au courant. Je peux toujours poser la question à ma mère. Mais je suis certain que vous trouverez des copies de tous ces trucs au bureau. Vous devriez demander à Tim.

— C'est ce que je comptais faire ce matin, avant que tout le reste me tombe sur le dos. Je vais tâcher de régler ça directement, si vous n'y voyez pas d'inconvénient. C'est que le temps presse. D'habitude, la CFTC donne au prévenu deux semaines pour répondre à la circulaire Wells. Nous avons déjà eu trois prolongations d'une semaine chacune. D'après le ton de l'animal, je ne pense pas que nous en obtiendrons une quatrième. Il va me falloir les copies de ces documents aujourd'hui. En outre, je veux pouvoir examiner les dossiers de votre père. J'ai besoin de savoir s'il détenait des attestations de stockage, et de vérifier s'il y a eu des confirmations d'achat ou de vente avec d'autres Bourses. Je veux m'assurer que nous n'allons pas vers de mauvaises surprises.

— À propos de surprises, dit Barton Jr. un peu gêné, je voulais vous entretenir de quelque chose. Je sais que c'est davantage le rayon de Kurlander, mais je ne peux pas me résoudre à en discuter avec lui. C'est ridicule, mais il me rappelle le Père O'Donnell, le curé que je voyais dans mon adolescence. Il nous avait flanqué une sacrée frousse en nous faisant croire qu'il pouvait deviner quels péchés nous avions commis rien qu'en nous regardant. Chaque fois que je parle à Kurlander, j'ai la même appréhension dans la poitrine. Avec lui, l'argent de mon père devient une espèce d'énorme croix que je vais devoir porter le reste de mon existence.

— Je sais. Ken fait dans le Devoir avec un D majuscule. Mais il faut bien admettre qu'une telle fortune tend à voler de ses propres ailes. Que vouliez-vous me dire ?

— Hier soir, j'ai eu un appel de quelqu'un qui travaille pour mon père. Elle s'appelle Torey Lloyd. C'était une conversation étrange. Au début, elle ne s'est pas montrée très directe. Pour dire les choses en deux mots, cette personne prétend avoir eu une liaison avec mon père.

— Et je suppose qu'elle veut de l'argent.

— Oui, en effet. Je me demandais si vous accepteriez de lui parler pour moi. Honnêtement, je ne crois pas être en mesure d'assumer.

Ma mère réussit à m'intercepter juste au moment où je partais pour Hexter Commodities. Je me trouvais derrière mon bureau, en train de fermer les serrures de mon attaché-case lorsque Cheryl entra en trombe, une expression de désolation sur le visage. Dans son sillage immédiat apparut ma génitrice. Mère inspire à Cheryl une espèce de respect sacré. Elle est tellement parfaite — comme une photographie de *Vogue* soudain douée de vie. Tout en elle la sépare résolument du monde du travail — sa magnifique chevelure, le maquillage qui a nécessité plusieurs heures d'effort, le tombé impeccable de sa jupe, les escarpins italiens sur mesure, tout trahit une fortune sereine et une existence entièrement consacrée à la civilisation des loisirs.

Ma mère n'apparaissant que de façon rarissime au bureau, je ne pus cacher mon étonnement.

— J'allais justement au défilé de maillots de bain de Carolina Herrara chez Neiman Marcus, et je me suis dit que tu aimerais sûrement m'y accompagner, annonça-t-elle en embrassant mon bureau du regard, comme si elle venait de descendre du train et qu'elle s'était trompée de gare. Tu sais, j'ai toujours pensé que la collection de Carolina était faite pour toi — élégante et féminine. J'ai d'ailleurs bien envie de t'emmener déjeuner après.

— Mère, je suis désolée, dis-je en essayant d'imprimer une nuance de regret à ma voix. Je me rends justement à une réunion très importante. Nous déjeunerons ensemble un autre jour.

— Tu dois pouvoir réorganiser ton emploi du temps si tu y mets un peu de bonne volonté. Après tout, je ne t'invite pas à déjeuner tous les jours. Mais surtout, il faut impérativement que tu te commandes quelque chose de chic pour la photo qui illustrera l'article.

— Quel article ? ânonnai-je avec l'intuition d'une catastrophe.

— Oh, je vois... Stephen n'a probablement pas eu le temps de t'appeler. Avery, la fille de Vera Masterson, est devenue quelqu'un de très important au *Chicago Magazine*. En tout cas, ils ont décidé de faire un grand article sur les couples qui comptent à Chicago — tu sais, quand l'homme et la femme ont tous deux des activités professionnelles... Ils vont faire des interviews de Marv et Shelly Quinlen — il est PDG des Aciers Quinlen, bien sûr, et c'est elle qui est à la tête du conseil d'administration de l'Art Institute, cette année ; il y aura aussi Terry Binstock et sa femme Susan — il fait des transplantations cardiaques au Northwestern Hospital, quant à elle, elle dirige cette galerie sur Huron où on vend des fortunes ces horribles toiles sur lesquelles des gens jettent de la peinture en vrac. Mais bien entendu, c'est Stephen et toi qu'ils veulent en couverture.

— Pardon ?

— En couverture, ma chérie ! C'est pour cela que tu dois être à ton avantage. Tu t'habilles comme une pauvresse et franchement, ma petite, nous savons toi et moi que tu n'as jamais été très photogénique. C'est ainsi que m'est venue cette idée de génie sur le défilé. Tu comprends à présent pourquoi il te faut immédiatement décommander tes rendez-vous. Je connais très bien Carolina ; elle fera des miracles. Sauf qu'il reste très peu de temps pour te choisir quelque chose qui soit prêt pour la séance de photos. Où penses-tu qu'il vont prendre le cliché ? Ton bureau est un peu minable, non ? Comment est celui de Stephen ? Bien entendu, vous pouvez venir poser à la maison. Je vais appeler Avery pour lui dire que ce serait parfait, chez moi.

— Maman ! interrompis-je. Je ne peux absolument pas reporter cette réunion.

— Et pourquoi cela, je te prie ?

— Parce que c'est une réunion très importante.

— Plus importante que la photo ? Tu perds la tête, dit-elle, cassante.

— Non, non... Ne me fais pas dire ce que je n'ai pas dit. Mais il va falloir que je lise des tas de documents. Je dois rédiger une réponse à la circulaire Wells pour vendredi, dernier délai. (Ma mère me fixa d'un regard interrogatif. C'était du chinois pour elle.) Il faut que tu comprennes, c'est mon boulot ! J'ai des responsabilités ! Je ne peux vraiment pas faire autrement... (J'essayais de prendre une voix adulte et rationnelle, mais je bégayais.)

— Tu as vraiment le chic pour définir tes priorités, répliqua ma mère en enfilant ses gants.

— Si tu m'avais seulement prévenue un peu à l'avance, dis-je d'une voix implorante.

— C'est cela. La prochaine fois, je prendrai

rendez-vous auprès de ta secrétaire, lança-t-elle en partant.

*
* *

Sur le chemin d'Hexter Commodities, j'appelai Stephen Azorini ; on me répondit qu'il était en réunion. Cette histoire du *Chicago Magazine* ne me disait rien qui vaille, surtout venant de ma mère. Franchement, je ne me réjouissais pas à l'idée de me faire interviewer en tant que couple performant. L'année précédente, la société de Stephen avait repoussé avec succès une OPA hostile, à la suite de quoi nous avions tous deux eu droit aux colonnes de la presse. J'avais constaté que si Stephen semblait apprécier les feux de la rampe, ce n'était nullement mon cas. Sans compter que le *Chicago Magazine* n'allait peut-être pas me garder en couverture après que j'aurai été coffrée pour meurtre.

Les bureaux d'Hexter Commodities avaient l'air bizarre d'un lieu dévasté par une calamité naturelle. La salle d'attente était vide. Les téléphones sonnaient sans que personne ne réponde, tandis que les employés quittaient leurs bureaux pour conférer mystérieusement par petits groupes. Plusieurs courtiers étaient sur le point de déménager. Le corps de Bart Hexter n'était pas encore enterré que son navire faisait eau de toute part — un vaisseau sans gouvernail et sans moteur, dérivant, j'en avais peur, jusqu'au naufrage.

Je fis quelques pas sans que quiconque vienne à ma rencontre. À travers une porte ouverte, j'aperçus Carl Savage qui faisait les cent pas devant son bureau. Il portait le genre de casque qu'ont les standardistes et hurlait dans le micro. Je décidai de le garder pour plus tard, et me dirigeai vers le bureau de Bart Hexter. Barton Jr. devait toujours être en réunion avec Kurlander. Qu'à cela ne tienne, les gens à qui j'avais vraiment envie de parler étaient les deux plus proches collaborateurs du défunt — sa secrétaire, Mrs. Titlebaum, et son neveu, Tim Hexter.

Tim n'était pas dans son bureau, mais je n'eus pas de mal à trouver Mrs. Titlebaum à son poste, ouvrant tristement le courrier de son patron. C'était une femme d'une cinquantaine d'années, boulotte et stricte, avec des cheveux gris soigneusement coiffés et l'air sérieux comme un pape.

— Puis-je vous demander une minute ?

— À votre disposition, répondit-elle en levant les yeux de son travail. Barton Jr. m'a dit que vous désiriez me parler de certains documents. Je sais que je devrais l'appeler Mr. Hexter, mais c'est ainsi que je m'adressais à son père...

— Cela faisait longtemps que vous travailliez pour lui ? dis-je en attrapant un fauteuil.

— Plus de trente ans. Lui et mon Leo sont entrés dans les affaires à peu près en même temps, mais mon Leo n'avait pas la main heureuse. Il a connu des revers et fini par perdre tout ce qu'il avait — ainsi que l'argent que lui avait confié sa famille. Il ne l'a pas supporté et s'est suicidé. Il m'a laissée sans rien, si ce n'est un bébé de dix mois. Par la suite, les amis de Leo se sont cotisés pour me venir en aide, mais ça ne suffisait pas. C'est Mr. Hexter, qui ne m'a pas oubliée, et m'a donné ce travail. Je ne l'ai jamais quitté depuis. J'ai toujours pu compter sur lui. Quand le quartier où je vivais a commencé à se dégrader, c'est lui qui m'a avancé les fonds pour mon déménagement, et pour l'appareil dentaire d'Evie... tout ! On pouvait lui faire confiance.

— À l'évidence, vous ne trouviez pas que c'était si difficile de travailler pour lui.

— Ce n'est pas ce que j'ai dit, fit-elle avec un sourire. Il avait vraiment un caractère de cochon ; et quand il vous ordonnait de sauter, il valait mieux suivre ses ordres. Mais c'était le patron, et les choses horribles qu'il proférait, il ne les pensait pas. Ça m'a toujours glissé dessus comme de l'eau sur les plumes d'un canard.

— Est-ce que Mr. Hexter vous a demandé de me préparer un dossier à propos de son contentieux avec la CFTC ? Je recherche copie des documents concernant son compte personnel et celui de Deodar Commodities.

— J'ai sorti le dossier de ce client et demandé à la comptabilité les relevés pour les deux comptes qu'il m'a indiqués jeudi matin, si c'est à cela que vous faites allusion.

— Est-ce qu'il vous a dit l'usage qu'il comptait en faire ?

— J'ai pensé qu'il les voulait pour sa corrida avec Tim, l'après-midi.

— Sa corrida ?

— C'était une plaisanterie entre eux. Vous savez qu'un marché « bear » *(ours)* est un marché à la baisse, et qu'un marché « bull » *(taureau)* est un marché à la hausse. Tous les jours, après la clôture, Mr. Hexter avait une réunion d'une heure avec Tim. Un jour, il y a deux ans de cela, je lui ai demandé ce qu'ils faisaient, et il m'a répondu : « On attrape le taureau par les cornes. » D'où la corrida.

— Mais que faisaient-ils véritablement ?

— Ils examinaient les marchés du jour. Je ne sais pas si vous avez déjà vu Mr. Hexter travailler, mais je vous assure que ça valait le coup d'œil. Il négociait des milliers de contrats, aboyant à Tim les instructions qu'il devait relayer à Carl. Il gardait tout en tête — il disait toujours qu'il n'avait pas besoin d'ordinateur, parce qu'il était né avec un ordinateur entre les oreilles, et je peux vous dire que c'était vrai — mais c'était coton pour les autres de suivre. Tous les jours, à 4 heures, Tim entrait dans le bureau de Mr. Hexter et comparait les registres des transactions de la journée avec les ordres de Mr. Hexter. Quand ils avaient terminé le passage en revue des contrats, Mr. Hexter partait et Tim restait au bureau pour s'assurer qu'il n'y ait pas d'erreurs. En rentrant chez lui le soir, il déposait la version finale des transactions chez Mr. Hexter, au cas où il aurait voulu faire des opérations par Globex ou travailler sur le marché des devises européennes au petit matin.

— Ils procédaient ainsi tous les jours ? demandai-je, songeant aux rendez-vous à 4 heures de l'après-midi que Bart m'imposait sans compter les tenir.

— Oh oui ! Mr. Hexter était très superstitieux. Il appelait cela son horaire gagnant et devenait fou furieux si quoi que ce soit ou qui que ce soit venait à le modifier. Il arrivait souvent que Tim se mette en retard pour le rapport du vendredi — le vendredi, il devait non seulement apporter les registres du jour, mais également le récapitulatif de la semaine — et qu'il ne puisse le déposer chez Mr. Hexter que le samedi matin. Il fallait plusieurs jours à Mr. Hexter pour s'en remettre.

— Vous avez donc transmis le dossier dont Mr. Hexter avait besoin le jeudi à temps pour la réunion de 4 heures ? insistai-je.

— Eh bien, je pense que j'avais quelques minutes de retard, car quand je suis entrée dans le bureau, ils avaient déjà commencé à comparer leurs chiffres. Pauvre Tim. Il devait y avoir pas mal d'erreurs... Mr. Hexter n'arrêtait pas de crier.

— Pour quelle raison était-il en colère ?

— Je n'en sais rien. C'était sa façon d'être. Quelque chose attirait son attention — une erreur d'écriture ou une omission — et il se mettait en rage. Ça pouvait durer plusieurs jours. Peu importe, d'ailleurs, la raison précise. Tout le monde le savait, au bureau, et Tim mieux que nous tous. Comme il était le plus proche compagnon de travail de son oncle, c'est lui qui subissait de plein fouet sa mauvaise humeur. Mais Mr. Hexter l'aimait comme un fils.

« Je sais que Mr. Hexter a aidé Tim à s'en sortir à la mort de son père. C'était tout à fait dans ses manières : il avait beau se mettre en colère et hurler, quand il s'agissait d'aider les gens, il était là. Alors que ceux qui n'avaient que des gentillesses à la bouche s'étaient défilés depuis longtemps.

— Avez-vous la moindre idée de ce qui a pu arriver à ces dossiers ?

— Ce matin, Barton Jr. m'a dit que cela concernait les affaires de la CFTC dont vous vous occupez ; je pense donc que Mr. Hexter les a emportés chez lui pour votre rendez-vous du dimanche.

— Justement, j'étais chez lui après son assassinat. J'ai regardé dans ses affaires. Mais je n'ai pas trouvé trace des documents dont vous parlez, dis-je avec un soupir.

— Avez-vous ouvert son attaché-case ? demanda la secrétaire du défunt.

— Oui. Il n'y avait pratiquement rien. Je suppose que la police a dû tout emporter.

— C'est vraiment grave ?

— C'est très fâcheux. Police ou non, il faut absolument que je réponde à la CFTC, au nom d'Hexter Commodities, vendredi dernier délai. Y aurait-il un moyen de dupliquer les documents que vous aviez confiés à Mr. Hexter ? Existe-t-il des doubles ou des sauvegardes ?

— J'ai donné les originaux à Mr. Hexter, répondit Mrs. Titlebaum en secouant la tête. Nous ne gardons pas systématiquement de doubles. Mais les relevés de compte sont sur disquette. Je peux demander à un employé de vous imprimer un jeu.

— Ça me serait très utile. Ainsi que tout ce que vous pourriez avoir sur Deodar Commodities, y compris un simple numéro de téléphone ou une adresse postale. Savez-vous qui ils peuvent être ?

— Non. Tout ce que je sais, c'est que c'était un compte discrétionnaire. Vous voyez ce que je veux dire ; Mr. Hexter n'avait pas à consulter qui que ce soit pour négocier des contrats. Je ne crois pas que le client l'ait appelé une seule fois. Je vais quand même essayer de vous trouver quelque chose.

— Une dernière chose, Mrs. Titlebaum. Savez-vous de quoi Mr. Hexter désirait parler à Ken Kurlander ? Ken m'a dit que votre patron avait appelé sa secrétaire vendredi après-midi pour prendre rendez-vous le lundi matin.

— Ah oui ? répondit la secrétaire, visiblement surprise. C'est la première fois que j'en entends parler.

J'ai trouvé Tim Hexter dans un bureau minuscule, coincé entre ceux de Bart Hexter et de Carl Savage. Tout laissait à penser que c'était autrefois une sorte de sas que Bart, désireux que son assistant reste à portée de voix, avait aménagé en bureau. Le plus surprenant n'était cependant pas sa taille — même si le contraste avec l'immense bureau de Bart était comique — mais que son occupant, pour des raisons qui n'appartenaient qu'à lui, l'ait transformé en un sanctuaire dédié aux Chicago Cubs.

Chaque centimètre carré était occupé par leurs insignes, arrangés avec amour. Les images qu'on trouve dans les paquets de chewing-gum étaient là au complet : des photos de Ferguson Jenkins, d'Andre Dawson, et même des portraits autographes des plus célèbres speakers des Cubs, Harry Carey et Jack Brickhouse. Sur toute l'étendue du mur du fond, du plancher au plafond, on avait accroché à des râteliers des battes portant les signatures de joueurs célèbres comme Ryne Sandberg, Mark Grace, ou même le fabuleux Hank Wilson qui avait joué pour les Cubs dans les années 30. Le plafond était constellé de casquettes du club. Sur le bureau, on pouvait admirer une balle de base-ball signée d'Ernie Banks, préservée dans un cube de plexiglas.

Il s'en dégageait une impression extraordinaire, comme je l'avouais à Tim le temps de tout enregistrer. Il me montra avec fierté les plus belles pièces de sa collection et, durant ce court moment, la grisaille qui nimbait d'ordinaire le personnage fut comme illuminée par son amour du base-ball.

Je me demandais à quoi pouvait correspondre le culte d'un phénomène aussi impersonnel, aussi intangible qu'une équipe de base-ball. Combien profond le vide intérieur qu'une telle vocation avait pour fonction de remplir ! C'était — je le réalisai soudain — le contraire absolu de Bart Hexter, de ses obsessions du marché et de ses rages ; une façon pour Tim d'échapper à l'emprise d'un maître caractériel et exigeant. S'il n'avait pu fuir sur sa bicyclette, au moins avait-il eu la possibilité de s'aménager un cocon douillet, aux souvenirs du sport et des équipes qu'il adulait, un monde qui existait hors de toute référence aux marchés boursiers.

Qu'allait devenir Tim, maintenant que son oncle n'était plus ? Pour son coup d'essai à la Bourse, Tim avait fait une expérience plutôt négative. Il venait de tirer dix ans comme tête de Turc de Bart Hexter. Aujourd'hui, il avait peu de talents à invoquer pour trouver une nouvelle place — à part celui, peut-être, d'encaisser les insultes. Sans doute Barton Jr. le garderait-il par fidélité envers la famille. De toute façon, il était clair que Tim était l'une des premières victimes du meurtre de Bart.

Lorsque j'eus fini d'admirer sa collection, je passai aux choses sérieuses :

— Savez-vous quoi que ce soit sur les documents que Bart avait préparés pour la réunion que nous étions censés avoir dimanche matin ? Il y avait des relevés de compte concernant ses affaires personnelles et celles d'un client nommé Deodar Commodities.

— Oui... eh bien ?

Tim avait la voix grave, mais avec quelque chose de vide, de lent qui incitait à penser qu'il devait manquer de nerf.

— Savez-vous où se trouvent ces documents ?

— Non. Avez-vous demandé à Mrs. Titlebaum ?

— Elle m'a dit qu'elle les avait donnés à Bart jeudi, juste avant votre réunion de l'après-midi.

— Bart ne me les a jamais montrés, si c'est ce que vous cherchez, répondit-il sur la défensive. Nous nous sommes contentés d'expédier la routine, vous savez, la réconciliation des ordres.

— Vous connaissez bien Deodar Commodities ?

— Bien sûr, c'est l'un de nos comptes clients.

— Savez-vous comment je pourrais entrer en contact avec eux ?

— Qu'entendez-vous par là ?

— Auriez-vous leur adresse ou leur numéro de téléphone ?

— Pourquoi les aurais-je ?

— Si vous ne les avez pas, savez-vous comment je pourrais me les procurer ?

— Je pense que vous pourriez consulter les archives, répondit-il en se grattant la tête.

— Personne n'arrive à mettre la main dessus, dis-je en gémissant. Savez-vous que la CFTC a instruit une enquête sur Hexter Commodities ? demandai-je, tentant d'aborder la question sous un autre angle.

— Oui. Ça l'avait mis en rogne, me confia-t-il. Il disait que ces salauds voulaient vraiment le coincer, cette fois. À cause de cette histoire de vidéo-surveillance.

— C'est-à-dire ?

— Il y a deux ou trois ans, le gouvernement a voulu mettre des caméras dans les pits ; vous savez, comme dans les banques, pour reconnaître les casseurs... Ils en avaient placé à la Merc, mais Bart a réussi à faire échouer le projet ici. Vendredi, il m'a dit qu'ils avaient trouvé un moyen de se venger. Selon lui, les accusations portées étaient nulles. La CFTC ne cherchait qu'un prétexte pour lui faire payer l'affaire des caméras. Le coup était monté de toutes pièces.

— Avez-vous une idée de ce qui a motivé le rendez-vous que Mr. Hexter a pris avec Ken Kurlander, lundi matin ?

— Ken Kurlander... l'avocat ? Je ne sais pas du tout...

Mrs. Titlebaum apparut à la porte, le visage rembruni.

— Je n'y comprends rien. J'ai consulté tous les dossiers et je sors du bureau de Rita, à la comptabilité. Il n'y a plus une seule ligne sur Deodar Commodities, et toute la documentation sur ordinateur a été effacée !

CHAPITRE 11

« Où est cet enfoiré de Barton ? » hurlait Savage. Les affaires du jour l'avaient visiblement énervé. Son front était constellé de gouttelettes et sa chemise sur mesure portait d'énormes auréoles de transpiration. « Il m'avait dit qu'il viendrait diriger les opérations. Hier, il a fait un tour, il a parcouru les écrans en vitesse, m'a fait quelques recommandations, et il s'est tiré. Aujourd'hui, pas un signe ! Il n'y a pas de congés maladie, dans ce business ! »

— Il avait rendez-vous avec son avocat, pour la succession de son père, avançai-je timidement.

— Il devrait s'occuper de ce genre de conneries quand les marchés sont clos. On n'est pas à la fac, bon Dieu ! C'est la guerre, ici. J'ai une dizaine de clients qui menacent de fermer leurs comptes s'ils ne peuvent pas lui parler en personne. Il y a un gros mouvement en cours avec les boches, et le deutsche mark est en train de jouer au yoyo. On va se faire lessiver !

— Je crois savoir où je peux le joindre.

Savage me lança le téléphone en travers du bureau. « Dites-lui de se magner le train ! »

J'ai eu Barton en ligne et lui ai expliqué la situation.

— Il arrive, dis-je à Savage en raccrochant.

— C'est pas trop tôt, bordel !

— Je dois vous poser une question. Cela fait un

moment que j'essaye de retrouver des dossiers que Bart était censé me transmettre dimanche dernier. Ils ont disparu. Il s'agit du compte de Deodar Commodities. C'est à propos de l'enquête de la CFTC.

— Font chier, ces connards !

— Ils prétendent que Bart traitait le soja simultanément sur Deodar pour prendre illégalement des positions excédentaires.

— Foutaises ! Pourquoi Bart aurait-il voulu prendre des positions excédentaires sur le soja ? C'est une vanne !

— Tous les dossiers informatiques ont été effacés.

— Quoi ?

— C'est ce que m'a dit Mrs. Titlebaum.

— Ce doit être une erreur. Pourquoi effacerait-on les dossiers informatiques des comptes clients ? Ces idiots de la compta ont décidément un cerveau pour quatre !

— À votre avis, c'est difficile d'effacer ces dossiers ?

— Je ne sais pas. Tout ce que je sais, en informatique, c'est lire l'info du Quotron. Vous devriez demander à Loretta. C'est sa partie.

— Loretta Resch ?

— Ouais. C'est elle qui s'occupe des compensations. Elle connaît toutes ces conneries d'ordinateurs.

— Je vais lui parler. Elle pourra peut-être me retrouver ces dossiers. Mais si tel n'était pas le cas, y aurait-il moyen de reconstituer les données qui ont été détruites ?

— Vous pourriez demander une copie à la Chambre de Compensation. Ils gardent trace de toutes les opérations. Nous, nous archivons les fiches d'ordre. Quelle est la période qui vous intéresse ?

— De février dernier à avril.

— Dans ce cas, ça devrait toujours être dans la maison. Tim doit pouvoir vous les transmettre.

Le département d'Hexter Commodities qui traitait des courtiers locaux et de leurs transactions en Bourse se trouvait dans une aile adjacente. Là, sans clients particuliers à impressionner, le décor se faisait fonctionnel et dépouillé. Au lieu d'une réception majestueuse et de murs lambrissés, le service des compensations d'Hexter Commodities s'enorgueillissait d'un immense canapé, d'un flipper et d'une arcade de jeux vidéo. Un des murs était tapissé de petits casiers en bois pour les messages, chacun au nom d'un courtier qui faisait ses opérations par l'intermédiaire d'Hexter. À côté, un panneau de liège affichait les cours du jour. Dans un coin, un distributeur de boissons ronronnait doucement.

Par nécessité, les courtiers du marché à terme transportent leur bureau dans leur poche. Un gros paquet d'ordres enroulé dans un épais caoutchouc, une main pleine de crayons de toutes les couleurs, une calculatrice de poche délabrée, et une bouteille de potion contre les maux d'estomac, tel était l'équipement nécessaire au courtier (en fait le seul qu'il eût la possibilité d'emporter avec lui) dans l'arène surpeuplée de la corbeille. L'argent investi dans quoi que ce soit d'autre — un bureau, un téléphone portable, un casier pour ranger une sacoche — eût été gâché. Une maison capable de traiter les transactions de manière efficace, qui ne se montre pas trop regardante sur les capitaux propres de ses clients et peut fournir certaines commodités comme une douche et des messages téléphoniques, n'a jamais à se plaindre des affaires.

Chaque firme a sa personnalité et son style. La culture d'entreprise attire les clients de même acabit. Ce qu'on racontait des opérations d'Hexter Commodities donnait à penser que Bart Hexter lui-même, ou la réputation qu'il avait cultivée au cours de ses années de présence à la corbeille, avait fait des petits. C'était chez Hexter Commodities qu'on retrouvait les traders les plus agressifs, les tueurs qui brillaient comme autant d'étoiles filantes dans le firmament des marchés à terme. C'était l'endroit rêvé pour un poker menteur, celui où les jeux gagnants se traduisaient, à la clôture, par des gains faramineux. Je croisai sur mon chemin un groupe d'employés qui jouaient pour rire. Chacun plongeait la main dans sa poche et la ressortait le poing fermé, où se cachaient une, deux ou trois pièces de monnaie. Celui qui avait deviné le nombre et la valeur nominale des pièces de son adversaire avait gagné.

Loretta Resch se trouvait dans un modeste bureau, surplombant deux rangées d'employés derrière leur ordinateur. Elle se leva et me tendit une main manucurée aux ongles pourpres. C'était une jolie femme d'une quarantaine d'années. Ses cheveux, d'une nuance magnifique — encore qu'improbable — de rouge sombre, avaient une coupe faussement simple, un carré qui s'arrêtait au menton. Des sourcils parfaits dessinaient deux arcs symétriques au-dessus des yeux auxquels des lentilles de contact conféraient une couleur émeraude. Sa veste d'un jaune vif reposait sur le dossier de son fauteuil. Elle travaillait en corsage de soie noire au décolleté vertigineux. Elle avait mis au point une allure délibérément sexy, même si on ne pouvait garantir l'effet produit sur les hommes. Je me présentai et lui demandai son aide, expliquant que Mrs. Titlebaum venait de m'apprendre que les données informatiques avaient été effacées.

— Je suis au courant. Rita — c'est l'une de mes opératrices chargée de saisir les infos — me l'a confirmé. Elle était très ennuyée. Je ne comprends pas. Nous avons un système de sauvegarde qui empêche pratiquement l'effacement accidentel des dossiers. » Elle se tourna vers son terminal et se mit à pianoter sur le clavier. « Voyons ce que j'arrive à obtenir, dit-elle en jouant avec sa souris. J'ai entendu dire que vous étiez présente, le jour où il est mort. Vous allez trouver ma curiosité bien macabre, mais c'est plus fort que moi. Est-ce que la police connaît l'assassin ?

— Pas que je sache. Les journaux n'en ont rien dit. La police garde le silence. Vous devez avoir votre hypothèse, non ?

— Pas la moindre. C'est ce qui m'énerve. Cela fait des siècles que je connais Bart et pourtant le mystère reste entier. Je sais qu'il n'était pas précisément un ange. Personne ne peut avoir le tempérament qu'il avait sans se faire d'ennemis — mais quelqu'un d'assez fou pour l'abattre !

— Il n'était pas en compte avec la Mafia ?

— Bart ? Vous plaisantez. Je sais qu'il y a des types, ici, qui sont censés blanchir de l'argent. Mais il y a tant de rumeurs, à la corbeille... Bart n'avait rien à voir avec ces pratiques. Pourquoi, d'ailleurs, aurait-il eu recours à ce genre d'expédients ? Ses affaires marchaient très bien.

— Quelqu'un aurait pu être jaloux de lui. Supposons qu'un homme n'ait pas supporté que Bart se fasse de l'argent sur son dos ?

— Il n'est pas rare que les traders se jalousent entre eux. Mais la plupart du temps, cela se traduit par des coups de sang. Il y a au moins une bagarre par jour, dans les pits... davantage, peut-être. Mais la beauté de ce boulot, c'est qu'il y a toujours un lendemain. Tout ce qu'il faut, c'est attendre son tour ; on peut ainsi facilement infliger au voisin ce qu'il vous a fait subir la veille. Je n'arrive pas à croire que cela puisse être lié au business. À mon avis, ça devait être quelque chose de plus personnel.

— La police m'a demandé si Bart était heureux en ménage. Qu'en pensez-vous ?

— Ce n'est pas le mariage qui rend heureux, répondit Loretta, détournant une seconde ses yeux de l'écran. Je suis bien placée pour le savoir. Il y avait trois choses que Bart aimait plus que tout : le risque, l'argent, et Pamela. Je crois d'ailleurs que des trois, c'était Pamela que Bart avait le plus peur de perdre. Ça peut sembler étrange, venant de moi, dit-elle en fixant de nouveau son terminal, car ce n'est un mystère pour personne que Bart et moi avons eu une liaison. Cela n'a pas duré très longtemps. Fondamentalement, il n'y avait aucune chance que Bart quitte sa femme. Il était trop proche d'elle ; elle faisait partie de sa vie quotidienne. Avec Pamela, il n'avait pas besoin de faire semblant, de jouer un rôle. Il pouvait se laisser aller à ses sautes d'humeur. Je sais que Bart était terrifié à l'idée de la perdre. J'ai d'ailleurs mis un certain temps à m'en rendre compte. C'est alors que j'ai rompu.

— Pourquoi avait-il si peur de perdre Pamela ? lui demandai-je, intriguée.

— Parce qu'elle avait plus d'argent que lui.

— Mais il en avait quand même beaucoup. Il n'avait pas besoin de la fortune de sa femme ?

— C'est vrai, mais son argent à lui ne pesait pas le même poids. Avec sa fortune, il pouvait s'acheter une Rolls Royce ou se faire construire cette immense demeure. Mais il faut le genre de fortune qu'avait Pamela pour pouvoir entrer dans tous ces clubs à la noix et se faire inviter à toutes ces soirées qu'il faisait semblant de mépriser. Il disait souvent que les chevaux des amis de Pamela avaient meilleure allure et étaient deux fois plus élégants que leurs propriétaires. Il disait aussi que si vous mettiez dans les pits n'importe lequel des golfeurs qui faisaient l'essentiel de son entourage, ils en sortiraient complètement lessivés. Il adorait se sentir supérieur à eux, mais il savait aussi que, sans Pamela, ils ne l'auraient même pas laissé entrer par la porte de service. Ce qui ne veut pas dire qu'il avait peur que Pamela lui en veuille, mais il se débrouillait toujours pour qu'elle ne lui en veuille pas trop, si vous voyez ce que je veux dire.

— Vous dites qu'il aimait le risque. Pensez-vous qu'il aurait joué trop gros ?

— Bart ne ressemblait pas à son frère Billy. Ils adoraient flamber, c'est vrai, mais contrairement à Billy, Bart ne jouait jamais plus que ce qu'il pouvait se permettre de perdre. Il était trop calculateur pour avoir de gros ennuis.

— Tout le monde m'a raconté la même chose. Hexter s'était fait pas mal d'ennemis, mais rien d'extraordinaire, personne qui aurait été assez furieux pour l'assassiner.

— Sauf que tout le monde a tort, en l'occurrence, lâcha Loretta en fixant son écran.

— Tort... pourquoi ?

— Parce qu'à l'évidence, quelqu'un l'a bien assassiné, non ? dit-elle distraitement.

Je la regardais naviguer entre les chiffres, inspectant les colonnes sur l'écran de son ordinateur avec une certaine inquiétude. Elle se tourna finalement vers moi :

— Je ne comprends pas. Rita a raison. Tous les dossiers ont été effacés, même chose pour les sauvegardes. Tout est parti. Comme ça !

— Pensez-vous que Bart ait pu les effacer lui-même ? lui demandai-je, consternée.

— Non. Bart en savait si peu sur l'informatique qu'il n'était même pas fichu d'allumer son ordinateur. En outre, selon ce que je lis, les dossiers ont été effacés lundi matin à 8 h 48. Bart était déjà mort.

Il avait fallu un peu d'intimidation — de ma part et de celle de Barton Jr. — pour convaincre Tim d'aller chercher les fiches d'ordre dont j'avais besoin dans les rayons de la salle des archives, au sous-sol. Je n'arrivais toujours pas à savoir si Tim était idiot, fainéant, ou simplement paralysé par la mort de son oncle, mais la question cessa très vite de m'intéresser. Il avait perdu un temps précieux à s'excuser platement de la difficulté qu'il éprouvait à mettre la main sur les dossiers que je lui avais demandés, tout en m'affirmant qu'ils ne me seraient d'aucune utilité. J'eus le sentiment qu'il ne voulait tout simplement pas prendre la peine d'aller les rechercher. Il fallut que je précise très clairement que je ne partirais pas sans les avoir obtenus pour qu'il daigne traîner sa grande carcasse jusqu'au sous-sol. J'en venais à croire que, si Tim avait été mon assistant, j'aurais moi aussi passé mon temps à l'insulter. Encore que, contrairement à Bart, je ne me serais jamais embarrassée de quelqu'un d'aussi pataud.

Avant de partir de la Bourse, je fis une petite halte à la Chambre de Compensation pour exiger les copies des dossiers qui m'intéressaient, et j'attendis qu'on les imprime.

De retour à mon bureau, je consultai ma montre et appelai Stephen. Il était en réunion, aussi laissai-je à sa secrétaire un message pour dire que je serais probablement en retard à la soirée de la Fondation pour l'arthrite.

J'engouffrai le *panini* au bœuf que j'avais acheté en vitesse dans un fast-food graisseux en rentrant du CBOT. Puis, j'ai demandé à Cheryl de convoquer Sherman Whitehead. Sherman était un collaborateur de la firme depuis un an; c'était aussi mon préféré dès qu'il s'agissait de faire le sale boulot. Bien que sorti premier de la fac de droit, le peu d'entregent de Sherman ne l'avait pas rendu très populaire parmi les associés. Il était hirsute et son costume fripé semblait provenir du même faiseur que celui de Tim Hexter, mais contrairement à Tim, l'intelligence de Sherman compensait tous les défauts.

Sherman arriva quelques minutes plus tard. Il avait sur le visage le même air de résignation et d'appréhension qu'ont tous les jeunes lorsqu'ils sont appelés, tard dans l'après-midi, par un de leurs supérieurs. Je lui dis que les listings informatiques et les fiches d'ordre d'Hexter Commodities devaient arriver d'une minute à l'autre. Je lui expliquai que j'avais besoin qu'on confronte les deux séries de documents pour le lendemain matin au plus tard. Sherman accepta de bonne grâce (c'est un mérite que je dois lui reconnaître) et me promit de revenir me voir aux aurores.

Alors que je m'apprêtais à joindre l'inspecteur Ruskowski, Lilian, la réceptionniste, m'appela pour me faire part de l'arrivée d'une dame qui désirait me voir. D'après le ton de sa voix, il m'était facile de déduire que la visiteuse ne répondait pas aux critères de bienséance de la maison. Je devinai qu'elle devait être assez près de Lilian pour que celle-ci ne puisse s'exprimer librement. Au moins n'est-ce pas la police, me dis-je, pour changer.

La femme qui entra dans mon bureau avait certes mon âge, mais semblait venir d'une autre planète. Mince et brune, elle avait de beaux traits que gâchait une moue d'insatisfaction. Elle portait une robe du dimanche, dans un tissu à fleurs bon marché, et des chaussures aux talons abominablement pointus. Je l'avais déjà vue quelque part, peu de temps auparavant, mais hors du contexte, il me fallut faire un effort démesuré pour reconnaître la femme de chambre à la triste figure des Hexter.

— Bonjour Elena ! lui dis-je en retrouvant son nom à la dernière seconde. Asseyez-vous donc et dites-moi ce qui vous amène.

Elle accepta le siège désigné et me considéra avec suspicion.

— Yé venir pour savoir combien d'argent le monsieur Hexter a laissé dans testament pour moi. (Sa voix était à la fois douce et méfiante. Son accent m'indiqua qu'elle était sud-américaine.)

— J'ai peur de ne pas pouvoir vous renseigner, répondis-je. Vous devriez aller voir Mr. Kurlander. C'est lui qui s'occupe des biens personnels de Mr. Hexter. Je peux appeler son bureau, si vous voulez, et vous prendre rendez-vous avec sa secrétaire ?

— Yé peux pas parler au monsieur Kurlander, lança Elena avec force.

— Mais pourquoi ? Si Mr. Hexter vous a couchée

sur son testament, je suis certaine que Mr. Kurlander vous convoquera de toute façon dans les jours qui viennent.

— Yé peux pas parler à lui, répéta-t-elle. Il est ami avec la femme !

Elena, pour appuyer son dire, simula un crachat assez exotique.

— Quelle femme ?

— La madame Hexter.

— Je suis surprise que vous réagissiez de cette façon envers votre employeur.

— Elle est pas patronne. Elle a renvoyé Elena. Sans prévenir. Sans compensacion. Sans nada.

— J'ai cru comprendre qu'elle avait donné congé à tous les domestiques. Elle compte s'installer en Floride.

— Elle pas renvoyé moi à cause Floride. Elle renvoyé parce que yé réponds pas sonnette. Elle dit que yé regarde toujours avec yeux de vache. Elle pas donné indemnité. Elle dit juste : « Va-t'en Elena. Fais valise et va-t'en ! » Elle jeté Elena dans la rue.

— Le mari de Mrs. Hexter vient d'être assassiné. Parfois, les gens qui ont vécu un drame n'agissent pas normalement. Il arrive qu'ils commettent des actes insensés ou qu'ils fassent des choses cruelles.

— Yé sais choses cruelles. Yé perdu boulot. Yé pas argent, pas manger, pas chambre pour vivre. Qu'est-ce qu'elle sait, la femme dans sa grande maison ? Ma lé drame, c'est Elena perdu boulot à cause des choses que yé sais. À cause des choses la madame veut cacher.

— Faites très attention à ce que vous allez dire, Elena, coupai-je.

— Elena pas besoin faire attention, dit la bonne avec une grimace de mépris. La madame faire attention. Elle pense sans boulot Elena retourner Guatemala, pas dire personne sur le pistolet.

— Quel pistolet ?

— Pistolet du monsieur Hexter. Celui garder dans

tiroir du bureau. La madame Hexter elle est avare de l'argent. Quand yé suis présentée boulot elle a dit deux cents dollars par mois. Yé dit deux cents dollars pas assez pour vivre. Deux cents dollars, seulement une folle elle prend pour travailler dans grande maison à Lake Forest America. Ma sœur elle travaille pour la madame Franklin. Elle gagne quatre cent vingt-cinq dollars par semaine avec trois semaines vacances — elle rentre au pays. Yé quitté de la madame Hexter ; yé pensais qu'elle est folle, très avare. Le soir, l'agence téléphone à moi dire que la madame Hexter me donne oune chèque deux cents dollars, et le monsieur Hexter me donne cent cinquante dollars cash, chaque semaine. Mais yé pas dire à la madame que le monsieur Hexter me donne argent.

— Quel rapport avec le pistolet ?

— Le monsieur Hexter a toujours le pistolet dans le tiroir avec argent. Y'ai vu vendredi quand il a payé salaire.

— Vendredi dernier ? À quelle heure ?

— Vendredi por lé matin.

— Quel genre de pistolet ?

— Quel genre de pistolet ? » répéta-t-elle comme un perroquet, comme si elle trouvait l'idée qu'il pût y avoir plus d'un type de pistolet complètement absurde. « Pistolet noir ! » finit-elle par dire.

— Après la mort de Mr. Hexter, avez-vous parlé à la police ?

— Oui. La police venir. Poser questions. Comme à la télé.

— Et vous ne leur avez pas parlé du pistolet ?

— Non. Ils ont pas demandé sur pistolet. Ils ont demandé sur la madame et le monsieur. Est-ce qu'ils sont heureux ? Est-ce qu'ils se battent ? Est-ce qu'ils font amour ?

— Mais vous ne leur avez rien dit du pistolet ?

— Z'ont pas demandé. Ils ont demandé sur bagarres. Yé dis que le monsieur et la madame, ils bagarrent tout le temps. Ils bagarrent le matin. Ils bagarrent la nuit. Vendredi soir, les enfants viennent pour dîner, tout le monde bagarre. Dimanche matin, avant partir à l'église, ils bagarrent encore. Policier demande pourquoi ils bagarrent. Yé dis : tu écoutes les riches qui bagarrent, tu deviens fou. Y'écoute pas.

— Elena, dis-je lentement, prenant mon temps pour bien formuler les choses. Si vous voulez, je parlerai à Barton Jr. à propos de vos gages.

— Le monsieur Barton très gentil. Très drôle. S'il te plaît, tu parles à lui.

— Y a-t-il un endroit où je puisse vous appeler après lui avoir parlé ? Où est-ce que vous vivez, à présent ?

— Yé vis chez ma sœur, chez la madame Franklin. C'est une dame gentille. Yé repasse linge. Yé te donne le téléphone.

En lui redisant que je ferais tout pour qu'elle puisse être indemnisée, je raccompagnai Elena à la porte de mon bureau. Puis je revins m'asseoir et tentai une fois de plus de joindre l'inspecteur Ruskowski au téléphone.

CHAPITRE 12

Je n'en avais pas vraiment le temps, mais la curiosité m'a poussée à faire une petite visite à Ken Kurlander. Je le trouvai dans son bureau, se préparant à partir.

— Avez-vous une minute à me consacrer ? Je voulais savoir comment s'est passée votre réunion avec les héritiers Hexter, ce matin.

— À peu près comme je l'attendais. Ces situations sont souvent difficiles à gérer, surtout avec un personnage comme Margot. Après le départ de ses sœurs, j'ai eu un entretien privé avec Barton Jr. ; je voulais déterminer si Margot est ou non compétente pour contrôler l'argent qui va lui échoir.

— Compétente ou légalement compétente ?

— Légalement bien sûr, fit Kurlander sèchement.

— C'est un très gros lièvre que vous avez levé. Très gros.

— Mais il s'agit d'une très grosse somme d'argent, dont elle sera vraisemblablement dépossédée au profit de la première grande cause bidon ou du premier charlatan qui arrivera à la séduire.

— C'est son argent quand même, lançai-je, tout en sachant que je ne réussirais qu'à agacer Kurlander. Je suis persuadée que Barton pense la même chose.

— Barton et vous semblez partager beaucoup de points de vue, décidément. Mais vers qui pensez-vous que Margot se tournera une fois qu'elle aura dilapidé la fortune que son père lui a laissée ? Barton pourrait ne pas avoir le courage de mettre sa sœur sous curatelle, mais de toute façon, la fin sera la même. Margot est, pour dire les choses avec tact, instable. Que Barton l'accepte ou non, il sera bien forcé d'être le tuteur de sa sœur. S'il lance dès à présent une procédure, il s'assurera au moins les fonds nécessaires à l'entretien de sa sœur.

— Le père de Margot était sans aucun doute au courant de ses excentricités. S'il l'avait voulu, il se serait assuré qu'une partie des biens qu'il lui laissait soit administrée par fidéicommis.

— Nous en avons souvent discuté, soupira Kurlander. Mais Bart était un éternel optimiste. Il pensait que Margot finirait par se marier et que sa vie s'en trouverait simplifiée.

— Pensez-vous qu'Hexter ait pu changer d'avis à propos de Margot ? Peut-être est-ce pour cela qu'il avait pris rendez-vous avec vous.

Si Hexter avait cru pour de bon que Margot se trouverait un mari, lorsqu'elle lui avait annoncé son intention de vivre en concubinage avec une lesbienne, il s'était peut-être convaincu qu'il devait faire en sorte que sa fortune lui échappe.

— J'ai bien peur que nous ne connaissions jamais les intentions de Bart, reconnut Kurlander.

— Avez-vous dit à la police qu'il vous avait donné un rendez-vous ?

— Non. Pas encore.

— En avez-vous l'intention ?

— Je ne vois pas quelle incidence cela pourrait avoir sur l'enquête.

— Vous ne pensez pas que c'est à la police d'en juger ?

— Je ne vois aucune raison de détourner leur attention pour un résultat plus que douteux.

— Ken, répliquai-je. Ce n'est pas un divertissement mondain. Un homme a été assassiné. Il est de notre devoir, en tant qu'auxiliaires de la justice, de donner à la police toute information susceptible d'éclairer l'enquête.

— Je vous en prie, Kate ! C'est un très joli discours, parfait pour un cours d'éthique judiciaire... Mais vous parlez de principes, alors que je parle de réalités. Ruskowski est peut-être un inspecteur de la criminelle expérimenté et compétent, mais en tant qu'homme, il serait bien capable, pour trouver une pomme dans un verger, d'abattre d'abord tous les pommiers. Je ne vois aucune raison de diriger son attention sur la famille ; sur la base de quoi, d'ailleurs ? Parce que Bart Hexter m'avait fixé rendez-vous pour parler d'un sujet qu'il a emporté avec lui dans la tombe ?

D'une certaine manière, je le savais, Kurlander avait raison. Peut-être à cause de la coïncidence de mon rendez-vous avec Hexter le matin de son assassinat, qui m'avait transformée en suspecte — ou par réminiscence de mes cours de droit —, toujours est-il qu'en regagnant mon bureau, je laissai un nouveau message à Ruskowski.

Personne d'organisé n'aurait perdu son temps au téléphone, une heure et quart avant le début de la soirée de la Fondation pour l'arthrite, pour écouter une vendeuse de Neiman Marcus décrire toutes les robes habillées dont elle disposait en taille dix. Léon, l'un des coursiers de la firme, avait été dépêché en taxi, muni de ma carte de crédit et d'instructions précises. Je savais pourtant que je ne parviendrais jamais à revenir me changer à Hyde Park, pour arriver à l'heure à la réception. Je commençais à me dire que Cheryl n'avait pas tort.

Je parcourus deux ou trois dossiers en souffrance, jusqu'au moment où Leon fit son apparition, les bras chargés de deux robes pendues dans des housses de plastique, ainsi que d'un sac plus petit où se trouvait une paire d'escarpins en satin noir de chez Stewart

Weitzman. Après avoir fermé la porte derrière lui, je tirai les rideaux, consultai ma montre et fis l'essayage de mes tenues de soirée.

Elles étaient ravissantes, encore que beaucoup trop chic pour moi. L'une, qui laissait le dos presque nu, était vert émeraude, avec de longues manches et une jupe à godets. L'autre, bleu nuit, semblait plus mon genre. Je la passai. C'était un fourreau avec un décolleté en cœur, d'où partait une cascade de perles translucides qui descendaient en ruisselets brillants sur toute la robe. J'inspectai mon reflet dans le modeste miroir qui ornait la porte du placard de mon bureau et compris au premier coup d'œil ce qui faisait le désespoir de ma mère.

La robe était magnifique, mais elle parait une avocate d'affaires un peu terne — une femme qui manquait de sommeil et de maquillage. Ce fut avec un soupir de résignation que j'ôtai les épingles de mon austère chignon, et que, penchée en avant comme me l'avait enseigné ma nounou, je me brossai vigoureusement les cheveux. Je remis mon chignon en place et fouillai mon bureau pour y trouver mascara et rouge à lèvres. Comme je n'en trouvai pas, j'optai pour le tiroir de Cheryl et dénichai sa trousse à maquillage. Une fois ce sauvetage minimal accompli, je me suis tiré la langue devant la glace et je suis partie, avec une vingtaine de minutes de retard seulement.

En montant deux à deux les degrés de pierre du Museum Field d'Histoire Naturelle, j'eus l'impression fugitive d'être Cendrillon — totalement déplacée et en retard pour le bal. Le Museum était mon lieu de réunion préféré pour les soirées de charité ; j'y avais grignoté des canapés froids et bu du champagne tiède un nombre incalculable de fois, dans l'ombre du grand mammouth laineux qui trône dans sa rotonde de marbre. Je laissai mon nom à la table de réception, pris mon numéro d'enchères et me mis en quête de Stephen.

Je le trouvai finalement, en train d'admirer un diorama de pingouins, morts et naturalisés, qui décoraient déjà le même paysage arctique bien avant ma naissance. Il semblait parfaitement dans son élément. Sa chemise et son sourire étaient les deux sources lumineuses les plus blanches du hall. Il passa discrètement son bras autour de ma taille pour me dire bonjour.

— Content que tu sois là, Kate, me dit-il. Tu connais Ed et Happy Lassar.

Je tendis la main au promoteur immobilier et me déclarai ravie de rencontrer la dernière Mrs. Lassar en titre. Un serveur passa avec un plateau couvert de flûtes de champagne et Stephen m'en proposa une.

— Je disais justement à Stephen que nous étions tous un peu surpris de voir Krissy Chilcote ici, ce soir », murmura Happy sur le ton de la confidence. Je glissai mon regard au-dessus des épaules de la femme du monde et, bien évidemment, aperçus la sœur de Barton Jr., qui paraissait si pâle et si jolie dans une robe de dentelle noire, entourée d'un essaim d'amis compatissants. « Je sais qu'elle siège au conseil d'administration, mais tout de même... je crois que les funérailles n'ont pas encore eu lieu !

— J'ai l'impression que Krissy n'en fait qu'à sa tête depuis sa plus tendre enfance, commenta son mari avec indulgence. Je ne crois pas que son père aurait souhaité qu'elle agisse autrement.

— Je ne sais pas, répondit sa femme. D'après ce qu'on m'a dit, il semblerait plutôt qu'elle ne supporte pas l'idée que la soirée se déroule sans elle.

— Excusez-moi, je n'ai pas encore eu le temps de voir ce qu'on nous propose aux enchères, interrompis-je, ne me sentant pas d'attaque pour des ragots sur la famille Hexter.

Stephen prit congé poliment et nous nous dirigeâmes vers l'aile de géologie où de longues tables recouvertes par les dons avaient été dressées. Chaque objet était accompagné d'une feuille de papier où l'on pouvait laisser un ordre en dollars.

— Tu es magnifique dans cette robe, c'est nouveau ? me complimenta Stephen, comme nous errions au milieu des tables : il y avait des tickets de concert, des dîners dans de grands restaurants, des billets de voyages, des bijoux et des œuvres d'art qui tous avaient été offerts par de généreux donateurs afin de lever des fonds pour la recherche sur l'arthrite.

— On ne peut plus neuf. Désolée d'être arrivée en retard. L'affaire Hexter me prend vraiment tout mon temps.

— Au moins, Krissy ne semble-t-elle pas trop affectée.

— Tu trouves vraiment choquant qu'elle soit ici, ce soir ?

— Ça ne fait pas très bon effet. Son père vient de se faire tuer, et elle court les soirées. Sait-on qui est l'assassin ?

— Non. J'ai passé la journée à essayer de joindre le flic qui s'occupe de l'affaire, mais il n'est jamais là. Il doit être sur une piste.

Je ne trouvais pas opportun de papoter avec Stephen, en robe de soirée, et de lui dire sur un ton badin que cette piste, c'était probablement moi.

— Je compatis vraiment à la douleur de la famille, continua Stephen.

Sa nièce était morte récemment — dans d'horribles circonstances — et son visage se rembrunit un petit moment à l'évocation de ce souvenir. Puis son regard se fixa sur quelque chose sur une table : « Ce bracelet est ravissant, dit-il en le saisissant. Donne-moi ta main ! » Je lui tendis le poignet et Stephen y accrocha le joyau. C'était une suite de saphirs ovoïdes sertis sur un bracelet de platine. Il y avait, entre chaque couple de pierres précieuses, un petit x en diamants. « Joli travail », fit Stephen, admiratif.

— Cela représente des baisers, lui dis-je, un peu

mal à l'aise de connaître ce genre de choses. Tu vois, il y a des « x » et des « o ». Ma mère en a un du même genre.

— Qu'est-ce que tu en penses ? me demanda-t-il.

— C'est très joli.

— J'aimerais beaucoup te l'offrir.

— Stephen, non. C'est très gentil, mais le seul bijou que je porte est mon alliance.

— Mais ça te va merveilleusement. Laisse-moi au moins participer aux enchères. Après tout, c'est pour la bonne cause.

Incapable d'exprimer mon malaise — d'abord les révélations de ma mère sur le *Chicago Magazine*, et maintenant ceci — je ne dis rien. Stephen laissa un ordre et nous continuâmes notre tour.

Nous passâmes le reste du temps à faire la tournée des spécialistes de l'arthrite qui étaient venus à la vente de charité. La société de Stephen, Azor Pharmaceuticals, venait de mettre sur le marché un nouveau médicament anti-inflammatoire, le Fizac, qui s'était avéré extrêmement efficace pour l'arthrite juvénile. Stephen assistait au gala de la Fondation afin d'assurer les relations publiques de son nouveau remède. Je dus donc saluer rhumatologue après rhumatologue, écoutant Stephen charmer ses interlocuteurs, tout juste bonne à faire de la figuration (élégante *in extremis*).

À un certain niveau, Chicago est une petite ville ; tous les visages y sont familiers. Mais, après tout, combien y a-t-il de gens prêts à mettre un smoking ou une robe du soir (un mercredi qui plus est !) et à payer quatre cents dollars pour le plaisir tout relatif de manger des canapés médiocres dans un musée glacial ? Et pourtant, il y avait quelque chose dans cette atmosphère qui me déplaisait profondément.

Quand j'étais revenue à Chicago pour travailler comme avocate, j'avais considéré comme acquis que tous ceux qui avaient fait leurs études supérieures avaient changé, comme cela avait été le cas pour moi qu'ils avaient trouvé de nouvelles valeurs et pris une certaine distance vis-à-vis de leur univers familial. Mais depuis, je n'avais cessé de m'étonner que tant de jeunes gens avec qui j'avais été élevée se ruent vers leur foyer, pour y mener exactement le mode de vie de leurs parents.

Beaucoup d'entre eux étaient présents, ce soir, saluant leurs connaissances d'un hochement de tête, les femmes habillées par de la Renta, presque squelettiques à force de régimes, discutant de chevaux, de divorce, et de problèmes de nurses. Les choix que j'avais faits, en tant qu'adulte, avaient fait de moi une marginale. Ma liaison avec Stephen n'avait pu qu'élargir ce fossé. La moitié de mes amies d'enfance se demandait ce qu'un aussi beau parti que Stephen Azorini pouvait voir en moi, alors que l'autre moitié s'interrogeait sur le fait que je supportais ouvertement d'être utilisée pour ma position sociale. Je les regardais, à présent, leurs cheveux laqués à la perfection, leurs bijoux scintillant à la lueur des bougies — elles souriaient, cancanaient, se pavanaient. Avais-je bien raison d'avoir choisi mes préoccupations plutôt que les leurs ?

Je pensai aussi à l'inspecteur Ruskowski, et le malaise me gagna. Il y avait trop de pièces dans un puzzle complètement incompréhensible. Elena avait vu un pistolet dans le tiroir d'Hexter le vendredi matin ; or, le dimanche matin, l'objet avait disparu. Bart Hexter avait pris rendez-vous avec Ken Kurlander. Une jeune femme du nom de Torey Lloyd prétendait avoir eu une liaison avec Bart Hexter et exigeait de l'argent. Quelqu'un avait effacé les dossiers attenants aux poursuites de la CFTC contre Hexter Commodities.

Black Bart conservait les photos d'une mystérieuse femme nue dans un tiroir. Le chef de la CFTC tirait à hue et à dia, obsédé par l'idée de nous détruire. Et enfin, restait à savoir qui s'était levé de bon matin un dimanche, avait mis un revolver dans sa poche, et avait attendu Bart Hexter à l'orée de sa propriété.

Stephen me caressa doucement l'épaule. Je contemplai le hall autour de moi. Il ne restait plus qu'une poignée d'invités qui n'était pas en train de dîner. Et je me suis demandé combien de temps j'étais restée ainsi, à fixer le vide dans la rotonde presque déserte.

J'ai demandé à Stephen, au lieu de me ramener chez moi, de m'accompagner jusqu'à mon bureau pour y récupérer mon sac, mon attaché-case et ma voiture. Le bracelet en saphirs et diamants s'enroulait, en un scintillement étrange, à mon poignet.

— Ma mère est passée au bureau aujourd'hui, lui dis-je comme nous tournions dans LaSalle Street.

— Ça veut dire qu'il est temps de pendre des guirlandes de gousses d'ail à tes fenêtres. Les vieilles doivent avoir séché.

Je ris de bon cœur.

— Elle m'a dit que nous devions faire la couverture du *Chicago Magazine*.

— Bon Dieu! s'exclama Stephen. Je n'avais même pas encore pris la décision de t'en parler. Que t'a-t-elle dit, exactement?

— Que le *Chicago Magazine* préparait un article sur les couples vedettes de la ville. Elle m'a cité deux ou trois noms des gens qu'ils pensent interviewer, mais je les ai déjà oubliés.

— Mais comment est-elle au courant?

— L'une de ses amies a une fille qui travaille au magazine. Il faut que tu comprennes que ma mère fait partie d'un véritable réseau où les potins circulent à la vitesse de la lumière.

— Jody Synnenberg, la directrice de nos relations publiques, m'a tout juste proposé cette idée ce matin! Elle pense que ce serait une bonne publicité pour Azor. Je lui ai dit que je t'en parlerais.

— Je pensais que vous aviez déjà eu la meilleure

couverture médias qu'on puisse espérer, fis-je remarquer.

— Jody a fait miroiter le fait que l'article toucherait un public plus large que la presse économique.

— Donc cela te plairait ?

— À l'évidence, tout dépend de la manière dont tu le sens », dit Stephen en se rangeant devant mon immeuble. Il se gara et se tourna vers moi : « Je sais à quel point tu détestes ce genre de trucs, ajouta-t-il d'une voix calme. Je ne voudrais pas te pousser si ça te dérange le moins du monde. »

Après avoir battu un raider l'année dernière, le profil romain de Stephen avait orné les pages de tous les périodiques économiques du pays. Je n'avais pas été épargnée. J'avais reçu la visite d'une jeune femme très débrouillarde du *Business Week* qui avait fait un papier sur l'aspect juridique de l'affaire Azor. C'était ainsi que je m'étais retrouvée, un mercredi après-midi, allongée sur le tapis de mon bureau, alors qu'un photographe dépenaillé et son assistant, au sexe indéterminé, plaçaient des marbres autour de ma tête.

Dans l'univers où je vis, on appelle « pierres tombales » ces annonces de transactions commerciales réussies, imprimées avec un liseré noir sur les pages affaires des journaux, dans un style laconique qui rappelle les inscriptions funéraires. À la fin des négociations, on en tire des plaques gravées, qu'on distribue aux participants. Le photographe, sans doute obligé de tirer le portrait à une cohorte interminable d'avocats posant avec leur attaché-case, avait pensé que le cliché avec les marbres serait plus original. Ce qu'il fut. Mais je ne peux regarder cette photo (Stephen en a une dans son bureau) sans me souvenir du ridicule qu'il y avait à être allongée les cheveux épars sur la moquette de mon bureau.

Je déteste les projecteurs, comme Stephen l'a éloquemment souligné, mais ce qui me mettait encore plus mal à l'aise, c'étaient les idées fausses qui allaient circuler si j'acceptais de faire cette couverture. Hélas, je me trouvai comme toujours dans l'impossibilité d'exprimer mes émotions. Si l'on ne peut demander à l'autre : « qu'est-ce que tu penses de moi ? », qu'en est-il du couple ainsi formé ? Stephen et moi avons toujours vécu dans le non-dit. Nous sommes passés par tant de choses, tous les deux — par la maladie de Russell, l'OPA sur sa compagnie, la mort de sa nièce. Et pourtant, s'exprimer, dire des choses aussi simples que « je me sens seul(e) » ou « j'ai envie de toi » — ces paroles sont murées dans le silence.

— Il faut que j'en parle au conseil d'administration du cabinet ; je ne sais pas s'ils trouveront que cela représente une bonne publicité, ni pour moi ni pour notre image, avouai-je finalement. Je préfère te donner une réponse dans un jour ou deux.

— Parfait, dit Stephen en me caressant la main pour me dire au revoir. Merci d'être venue ce soir. Je sais que cette affaire te prend beaucoup de temps.

— Bonne nuit. Et merci pour le bracelet.

Instinctivement, je n'avais aucune envie de faire l'interview du *Chicago Magazine*. Était-ce parce que je ne voulais pas répondre à des questions impliquant une intimité qui n'existait pas ? Ou parce que j'avais peur que cette intimité finisse par exister ? Et Stephen, désirait-il que cet article paraisse parce qu'il considérait que c'était bon pour sa boîte, ou parce que le fait de déclarer publiquement que nous formions un couple nous aiderait à en devenir un ? Je n'en avais pas la moindre idée. Cela faisait plus de dix ans que j'étais l'amie de Stephen et pourtant je savais très peu de choses sur lui ; pas plus, en tout cas, que ce qu'il voulait bien montrer en surface. Je fus contente de retrouver ma copine.

— Quelle robe ! s'exclama Claudia, comme je poussai la porte. Mais on dirait que tu fais la tronche ?

— Stephen m'a offert un bracelet en saphirs et diamants, dis-je en exhibant l'objet.

— Ça explique tout ! Quand un galant m'offre un bijou précieux, ça me gâche la soirée, à moi aussi.

Me laissant tomber dans mon vieux fauteuil en faisant valser mes escarpins, j'interrogeai : « Mais qu'est-ce que ça signifie ?

— Tu es juste un peu lente », me répondit Claudia dont la journée n'avait sans doute pas été meilleure que la mienne. « Tu te souviens à l'école ? Quand un garçon te donnait un coup de poing, ça voulait dire qu'il t'aimait bien. Mais les garçons ont grandi ; et maintenant ils nous offrent des bijoux.

— Tu sais bien que ça ne se passe pas comme ça, entre Stephen et moi. Du moins, c'est ce que je croyais.

— En tout cas, vous m'avez bien eue, fit Claudia d'un air mutin. Ce matin, je me suis mise à quatre pattes pour retrouver une lentille que j'avais perdue. À la place, je suis tombée sur le caleçon de Stephen, sous le fauteuil où tu es assise. Comment s'est-il retrouvé là ? Vous étiez en train de répéter les questions de l'interview, je suppose ?

— Ça suffit ! Je suis d'une humeur massacrante depuis le meurtre d'Hexter. C'est toujours comme ça, avec les clients assassinés.

— Alors, tu es toujours le suspect numéro un ?

— Je ne sais pas. Tu penses que oui ? Le suspect est généralement le dernier à être mis au courant...

— Gwen, une amie à moi qui fait sa spécialisation en chirurgie esthétique, a réussi à mettre la main sur une tête — tu sais, une tête de cadavre, pour la dissection. Nous pourrions la mettre au congélateur, au cas où la police reviendrait...

On sonna à la porte. Nous nous regardâmes, étonnées.

— Tu attends quelqu'un ? me demanda Claudia.

— Non. Et toi ?

— Non plus.

Je me levai et pressai le bouton de l'interphone. À Hyde Park, quand un visiteur débarque au beau milieu de la nuit sans avoir été annoncé, on peut raisonnablement être prudent.

— Qui est-ce ?

— L'inspecteur Ruskowski, grommela une voix familière.

— Eh bien, montez ! lançai-je dans l'interphone, redressant ma colonne vertébrale en prévision du pire.

CHAPITRE 13

— Entrez, inspecteur, dis-je en ouvrant la porte. Faites comme chez vous. Vous savez où se trouvent les choses.

Le policier me suivit dans le living-room désert. Claudia avait battu prudemment en retraite. Je pus constater, mise à part mon antipathie, que l'inspecteur Ruskowski n'allait pas bien. Durant les trois jours qui avaient suivi l'assassinat d'Hexter, le costume du policier, inchangé depuis le dimanche, n'avait guère eu le temps de se défroisser.

— Vous sortez ? me demanda-t-il en inspectant ma robe du soir.

— Au contraire, je viens de rentrer. Que puis-je pour vous ?

— Vous m'avez appelé trois fois, aujourd'hui. J'ai pensé que vous aviez peut-être quelque chose à me raconter.

— C'est exact. Mais il n'était pas nécessaire de se voir en personne. J'espère que vous ne vous êtes pas dérangé uniquement pour moi.

— Je passais dans le quartier. Qu'est-ce que vous voulez ?

— Quand la police a fouillé la maison de Bart Hexter, dimanche dernier, est-ce qu'elle a emporté des dossiers d'affaires ?

— Est-ce que ça vous regarde ?

— Hexter m'avait promis de me remettre certains documents, ce matin-là, à propos d'une enquête de la CFTC. Je n'ai rien trouvé chez lui. Depuis, j'ai vérifié à son bureau où personne n'a pu mettre la main dessus. Je me suis donc naturellement demandé si la police les avait en sa possession.

— Eh bien, non. Nous n'avons pris aucun de ses papiers.

— Alors qui les a pris ?

— Comment pouvez-vous être sûre qu'il les avait en premier lieu ? Selon sa secrétaire, il avait annulé votre rendez-vous quatre fois de suite avant le dimanche. On dirait même qu'il cherchait à vous éviter.

— Peut-être. Ou alors il n'avait pas placé cette enquête de la CFTC en tête de ses priorités. Mais ne vous semble-t-il pas étrange que ces dossiers aient tout bonnement disparu ? En plus, les sauvegardes informatiques d'Hexter Commodities ont été effacées. Quelqu'un est venu le lundi matin et les a le plus simplement du monde balancées à la poubelle. C'est ce qu'on appelle une coïncidence. Hexter se fait assassiner et ses papiers disparaissent. Il se pourrait bien qu'il y ait un lien entre les deux, non ?

— Les avocats sont tous les mêmes ! Pourquoi faire simple quand on peut faire compliqué. Hexter a pris la tête d'un gus et ce gus a décidé de le buter. On n'est pas dans un roman d'Agatha Christie. On est dans la vraie vie, vous comprenez. Vous savez comment les flics résolvent les affaires criminelles ? Indices physiques, témoins, confessions. Dites-moi comment le meurtre a eu lieu, trouvez-moi quelqu'un qui ait vu ou entendu quelque chose, et je vous dirai qui a commis le crime. Je me fous totalement du mobile. Peut-être que dans l'Orient Express, le mobile aurait eu un sens, mais pas à Chicago. Le *pourquoi*, je l'emmerde. Il faut trouver le *comment* et, neuf fois sur dix, ça vous mène au *qui* !

— J'en conclus donc que vous seriez intéressé de savoir qu'Hexter gardait un revolver dans le tiroir de son bureau, chez lui. Une des femmes de chambre l'a aperçu vendredi matin. Quand j'ai fouillé son bureau le dimanche, il avait disparu.

— Vous avez mis un foutu temps à me le dire, gronda-t-il d'un ton menaçant.

— Je ne l'ai su qu'aujourd'hui. C'est une femme, Elena Olarte, qui est venue me le dire.

— La bonne ? demanda Ruskowski.

— Oui. Elle voulait savoir si Hexter lui avait laissé quelque chose dans son testament. Elle affirme que Pamela l'a renvoyée parce qu'elle connaissait l'existence du revolver. Mais il se pourrait que ce ne soit que la vengeance d'une domestique déçue. Je ne sais pas. Voici en tout cas le numéro de téléphone de l'endroit où elle vit, continuai-je en lui tendant un bout de papier sorti de mon attaché-case.

— Elle ment certainement.

— Qu'est-ce qui vous fait dire ça ?

— Parce que s'il y a une chose qu'on apprend, dans ce boulot, s'il y a une vérité universelle, c'est que tout le monde ment. » Il avait lancé la phrase en me fixant d'un regard mauvais. « Et je dis bien, tout le monde ! »

Je sais que ma secrétaire m'aime d'amour, car lorsque Elliott Abelman lui a demandé si elle connaissait un endroit agréable près du bureau où prendre le petit déjeuner, elle lui a recommandé Lou Mitchell's. On peut certes manger une brioche faite maison et un verre de jus de pamplemousse frais à douze dollars, dans un restaurant m'as-tu-vu comme le La Tour. Je me contente, pour ma part, de rangées de tables en Formica usé, si serrées que l'on y mange comme des collégiens au coude à coude. C'est tout ce que j'aime : représentants de commerce, opérateurs du marché à terme, bookmakers et chasseurs de prime. En bref, c'est là qu'on trouve le meilleur petit déjeuner de toute la ville de Chicago.

Lou, traditionnellement, m'accueillit à la porte

avec un beignet tiède, puis me conduisit vers la table où Elliott m'attendait. Son costume gris clair sortait du pressing, ainsi que sa chemise blanche ; il était prêt à passer au tribunal. Je me suis glissée à ses côtés, tout en acceptant la tasse de café que me tendait la serveuse.

Elliott devait témoigner au procès d'Ernest Folkman. Folkman avait joué arrière dans l'équipe des Bears puis était entré à la faculté de médecine après avoir arrêté le football américain ; il était revenu dans son quartier pour y exercer après l'obtention de ses diplômes. Folkman semblait être, à tous les niveaux, un exemple de réussite jusqu'à ce qu'on découvre qu'il avait escroqué Medicaid (l'assurance maladie) d'un bon million de dollars par an, pour des actes médicaux fictifs, exercés sur des patients imaginaires.

Folkman avait réussi ce prodige en ayant deux maîtresses, chacune occupant un poste stratégique à Medicaid. Cette sinécure aurait pu continuer longtemps si l'une de ses bonnes amies ne l'avait surpris en position avantageuse sur un lit d'examen avec une infirmière, et n'avait décidé de le balancer au Procureur. Elliott, qui à l'époque était enquêteur au bureau du Procureur, avait passé pratiquement trois ans à dévider l'écheveau complexe des escroqueries de Folkman.

— C'est un grand jour pour toi. Pas trop nerveux ? J'ai entendu dire que c'était Pete DeGrandis en personne qui allait diriger l'accusation. Selon la rumeur, il voudrait quitter le bureau du Procureur et brigue le palais du Gouverneur.

— Je ne sais pas si le palais du Gouverneur sera assez grand pour lui. S'il gagne l'élection, il faudra construire une aile nouvelle pour son ego.

Nous éclatâmes de rire. « Je dois avouer que je n'y vais pas de gaieté de cœur. Tu sais sûrement que c'est Morry Greenblatt qui défend Folkman. Tout le monde s'accorde à dire que le procès sera une longue suite de coups bas. »

La serveuse vint prendre notre commande : omelette Western pour Elliott, et omelette à la grecque pour moi.

— Combien de temps vas-tu rester à l'audience ?

— Toute la journée. Pourquoi ?

— Je me demandais si tu pouvais faire une petite chose pour moi.

— Bien sûr !

— Une employée d'Hexter Commodities a appelé Barton Jr. Elle affirme qu'elle avait une liaison avec Black Bart et exige de l'argent. Le fils voudrait savoir si elle dit la vérité et m'a demandé de prendre contact avec elle. Je pensais que tu pourrais peut-être vérifier ses dires avant que je lui rende visite. On a la trouille qu'elle aille raconter son histoire aux journaux.

— Tu sais mieux que quiconque qu'il y a une loi contre ce genre de chantage.

— Décidément, tu as passé trop de temps au bureau du Procureur. Tout ce qui intéresse Barton, c'est d'épargner sa mère. Il n'aimerait pas que ça finisse à la une des journaux. Le scandale est déjà en train de détruire cette famille.

— Je parie que la bonne est au courant, ou du moins qu'elle ne serait guère surprise. Les traders ont une réputation de chauds lapins.

Je fis le tour de la salle du regard : elle était pleine de traders en vestes de couleurs vives, qui faisaient le plein avant leur journée à la corbeille.

— Heureusement que tu es là pour me protéger, dis-je en souriant.

— À ta place, je ne me sentirais pas en sécurité, fit-il d'un air lubrique. Sérieusement, laisse-moi te donner un conseil gratuit. Payez-la, et tout ce que vous gagnerez, c'est qu'elle reviendra en demander plus.

— Je voudrais quand même savoir de quoi il retourne. Je m'intéresse tout spécialement à des photos où elle aurait posé nue. J'en ai trouvé une série dans le tiroir d'Hexter.

— Je peux les voir ?

— Je les ai remises à la police. Je pensais que ton intérêt serait purement professionnel.

— Ça dépend. Si elle est très jolie...

— Je ne sais pas. Je ne suis pas certaine de l'avoir déjà vue. Mais si c'est celle que je pense, elle est même très belle. Elle se nomme Victoria Lloyd et travaille chez Hexter Commodities comme commis.

— Tu peux m'obtenir un double de son dossier d'embauche ?

— Je te le fais porter par coursier cet après-midi. Quand penses-tu pouvoir m'apporter quelque chose ?

— Si tu peux patienter jusqu'au week-end, je crois être en mesure de te renseigner vendredi soir. En as-tu parlé à Ruskowski ? Si elle était vraiment la maîtresse d'Hexter, elle devrait être sur la liste des suspects.

— Si c'est le cas, je suis persuadée qu'il connaît déjà son existence. De plus, j'ai eu assez de contacts avec les flics comme ça.

— Tu attires vraiment les embrouilles, Millholland, remarqua Elliott tandis que nos plateaux arrivaient. Tu sais, je traîne pas mal avec les flics qui vont déposer contre Folkman. Ils sont furieux qu'Hexter ne se soit pas fait descendre au siège de sa société. Les flics de Chicago ont l'impression de s'être fait avoir. Il semblerait que ceux de Lake Forest aient laissé entendre que c'était dans la poche.

— Comment ça ?

— Du point de vue de la Crim', il n'existe que deux catégories de meurtres : le casse-tête et le tout cuit. Les casse-tête sont des énigmes. Mais le tout cuit, comme son nom l'indique, est un coup facile. Le bruit court qu'il y aura une interpellation très prochainement.

Je repoussai mon assiette ; des doigts de ciment me tenaillaient l'estomac.

— J'espère, soufflai-je d'une voix faible, que ce ne sera pas moi !

Lorsque je suis arrivée au bureau, Sherman m'attendait, visiblement embêté.

— Je n'ai pas bougé depuis hier soir, dit-il d'un ton plaintif. J'ai essayé de faire la comparaison entre les registres du clearing et les fiches d'ordre, mais ces ordres, c'est le bordel.

— Qu'entendez-vous par là ?

— C'est l'enfer ! Ils ne sont pas classés, ni par date ni par produit ; de plus ils sont rangés n'importe comment. Cela prendra plusieurs jours pour les reclasser.

Sherman me conduisit jusqu'à la petite salle de réunion où il avait travaillé. On voyait clairement qu'il avait tenté de classer les fiches qui n'étaient pas plus grandes que des cartes à jouer. Il y en avait des centaines, rangées en piles, selon leur date, sur la grande table d'acajou. Je vis qu'il en restait littéralement des milliers. Le peu qu'il avait fait lui avait déjà pris une nuit entière. Tandis que Sherman me parlait, il me fallut quelques minutes avant d'être frappée par l'évidence : c'était délibérément que l'on avait mélangé les ordres.

Je suis retournée à mon bureau, pleine de ressentiment envers le mort. Ses mobiles paraissaient nébuleux, et il avait mené contre la CFTC un jeu que je ne comprenais guère, mais une chose était claire : même dans l'au-delà, Bart Hexter me faisait tourner en bourrique.

Nul n'était besoin de regarder le calendrier pour savoir que nous étions déjà mercredi et qu'il ne restait que deux jours pour rédiger la réponse d'Hexter Commodities à la CFTC. Mon instinct me dicta tout d'abord de retourner voir Herman Geiss, si nécessaire à genoux, pour lui expliquer la situation et mendier une rallonge. Mais à la réflexion, si Geiss cherchait vraiment à détruire Hexter Commodities, cela équivaudrait à reconnaître que l'heure de grâce avait sonné.

La vraie puissance d'une firme telle que Callahan Ross ne réside pas dans l'intelligence ou la compétence de ses juristes, mais plutôt dans le réseau extrêmement dense de relations et de faveurs qu'elle a patiemment tissé autour d'elle. J'envoyai Cheryl à la bibliothèque ; elle était chargée de collecter autant d'informations biographiques que possible sur les membres de la commission de la CFTC. Je me mis ensuite à faire le tour de mes associés ; l'un d'eux pouvait bénéficier d'un informateur au sein de la commission. Je suis restée au téléphone jusqu'à midi, plaidant ma cause auprès de ceux que Geiss était forcé d'écouter. À l'heure du déjeuner, je me souvins soudain que j'avais promis à Elliott de lui faire porter le dossier professionnel de Torey Lloyd.

J'appelai alors Hexter Commodities ; le standard me fit patienter plus d'une minute avant que Barton Jr. décroche le combiné.

— Kate ? (Je n'avais pratiquement pas reconnu sa voix, tant la fureur l'avait altérée.) J'étais sur le point de vous appeler. Il se passe quelque chose de grave, au bureau. Pouvez-vous venir ?

— Maintenant ? dis-je, prise de court.

— Si j'étais à votre place, je me grouillerais !

Inutile de demander où se trouvait Barton ; lorsque je suis arrivée chez Hexter Commodities, j'ai suivi les hurlements. La porte du bureau de Carl Savage était fermée, mais le grondement de sa voix de basse et les tons plus stridents de celle de Barton étaient parfaitement audibles. Les mots étaient inintelligibles, mais il n'y avait aucun doute sur la nature de ce duo. Les employés de la firme s'étaient regroupés en petits cercles silencieux, comme des enfants devant la porte de la chambre où leurs parents se querellent.

J'ai senti tous les regards converger sur mon dos. J'ai frappé à la porte, sans résultat. Ils ne devaient pas m'entendre dans un tel vacarme. J'ai pris ma respiration, tourné la poignée, et je me suis engouffrée dans les lieux.

Les deux hommes étaient debout, face à face, tandis que les sonneries des téléphones faisaient un bruit insupportable. Les veines, sur le cou de taureau de Savage, se gonflaient au rythme de son pouls. Il hurla à Barton Jr. :

— Allez vous faire foutre ! Mon contrat dure jusqu'au mois de janvier. Je vous traînerai en justice. Vous allez devoir me payer des indemnités jusqu'à votre dernier jour.

— Eh bien, allez-y ! tonna Barton Jr. qui semblait aussi furieux que son chef trader, mais plus maître de lui. Allez-y, mais surtout cassez-vous !

— Si je me casse, vous le regretterez. La seule raison pour laquelle vous êtes encore dans ce bureau, c'est parce que moi, j'y suis. Si je me mets à parler, tous les clients partiront avec moi. Je ne vous donne pas une semaine avant de mettre la clé sous la porte.

— Vous ne me faites pas peur, maugréa Barton.

— Ah non ? Et qui va mener les opérations, à votre avis ? Qui va décider quand il faut acheter et quand il faut vendre ? Vous pensez peut-être qu'un seul de ces clowns sait de quoi il retourne ? Ou peut-être que vous comptez vous y mettre personnellement, monsieur le professeur ? On ne fait pas de simulation informatique, ici ! Ici on joue pour de vrai, avec du vrai pognon, et vous n'aurez jamais les couilles de vous lancer...

— Les seules opinions qui m'intéressent sont celles de mes employés, dit Barton. Et vous, vous êtes viré.

— Impossible ! cria Savage.

— Viré. Un point c'est tout. Vous avez trois minutes pour emballer vos affaires ; sinon j'appelle la sécurité pour vous jeter à la porte.

— Jamais de la vie ! (Savage hurlait tandis que Barton consultait sa montre.)

— Deux minutes et quarante secondes.

— Je t'en foutrai, espèce d'ordure ! fit Savage en se précipitant sur lui.

Je me suis interposée d'instinct, tous mes muscles

tendus dans l'attente de l'impact. « Frappez-le, ai-je crié en direction de Carl, et je m'arrangerai pour que vous soyez arrêté pour coups et blessures dans la minute qui suit. »

Savage répondit par un grognement issu du plus profond de la gorge. Mais c'était Barton Jr. qu'il voulait frapper, et je représentais un obstacle — certes modeste — mais assez important pour qu'il y réfléchisse à deux fois.

— Sortez immédiatement, ai-je ordonné. Vous viendrez vendredi matin à mon bureau et nous vous notifierons formellement votre licenciement.

Je sortis, comme par magie, une carte de visite de mon sac.

— Espèce de conne ! répondit-il simplement.

— Vous pouvez me donner tous les noms qui vous plaisent, mais vous n'avez rien à gagner à cette confrontation. Je vous conseille de partir tout de suite.

— Vous allez le regretter, continua Savage en gesticulant devant la porte.

Et soudain, il sortit à grands pas.

— Qu'est-ce qui s'est passé ? ai-je demandé, le cœur battant.

Barton Jr. était assis sur le fauteuil de Savage, complètement blême.

— Il y a environ une heure, Carl m'a annoncé qu'il avait quelque chose à me dire. Il m'a informé qu'un de nos concurrents lui avait fait une offre alléchante et que, si je voulais qu'il reste chez Hexter, j'allais devoir doubler son salaire et lui donner 10 % des actions de la compagnie.

— Rien que ça ?

— Il sait mieux que quiconque à quel point notre position actuelle est vulnérable. On ne peut pas dire qu'il ait perdu beaucoup de temps pour en tirer avantage. Mon père n'est même pas enterré, et voilà qu'il réclame de l'argent. Je lui ai répondu que j'attendais de mes employés qu'ils se montrent loyaux et non cupides. Il m'a dit que c'était facile à dire, dans la mesure où j'étais devenu millionnaire du jour au lendemain. J'ai dit que je refusais même d'entendre ses revendications. Lorsque vous m'avez appelé, cela commençait à devenir très personnel et moche. Je suis vraiment content que vous soyez venue si vite. Si vous n'étiez pas intervenue, je suis sûr qu'il m'aurait envoyé à l'hôpital.

— Carl est un dur, et l'une des rares choses que les durs respectent, c'est qu'on leur résiste.

— C'est une théorie qui demande pas mal de trempe pour être mise en pratique, commenta Barton, visiblement admiratif. Je suis heureux que ça ait marché. Je ne crois pas que cela aurait fait bon effet sur les employés s'il m'avait cassé la gueule en public.

— À part ça, ce n'était vraiment pas le moment de se priver de quelqu'un d'aussi qualifié que Carl.

— Je sais ; j'ai l'impression d'avoir scié la branche où je suis assis.

— Bien. Mais qui va passer les ordres d'achat et de vente ? ai-je dit tandis qu'on tambourinait nerveusement à la porte.

— Entrez ! dit Barton.

Un jeune homme en veste froissée entra au pas de charge, frénétique, la cravate de travers. « J'ai tous ces ordres à transmettre en bas, dit-il. Il y en a un paquet pour le soja de juillet à trente ou en dessous, et Doug vient de faire savoir qu'il est à vingt-sept et qu'il grimpe très vite. Carl m'a pratiquement assommé en sortant d'ici, continua-t-il d'une voix peu assurée. Quand je lui ai demandé quoi faire, il m'a dit de m'adresser à vous.

— Donnez-moi tout ça, ordonna Barton Jr., ôtant sa veste et saisissant les fiches de la main du grouillot. Quel est le numéro de notre opérateur à la salle ? »

Barton Hexter plaça le combiné à son oreille et me fit au revoir du menton.

De retour au bureau, Cheryl m'annonça que j'avais reçu plusieurs appels pressants de Herman Geiss. D'habitude, Herman travaillait au bureau fédéral de la CFTC à Washington, mais il était en ville aujourd'hui et comptait me voir au bureau de Chicago. J'appelai pour dire que j'étais en route, hélai un taxi et me retrouvai bientôt dans les locaux exigus de la commission.

Herman m'attendait dans une petite salle de conférences sans fenêtre. Elle ne contenait qu'une table de réunion, entourée d'un assortiment dépareillé de chaises usagées. La pièce dégageait une odeur de fusible, comme si elle était marquée par l'amertume des existences qui s'y étaient brisées.

Herman avait placé son équipe autour de la table : Gary Sanders, du bureau de Washington, et Darlene McDonald, la dernière acquisition de la commission, qui venait directement du Département du Trésor, et qui devait prendre la place d'Herman quand, à la fin de l'année, il quitterait le gouvernement pour un poste dans le privé. Dès que je fus assise, Herman ferma et verrouilla la porte. Il y avait dans un coin une petite table destinée à la sténo, mais elle était vide. Je crus comprendre qu'il désirait qu'il ne reste aucune trace de ce qui allait être dit.

Herman avait des cheveux qui se raréfiaient, une taille qui épaississait, et un air d'irritation perpétuelle. Il s'assit juste en face de moi, frappant de ses mains la surface éraillée de la table. Il pencha son visage rondouillard, orné de grosses lunettes, vers le mien, comme un prêcheur baptiste qui tenterait de lire directement dans mon âme.

— Qu'est-ce que vous essayez de manigancer, Millholland ? demanda-t-il (son visage était si proche que je pouvais sentir son repas de midi).

— Que voulez-vous dire, Herman ?

— Et ne faites pas l'innocente, nom de Dieu, criat-il. Reste-t-il un seul sénateur que vous n'ayez pas appelé, aujourd'hui ?

— Un ou deux, peut-être. Mais vous ne m'avez pas laissé le choix. Lors de notre dernière conversation, vous m'avez fait comprendre très clairement que vous n'alliez pas vous montrer raisonnable, et ce, en dépit du fait que je devais affronter une situation limite. Ce qui est arrivé aujourd'hui est donc de votre responsabilité.

— Ce qui est arrivé aujourd'hui représente la pire bassesse, le pire trafic d'influence dont une entreprise soit capable. Je ne croyais pas que vous tomberiez si bas, Millholland.

— Attendez un peu d'être dans l'autre camp, lui répondis-je, sachant qu'Herman ne se sentait pas très à l'aise de quitter le gouvernement. Mon travail consiste à faire de mon mieux pour protéger les intérêts du client. C'est pour cela qu'il me paye. C'est ce qui fait la différence entre un avocat et un fanatique.

En voyant le visage d'Herman, j'eus soudain peur d'être allée trop loin. Les autres nous observaient ; leurs regards inquiets ne cessaient d'aller de lui à moi et vice versa.

— Vous pensez peut-être que vous êtes une avocate, Kate. Moi, je pense que vous êtes une pute. Ça me rend malade de vous voir foutre en l'air une procédure pour un type comme Hexter.

— Hexter est mort, Herman. Gardez un peu de votre haine pour les vivants.

— Ne me dites pas ce que je dois faire ! Les pouvoirs en place ont trouvé bon de vous accorder cinq jours de sursis. Alors j'aimerais que nous nous comprenions bien. Vous avez réussi à me piéger. Mais dans cinq jours, croyez-moi, vous me le paierez.

CHAPITRE 14

Je me suis arrêtée deux fois sur le chemin du bureau. La première dans un kiosque pour m'acheter un paquet de M&M's, et ensuite chez Starbucks pour prendre un double espresso. Ce serait peu de dire que la journée avait été dure. En l'espace de deux heures, j'avais été à un doigt de me faire casser la gueule chez Hexter Commodities par l'ex-chef trader, puis informée par le président de la commission de contrôle de la CFTC que dans une semaine, à compter de vendredi, il avait l'intention de nous désintégrer, mon client et moi-même.

Cheryl n'a eu qu'à découvrir le café et les M&M's pour me dire : « C'est à ce point ? »

— J'aurais dû mettre un tailleur ignifugé, ai-je répondu.

Je suis entrée dans mon bureau, j'ai fait valser mes chaussures et ôté ma veste. Il y avait une robe en coton lavande pendue à mon fauteuil.

— Cheryl ? Qu'est-ce que c'est que cette robe ?

— Désolée, Kate, dit-elle en faisant disparaître l'objet compromettant. Je l'ai achetée pendant mon heure de déjeuner et j'ai fait un essayage. C'est ma tenue de demoiselle d'honneur. Ce week-end, je vais marier mon amie Camille. (Elle la tendit en ma direction.) N'est-elle pas tout simplement hideuse ?

— Toutes les robes de cérémonie le sont. Connais-tu les trois grands mensonges de l'humanité ?

— Non, dis-moi.

— « Black is beautiful. » Le second : « Le chèque est au courrier. » Et le troisième : « Tu pourras remettre cette robe quand tu voudras. »

— Comme tu as raison ! Je ne voudrais pas qu'on m'enterre dans cette tenue. J'ai hâte de voir de quoi aura l'air la sœur de Camille, là-dedans. Elle mesure 1,50 m et pèse 100 kg. Il faut que je te montre les chaussures. » Elle fonça vers son bureau et en revint avec une paire de sandales à talons de dix centimètres, couleur lavande pour aller avec la robe.

— Délicieux ! Très pratique pour le bureau.

— Bien sûr. Chaque femme devrait avoir une paire de chaussures BAB dans sa garde-robe.

— Mais que sont, je te prie, des chaussures BAB ?

— Ta chère mère ne t'a rien appris. BAB : bonne à baiser !

La sonnerie du téléphone ne parvint pas à interrompre mon rire. Cheryl répondit et me tendit le combiné : « C'est Barton Jr. », murmura-t-elle en couvrant l'émetteur de sa main.

— Puis-je vous voir ? me demanda-t-il. Je crois effectivement que j'ai scié la branche sur laquelle j'étais assis.

— Bien sûr. Quelle heure vous convient ?

— En fait, je me disais que vous pourriez peut-être passer à la maison, ce soir. J'ai promis à Jane que je serais rentré pour le dîner. Le mercredi, notre fille au pair a son jour de congé ; vers 6 heures du soir, Jane est complètement crevée. Vous aimeriez peut-être partager notre modeste repas, à la fortune du pot.

— Oh, je ne voudrais pas vous déranger. Je préférerais passer quand vous aurez terminé.

— Non, je vous en prie. Venez dîner. Pour vous dire toute la vérité, j'ai un peu peur d'avouer à Jane ce qui s'est passé aujourd'hui. Vous pourriez me soutenir.

— Vous voulez dire, au cas où elle aurait envie de vous corriger ?

— Vous m'avez compris !

Barton et Jane Hexter vivaient dans une maison victorienne joliment restaurée qui se trouvait dans une rue calme, bordée d'arbres, à Evanston. C'était un quartier confortable, résidentiel et familial, avec des tricycles dans les allées et des balançoires en bois dans les jardins. Prospère et sereine, cette demeure n'avait rien de remarquable quand on ne savait pas dans quel type de maison Barton Jr. avait grandi.

Jane m'accueillit à la porte, une petite chose de deux ans donnant des coups de pied, solidement calée sur son ventre plantureux. Elle portait une robe à fleurs d'un rouge cramoisi qu'accentuaient encore la pâleur de son teint et les rides légères que la grossesse, la fatigue et l'horrible tension des derniers jours avaient fait naître.

— Bienvenue à la ménagerie, dit-elle en esquissant un sourire. Ce petit singe-là s'appelle Peter.

— Hi hi hi, lança Peter avec des onomatopées simiesques.

— Maintenant, tu vas monter à l'étage retrouver l'autre petit singe, dit sa maman en lui appliquant une petite claque sur le derrière. Entrez donc. Barton est dans la salle à manger. Il m'a dit qu'il essayait de noter des examens, mais je crois bien qu'il cherche à me fuir. Vous a-t-il dit qu'il avait viré Carl Savage aujourd'hui ?

— J'étais là. J'espère que ça ne me vaudra pas une soupe à l'arsenic.

— En tout cas, vous aurez de la soupe. Pour l'arsenic, je vais réfléchir. Essayons de le distraire de ses travaux.

Jane m'ouvrit le chemin à travers la maison, décorée comme celles de tous les professeurs d'université de par le monde : des meubles confortables, vaguement modernes, dans des tons neutres, des parquets cirés, et des livres empilés absolument partout. Un piano à queue Steinway dominait de sa taille la salle de séjour. Il y avait une harpe devant les portes-fenêtres. Pour le reste, d'innombrables jouets gisaient entre ces éléments.

Au son de notre voix, Barton consentit à quitter la salle à manger, rajustant sa chemise dans ses jeans.

— Salut, Kate. Mon Dieu, c'est l'heure du dîner? Puis-je vous offrir quelque chose à boire? Une bière? Du vin?

— J'aimerais beaucoup un verre de vin.

— Entendu, fit Jane. Je m'en occupe, asseyez-vous donc. Il faut que j'aille à mes fourneaux, de toute façon.

— Vous êtes sûre que je ne peux pas vous aider? proposai-je.

— Non, non. Je contrôle tout, ici.

Barton et moi nous sommes installés confortablement. J'entendais, au-dessus de nous, le bruit de petits pieds qui galopaient, et des cris qui, avec un peu de chance, devaient être des cris de joie.

— Je vois que vous avez tout avoué, commençai-je.

— Curieusement, elle l'a très bien pris. Je ne crois pas qu'elle ait utilisé quelque chose de plus injurieux qu'« idiot ».

— Et comment vous êtes-vous débrouillé, pour les affaires?

— Pas trop mal. Je ne suis pas comme mon père. Je n'arrive pas à tout calculer de tête, ce qui signifie qu'il va me falloir créer un système pour conserver trace des transactions. Tim n'a pas l'air d'accord. Mon père et lui se voyaient tous les soirs pour revoir les marchés, mais ça ne leur prenait pas plus de vingt minutes. Aujourd'hui, nous y avons consacré une bonne heure, et encore n'avons-nous examiné que deux matières premières. Quand je lui ai dit que je comptais sur lui à 6 heures demain matin pour terminer, il n'a pas eu l'air d'apprécier.

— C'est lui, le prochain sur la liste ? demanda Jane, qui apparut avec mon verre. À l'université, on n'a jamais à virer personne, même pas sa secrétaire. Je crois que le pouvoir t'est monté à la tête. As-tu parlé de Margot avec Kate ?

Barton se couvrit le visage des mains : « Est-il un seul horrible secret de famille qui ne sera pas révélé ? s'écria-t-il, feignant le désespoir.

— Ce ne sera plus un secret, jeta Jane en se tournant vers moi. Margot m'a appelée, cet après-midi. Elle est toute contente. Il semble qu'elle soit enceinte.

— Ce qui conclut son expérience saphique, remarquai-je.

— Oh non. Vous n'y êtes pas du tout. Cela fait bel et bien partie de son engagement lesbien. Brooke, la petite amie de Margot — excusez-moi, sa « compagne de vie » —, lui a fait accepter une insémination artificielle. Je suppose qu'elles ont trouvé un homosexuel qui a accepté de donner une contribution en nature. Margot ne nous a épargné aucun détail. Il semble qu'on ait utilisé une sorte de seringue comme celles pour arroser les rôtis. Elles ont décidé d'élever le bébé ensemble — maman Margot, maman Brooke, et tonton Papa, quel que soit son nom.

— Est-ce qu'elle en a parlé à votre mère ?

— Oui, dit Barton. Tout ce que ma mère a dit, c'est qu'elle était soulagée que mon père ne soit plus là pour voir ça. Elle a ajouté qu'elle était contente de déménager. Je crois qu'elle part pour Palm Beach vendredi matin. Je ne sais pas, on dirait que toute la famille est en train de se désagréger. On constate ce genre de phénomène dans la théorie du chaos. Un système complexe, soumis à des changements rapides, finit par développer un équilibre propre et unique. Puis, un événement exogène apparaît et le système tout entier donne inexorablement de la bande.

— Quelle joyeuse thématique, dit Jane. Tu perds le sens des proportions. Ce qui est arrivé à ton père est horrible, c'est vrai. Mais en ce qui concerne Margot, je ne vois pas où est le changement. Elle était déjà cinglée avant sa mort, elle sera toujours aussi cinglée demain.

— Et que dis-tu du déménagement de Mère à Palm Beach ? Tu ne trouves pas que c'est un peu brusque ? En plus, quelque chose ne va pas entre Krissy et son mari. Je l'ai bien senti lorsque j'étais avec eux, hier soir.

— Mais non. C'est juste que Krissy pense qu'il ne fait pas assez attention à elle. Il n'y a rien de nouveau, crois-moi.

— J'étais un peu étonnée de la rencontrer à la soirée de gala de la Fondation pour l'arthrite, hier soir, dis-je. Je sais qu'elle a travaillé très dur sur cet événement, mais ça a fait jaser.

— Mère était furieuse, admit Barton. Cela a provoqué non pas un, mais deux coups de téléphone à 4 heures du matin.

— Tout ce qu'elle veut, c'est être sûre qu'on lui présente des condoléances attristées, ajouta Jane. Je suis certaine qu'elle tirera le meilleur parti possible de la mort de son père, tandis que Fourey ira monter ses chevaux. Je ne l'accuse pas, d'ailleurs. Si j'étais le mari de ta sœur, je crois que j'installerais mon lit dans l'écurie.

— Tu es un peu dure avec Krissy, objecta Barton. De nous tous, c'est elle qui était la plus proche de Papa.

— Tu veux dire qu'elle l'avait roulé autour du petit doigt. J'ai toujours plaint Fourey. Il fallait du courage pour passer après ton père. Nous en avions parlé quand ils se sont mariés. Bart a toujours traité Krissy comme une princesse. Fourey est un gentil garçon, mais ce n'est pas un prince. En fin de compte, cela aura peut-être un effet positif sur Krissy. Elle a vingt-six ans et c'est la première fois qu'elle sera confrontée à la réalité.

— Je crois que Krissy est vaccinée contre la réalité, marmonna Barton.

— Krissy vous avait-elle invitée à son mariage ? me demanda Jane.

— Non. Je ne crois pas.

— Sans vouloir vous offenser, vous deviez être la seule personne à ne pas l'être, dans cette ville. Dommage que vous ayez raté cela !

— C'est vrai que tout était un peu excessif, concéda Barton. Mais c'était la faute de mon père. Si je me souviens bien, Mère a essayé de le contrer pied à pied.

— Bart avait organisé ce mariage comme une surprise pour Krissy, continua Jane. Il s'était occupé de la décoration, des couleurs, du buffet. Si Fourey n'était pas venu, je crois que personne ne s'en serait aperçu, jusqu'au moment du « oui » à monsieur le maire. Bart lui avait même bandé les yeux pour l'emmener chez Tiffany ; il lui a pris un collier et une tiare de diamants pour la cérémonie. Elle a eu deux robes de mariage, une pour la cérémonie et une pour la réception. Il a fait venir Stuart White et son orchestre de cinquante-neuf musiciens en avion de New York. Fourey et Krissy sont partis en hélicoptère, du jardin, pour leur lune de miel.

— En hélicoptère ! répétai-je, interloquée.

— Comme je vous le disais, continua Jane en haussant les épaules, il faut du courage pour prendre la succession de Bart Hexter !

Le dîner fut simple et délicieux, le genre de cuisine familiale qui passe rarement par mon assiette — poulet rôti, pommes de terre au four, petits pois et salade. J'en repris deux fois. Les deux petits garçons des Hexter, Peter — deux ans et demi, que j'avais vu sur le seuil — et son frère de trois ans et demi, James, transformèrent le repas en bataille rangée. Le lait fut renversé, la nourriture vola, on entreprit même un concours de rots qui fut sévèrement interrompu. Alors que Jane s'en allait vers la cuisine et que Barton tentait d'éponger une nouvelle flaque, Peter réussit à se fourrer un petit pois dans le nez avant que j'aie pu intervenir ; on dut lui faire quitter la table pour le lui enlever.

— Alors, prête à faire vœu de célibat ? me taquina Jane après avoir terminé.

Barton avait conduit les enfants dans leur chambre, décidé à leur faire prendre un bain, et j'aidais Jane à ranger la vaisselle.

— Pas du tout, dis-je sincèrement. En comparaison, ma vie semble bien morne.

— Je ne suis pas sûre de ne pas l'envier. Quand je sors de scène et que l'orchestre se lève et que tous les visages des spectateurs se tournent vers moi — là, c'est excitant. Ceci n'est que le chaos.

— Mais vous n'échangeriez pas votre place contre la mienne pour tout l'or du monde.

— Si, pendant les week-ends, fit Jane en souriant. Surtout si nous pouvions échanger nos corps. Le mien semble être envahi ces temps-ci.

— C'est un garçon ou une fille ?

— Je ne sais pas. Je suis imperméable à la technologie. Tout le monde m'affirme que ce n'est pas dangereux, mais je préfère ne pas faire d'échographie si ce n'est pas indispensable. D'ailleurs, ça ne vaut pas la surprise.

— Vous désirez une fille ?

— Ce serait parfait. Sinon, vous imaginez le délire ? Je passerais le reste de ma vie dans un vestiaire de gymnase. Mais du moment qu'il est en bonne santé, je serais comblée, que ce soit une fille ou un garçon. Plus j'ai l'expérience de la maternité, plus j'apprécie le miracle d'un enfant bien portant.

— De toute façon, vous n'allez pas chômer, lui dis-je, ayant encore aux oreilles le vacarme du dîner.

— Ça, vous l'avez dit ! répondit Jane. Avec trois enfants, mon martyre est pratiquement assuré.

— Mon père n'aurait jamais cru qu'il allait mourir pour de bon », me confia Barton Jr. tandis que Jane servait le café. Les garçons étaient en haut, en pyjama, devant leur ration quotidienne de télévision. « Vous savez que Papa a fait un infarctus, l'an dernier ? Quand il est arrivé en salle d'urgence, il était cliniquement mort. Même après, il ne concevait pas que sa vie puisse s'arrêter. Il devait se dire qu'à force de volonté, s'il se montrait assez entêté, il obtiendrait tout ce qu'il voudrait et vivrait éternellement.

— À propos d'entêtement, dit Jane, tu te souviens par où nous sommes passés l'année dernière avec ce défibrillateur ? Après l'infarctus, Bart s'est retrouvé avec ce que l'on nomme une tachycardie ventriculaire, m'expliqua Jane. C'est le rythme cardiaque qui devient irrégulier ; cela vient du ventricule. Ses médecins ont insisté pour lui en poser un, mais il a refusé.

— Qu'est-ce qu'un défibrillateur ? demandai-je. La même chose qu'un pacemaker ?

— Non, répondit Bart. C'est plus gros, et cela nécessite donc une pile plus importante, d'à peu près quinze centimètres carrés, implantée dans l'estomac. C'est une espèce de starter automatique pour le cœur. Cela permet de régulariser le rythme cardiaque ; ainsi, dès qu'il y a épisode de tachycardie ventriculaire — TV, comme ils disent — le défibrillateur envoie de l'électricité dans le cœur. Cela permet de lui redonner un rythme normal.

— Ça ne paraît pas très agréable.

— En effet, dit Jane. Mais la famille a pensé que c'était quand même mieux que la mort. Bart a dit qu'il ne laisserait jamais les médecins lui ouvrir la poitrine. Il disait qu'en tant que joueur, il était prêt à prendre des risques. Cela avait rendu Pamela complètement malade. Les médecins nous avaient confié qu'une autre attaque de TV serait probablement fatale.

— Dieu merci, l'année dernière, un nouveau médicament a été commercialisé, continua Barton Jr., il permet de régulariser la tachycardie. Mais avant qu'il le prenne, nous sommes tous passés par des moments pénibles.

— Je ne pense pas que cela ait empêché ton père de dormir une seule nuit. Barton a raison. Son père se croyait immortel.

— Je parlais ce matin à un ami détective. Selon lui, les flics pensent qu'ils vont bientôt arrêter le coupable.

— Parfait, dit Jane. Qu'ils l'arrêtent au plus vite ! J'ai hâte que tout soit fini.

— Mais ça ne sera pas fini pour nous, dit Barton non sans amertume. Avant que vous arriviez, Jane et moi en avons discuté. Je crois bien que je vais aller voir le doyen de mon université pour lui demander un congé sans solde jusqu'au mois de septembre. Ce n'est pas ce que je désirais — ce que nous désirions — mais j'ai fait le tour de toutes les possibilités et je ne vois pas comment Hexter Commodities pourrait survivre dans les deux mois qui viennent, si personne ne dirige à plein temps.

— Barton est persuadé qu'il est le seul à pouvoir sauver la boîte, dit Jane d'une voix résignée.

— Même si nous décidons de vendre la société ou de liquider ses actifs, continua Barton comme s'il essayait de se convaincre lui-même, il nous faut prouver qu'elle est viable sans mon père. Si je ne saute pas le pas, j'aurai tout gâché pour rien.

— Il y a d'autres choses qu'on risque de gâcher, dit sa femme.

— Jane, il a travaillé toute sa vie pour bâtir cette boîte. Peu importe ce que toi ou moi pouvons en penser, je ne me résous pas à la voir couler sans rien faire.

Je suis rentrée chez moi, exténuée et vaguement déprimée. J'aimais beaucoup Jane et Barton. J'enviais leur mode de vie, leur intimité sans problèmes, leurs discussions, et leurs deux petits garçons — en dépit des cris et du lait renversé. J'en voulais vraiment à Bart Hexter de s'être fait assassiner. Même si je n'avais pas la moindre idée de l'identité du meurtrier ou de son mobile, j'étais convaincue que c'était Hexter lui-même qui avait, d'une façon ou d'une autre, provoqué ce meurtre. Ce n'était pas un psychopathe qui courait les bois dans l'espoir de commettre un acte de violence insensé. Hexter avait été abattu pour de bonnes raisons. Mais peu importait le mobile, finalement, ceux qui payaient les pots cassés n'étaient autres que Barton et son épouse.

Je consultai ma montre. Il n'était même pas 10 heures. Mon attaché-case regorgeait de travail à finir. La lumière de mon répondeur téléphonique clignotait. Il y avait pas mal d'appels.

J'ai jeté le courrier sur la table basse, sans le lire. Je me suis déshabillée et me suis enfouie entre les draps.

CHAPITRE 15

Je me suis réveillée tôt et suis arrivée au bureau avant 8 heures. Il fallait absolument que, vendredi prochain, j'aie concocté quelque chose de très convaincant à présenter à la CFTC. L'heure était venue de cesser d'être obsédée par l'identité du meurtrier de Bart Hexter et de songer plutôt à la façon dont j'allais empêcher Herman Geiss de suspendre ma tête sur son mur en guise de trophée.

J'ai donc tiré Sherman Whitehead du marais des fiches d'ordre, dans la salle de conférences, après avoir reçu l'assurance qu'il avait trouvé deux personnes pour terminer le travail avant le week-end. Je l'ai envoyé à la bibliothèque pour qu'il épluche la jurisprudence sur tous les cas où une enquête du gouvernement fédéral s'était arrêtée avant qu'on ait pu porter plainte. Ils ne pouvaient guère être très nombreux, mais il restait une petite chance pour qu'il déterre un précédent favorable. J'ai chargé Cheryl de tout faire pour retrouver la trace de Deodar Commodities.

Ceci fait, j'ai demandé au service des archives de me monter les nombreuses boîtes de dossiers que j'avais héritées du cabinet d'avocats qui représentait Hexter Commodities avant moi. En réponse à l'assignation qui me faisait devoir de communiquer les dossiers d'Hexter Commodities, je n'avais pu qu'envoyer copies des documents les plus récents. Je n'avais jamais eu l'occasion de consulter la majeure partie du matériel qui s'entassait à présent sur mon bureau. Cela promettait d'être une lecture passionnante.

Si j'avais été en quête d'indices sur la vendetta privée que menait le président de la commission de contrôle de la CFTC, j'aurais trouvé mon bonheur : le nom d'Herman Geiss ne cessait d'apparaître sur tous les documents, à la manière d'une pandémie.

Geiss considérait que dans le domaine du marché à terme voir grand est synonyme du pire. Mais je n'avais jamais mesuré à quel point il avait utilisé toutes les ressources de son agence fédérale pour harceler des opérateurs tels qu'Hexter. Geiss, avec la régularité d'un métronome, avait diligenté des enquêtes sur tous les courtiers d'Hexter, avait mis en cause la rapidité et l'intégrité dont Hexter faisait preuve pour liquider les positions de ses clients, et, d'une façon générale, n'avait pas quitté Hexter d'une semelle depuis des années. Même si la plupart des procédures avaient été enterrées ou finalement réglées par des amendes relativement légères, il n'était guère difficile d'imaginer l'effet de cet acharnement sur quelqu'un d'aussi colérique qu'Hexter.

Bien entendu, Hexter s'était vengé en de multiples occasions, dès qu'il en avait eu la possibilité. Durant les années où il avait été président du CBOT, il avait fait tout ce qui était en son pouvoir pour contrecarrer Geiss et son équipe de justiciers. En prenant connaissance d'une correspondance datant de quatre ans, je suis tombée sur un échange de lettres qui prouvait sans le moindre doute qu'Hexter avait essayé de faire perdre son poste à Geiss. J'en eus une crampe à l'estomac. J'étais décidément dans de très sales draps !

Je n'avais toujours pas terminé ma lecture lorsque Ken Kurlander fit son apparition, son pardessus noir posé sur le bras et des gants noirs à la main. En fait, il descendait du train de Kennilworth et m'imposait de le conduire jusqu'au cimetière, pour l'enterrement de Bart Hexter. J'eus beau lui dire que je n'avais pas prévu d'y aller — je devais préparer la réponse d'Hexter à la CFTC — le regard glacial qu'il jeta me bloqua tout net. Ce fut donc avec un soupir que j'allai chercher mon manteau.

Kurlander s'assit d'un air guindé dans ma vieille Volvo familiale, comme s'il avait voulu minimiser le contact physique de sa personne avec une sellerie qu'il jugeait répugnante. Il se mit à me parler de Pamela Hexter pour lancer la conversation. Il s'avérait que la police avait entrepris une fouille plus complète de la maison, le matin même, allant jusqu'à inspecter le local à poubelles. Du centre de Chicago jusqu'aux faubourgs de Wilmette, Kurlander poursuivit son monologue indigné sur la brutalité des fonctionnaires de police.

La cérémonie avait lieu en l'église St. Stephen. Le parking constituait un vrai paradis pour voleurs de voitures. On ne voyait que Lamborghinis, Testa Rossa, et autres modèles tape-à-l'œil qu'affectionnent tant les traders du marché à terme, pare-chocs contre pare-chocs avec les BMW et les Mercedes qui signalaient les vieilles fortunes amies de Pamela.

Les médias s'étaient déplacés en force. Une camionnette de retransmission, braquant toutes ses antennes et ses radars, s'était garée en travers de l'allée centrale, juste devant les grandes portes en chêne de l'église, comme une baleine morte échouée sur une plage. Les reporters fendaient la foule, comme pour un championnat du monde de boxe, maniant leurs micros comme des matraques.

Une fois dans l'église, je me suis malencontreusement retrouvée coincée entre ma mère d'un côté et Kurlander de l'autre. Ils jouaient au jeu des «sept familles» en m'ignorant superbement, commentant les arrivées des retardataires, se rafraîchissant mutuellement la mémoire sur les derniers cas de divorce, les dernières cures de désintoxication et les disgrâces. Le service funèbre une fois terminé, Kurlander, comme c'était prévisible, accepta l'offre que lui fit ma mère de l'emmener jusqu'au cimetière, délaissant ma Volvo déglinguée pour une Lincoln Continental avec chauffeur.

Les gens se placèrent lentement autour de la tombe. J'étais, pour ma part, à une distance respectable de Kurlander et de ma mère ; je regardai la foule. Pamela Hexter était aussi élégante que Jackie Kennedy, l'œil sec dans un bel ensemble de soie noire. Barton Jr. lui tenait le bras, la main gantée de sa mère affectueusement serrée dans la sienne. J'entendis les cliquetis des appareils photo et sus immédiatement quelle serait l'image qui illustrerait la une des journaux du lendemain.

Les filles Hexter se tenaient de part et d'autre de leur mère. Krissy, dont le joli visage semblait défiguré par l'écarlate des lèvres, tripotait nerveusement ses bijoux. Fourey, son mari, se tenait un pas derrière, la tête baissée, en pleine conversation avec Jane. Margot, qui avait l'air de s'ennuyer ferme, s'était placée du côté de son frère. Elle portait une robe qui semblait être une nappe de cuisine noire toute rapiécée. Elle entourait de son bras une jeune femme grande et mince qui avait choisi de porter — Dieu sait pourquoi — un imperméable jaune canari.

Barton Jr. avait exigé la fermeture d'Hexter Commodities pour la durée des obsèques ; j'ai donc remarqué que tous les employés s'étaient regroupés d'un côté, autour de Loretta Resch, comme si elle avait été quelque divinité protectrice. Mrs. Titlebaum était là, sanglotant silencieusement dans son mouchoir, alors que Tim, misérable et perdu, se balançait d'un pied sur l'autre, comme un petit garçon d'une taille gigantesque, gros et maladroit, qui tente de bien se tenir à l'église. Il portait un imperméable noir informe dont les manches étaient trop courtes, et ses mains pendaient comme deux jambonneaux obscènes. En tant que neveu du défunt, il aurait dû faire partie du petit cercle de la famille. Je me suis demandé si c'était lui qui avait préféré rester avec ses collègues, en signe de loyauté, ou si c'était Pamela qui avait délibérément cherché à lui faire un affront en lui refusant non seulement de porter un cordon du poêle, mais aussi les limousines noires réservées aux membres de la famille.

Dès que la foule se fut immobilisée, on récita les dernières prières, puis Black Bart descendit lentement dans la fosse. Pamela regardait le cercueil, raide, ne trahissant pas la moindre émotion. Krissy sanglotait. Margot fixait le vide. À l'extrémité de la foule, mon regard s'arrêta sur un homme à moitié dissimulé derrière une pierre tombale, que surmontait la statue d'un ange baroque. Il filmait avec une caméra vidéo ceux qui s'étaient dérangés pour présenter leur dernier hommage à Bart Hexter. C'est avec un frisson que je reconnus l'un des hommes de Ruskowski.

Comme Pamela devait partir pour Palm Beach le lendemain matin, ceux qui voulaient présenter leurs condoléances étaient contraints de passer directement à la maison. Deux groupes se formèrent donc. Dans la salle de réception, les membres des vieilles familles anglo-saxonnes, accompagnés de leurs impeccables épouses, sirotaient leur café à petites gorgées en hochant la tête tristement sur le malheur de la famille. Dans la salle des trophées, où l'on avait dressé un bar, les opérateurs du marché à terme et leurs femmes aux brushings monstrueux buvaient sec en évoquant bruyamment les jours de gloire de Bart Hexter.

— Kate, me dit Barton Jr., m'accostant comme j'attendais qu'on remplisse ma tasse. Je suis content que vous soyez ici. Mère dit que tous les papiers de mon père ont été emballés pour vous dans son bureau. Malheureusement, elle n'a pas eu le temps de vous les faire livrer. Auriez-vous la gentillesse de vous en occuper ?

— Certainement. Combien y a-t-il de cartons ?

— Je ne sais pas. Si vous voulez, vous pouvez aller voir pour vous faire une idée.

— D'accord. Y a-t-il autre chose que je puisse faire ?

— Il ne reste plus qu'une heure. Maman jette tout le monde à la rue à 7 heures pile. Son avion part demain matin à 8 heures. Je ne pensais pas avoir à le dire, mais en fait elle a eu une riche idée de partir. Sinon, tout ceci n'aurait fait qu'empirer.

Un couple âgé arriva près de lui, attendant de présenter ses condoléances.

— Je vais aller voir ce que contiennent ces cartons, lui dis-je. Aurez-vous le courage de m'accorder une minute, un peu plus tard ? Vous vous souvenez que j'ai dit à Carl Savage de venir me voir au bureau, demain matin ? Il faut préparer son licenciement en bonne et due forme.

Barton Jr. émit un grognement.

— Nous en reparlerons plus tard. Pour le moment, je vous demande seulement de m'indiquer la direction de ce bureau.

— Il se trouve au bout du couloir. Tournez à gauche, et ensuite ce doit être la troisième... non, la quatrième porte sur la gauche.

Je me mis en route en toute confiance, mais la quatrième porte à gauche s'avéra être la salle de billard. Et ce ne fut pas la majestueuse surface du tapis vert qui attira mon regard en premier, mais le couple qui s'y agitait. La femme était adossée sur la bande, ses jambes serraient un homme brun, très occupé à déboutonner son corsage avec les dents.

Au bruit de la serrure, la femme tourna son visage dans ma direction. Krissy Hexter Chilcote me fixait, les yeux exorbités.

« Pardon ! » ai-je lancé en exécutant un demi-tour précipité. J'ai refermé la porte tout aussi vite en sifflant involontairement. Je venais tout juste de croiser Fourey Chilcote et Ken Kurlander en grande conversation dans la salle de séjour. De toute façon, le mari de Krissy était blond.

C'était décidément le jour des rencontres imprévues ! J'ai fini par trouver le bureau de Bart, mais pour tomber sur Jane, qui pleurait à la pâle lueur d'une unique lampe.

— Je ne voudrais pas vous importuner, dis-je. Je repasserai plus tard.

— Non, ça ne fait rien. Il va falloir que je retourne en bas, de toute façon. » Elle prit une longue inspiration et s'essuya les yeux. « L'intérêt d'un enterrement, c'est qu'on est tout à son aise pour pleurnicher.

— Allez-y, laissez-vous aller, lui dis-je doucement.

— C'est encore pire quand on est enceinte. J'ai eu les larmes aux yeux toute la journée.

— Vous devez avoir de bonnes raisons.

— C'est bien le problème, dit Jane, de nouveau au bord des larmes. J'ai tellement honte de moi. Je ne pleure pas pour de bonnes raisons. C'est tellement... tordu. Vous savez ce que j'ai ressenti quand j'ai appris la mort de mon beau-père ? Je me suis sentie soulagée. Ce n'est pas que je le détestais. Il y avait en lui beaucoup de traits que j'admirais, au contraire. C'est difficile à expliquer, mais Bart avait une personnalité si écrasante. Comme s'il tenait encore mieux ses enfants en laisse, avec son testament — même quand ils essaient de partir à la nage, c'est encore lui qui contrôle le courant.

— Mais Barton Jr. et vous, vous avez créé une vie qui vous appartient. Vous n'avez pas fait ce que Bart désirait, vous n'avez pas adopté le mode de vie qu'il aurait voulu, avançai-je.

— C'est vrai, au moins avons-nous fait la preuve de notre indépendance, contrairement à Krissy. Mais chaque fois que nous avons pris une décision, nous avons essayé d'imaginer ce que Bart en aurait pensé, comme s'il avait été notre mentor. Quand il est mort, j'ai cru que c'était fini, que nous serions libres. Mais aujourd'hui, où on l'enterre... Bon Dieu, il a obtenu tout ce qu'il voulait! Il nous a aspirés dans son existence. (Jane leva les bras au ciel et les laissa retomber en un geste de désespoir.) Nous sommes piégés dans cette maison monstrueuse, et Barton ira tous les jours au boulot négocier des contrats à terme. Les journalistes escortent littéralement mes gosses jusqu'à la porte de l'école dans l'espoir de les prendre en photo. Et chaque fois que je me retourne, je retrouve ce Ken Kurlander en train de dire tout bas à Barton qu'il a d'énormes responsabilités, au point que mon pauvre mari n'arrive plus à fermer l'œil de la nuit. Merde alors, Barton et moi, nous avons déjà notre vie à nous. Il ne manquait plus que d'assumer celle de son père!

— La pression est à son comble, lui dis-je. Cela s'arrangera avec le temps. D'ailleurs, le bébé qui arrive effacera tout cela.

— La seule idée de pouponner, alors que je suis si vide... C'est très dur. Il faut que je sois forte pour tant de gens en même temps. Il faut que j'écoute Barton et que je le soutienne. Après tout, il vient de perdre son père dans d'atroces circonstances. Il faut que je sois équilibrée pour rassurer les enfants. Un sale gosse, à l'école maternelle, a dit à James que des méchants avaient explosé la tête de son grand-père — bang, bang! James en a naturellement fait des cauchemars. Je sais que ça paraît moche, mais j'en veux à Bart d'être mort, et encore plus de s'être fait tuer. C'est horrible à dire, mais ce n'est pas comme s'il s'était fait tirer dessus par un cambrioleur. Je suis certaine que, d'une façon ou d'une autre, c'était quelqu'un à qui il avait joué un sale tour. Il a dû faire quelque chose de grave, et maintenant c'est nous qui en payons les conséquences... Incroyable! Je n'arrive pas à croire que j'aie dit ça. Vous devez me prendre pour une sorcière...

— Je crois que vous êtes quelqu'un de très bien, qui mérite mieux que ce qui lui arrive ces derniers temps, lui répondis-je en toute honnêteté. Vous trouvez toute cette histoire injuste, et vous avez raison.

— Et pourtant, ça ne m'empêche pas de me sentir coupable. Qui pourrait me comprendre? C'est quand même extraordinaire: nous avons hérité de millions de dollars, et je pleure parce que c'est trop lourd à porter. Mais je n'ai pas besoin de cet argent. Je le déteste. J'aurais voulu qu'il disparaisse avec lui!

Barton Jr. se tenait près de la porte d'entrée, congédiant les derniers invités. Pamela prenait quelque repos dans un fauteuil profond, la tête penchée pour mieux parler à une vieille amie sur le point de partir. Margot errait, non loin de là, suivie comme une ombre par Brooke, et sautait d'un pied sur l'autre pour attirer l'attention de sa mère. Krissy, très maîtresse d'elle-même, ne m'en envoyant pas moins des regards meurtriers, était en train de surveiller les domestiques qui nettoyaient la salle à manger.

Barton ferma la porte et s'y appuya un moment, les épaules tombantes, le visage creusé. Ainsi encadré par le bois sombre de la porte, il était le portrait même de la fatigue. Il défit lentement son nœud de cravate et passa la main dans ses cheveux.

— Kate, désolé, mais je ne me sens pas de parler de Savage, ce soir. Je suis mort. Je vais chercher Jane et rentrer à la maison. Je vous appelle dès mon réveil.

— Parfait, lui dis-je. Nous discuterons de tout cela au téléphone. Jane est déjà partie. Elle était épuisée. Je lui ai dit que je vous raccompagnerais.

— Vous êtes sûre?

— Tout à fait.

— Je vais chercher mon manteau.

Margot venait d'entrer en contact avec sa mère. Brooke leva la main pour un au revoir un peu gauche. Margot se pencha pour embrasser sa mère qui, au dernier moment, détourna la tête. Margot prit son manteau sur une chaise et Brooke par la main, et passa devant moi sans m'accorder un regard. Elle ouvrit la porte et laissa son amie sortir. Puis elle se retourna, fit un bras d'honneur en direction de sa mère, et pénétra sans un mot dans l'obscurité.

Depuis quelque temps, je n'ai cessé d'entendre des réflexions désagréables sur ma vieille guimbarde, surtout de la part de Cheryl et de Stephen. Il est vrai que la Volvo a connu des jours meilleurs. Mais c'est la voiture que nous avions achetée, Russell et moi, lors de notre dernier semestre à la fac de droit. Elle aurait été parfaite pour des enfants. Finalement, je me suis peu à peu habituée à l'idée de la remplacer, mais j'ai découvert que le choix d'une voiture neuve était beaucoup plus difficile que prévu.

J'adore conduire la BMW de Stephen, mais je trouve un peu provocateur d'avoir une bagnole si chère dans un quartier où habitent tant de voleurs. Stephen vit dans un immeuble avec portier et parking gardé. Garée dans l'allée derrière mon immeuble, une belle cylindrée allemande aurait une durée de vie de moins d'une semaine.

Pendant un temps, j'ai joué avec l'idée que m'avait donnée Cheryl, de célébrer ma promotion dans la firme par une décapotable japonaise. Mais lors de l'essai que j'ai effectué, le nombre de propositions que m'ont faites les piétons m'a plus qu'étonnée. Un jeune étalon m'a même proposé, au coin de Grand et Ohio, de le faire monter dans mon engin en échange de quoi il me ferait monter sur le sien. J'ai dû attendre le septième feu de croisement pour comprendre ce qu'il voulait dire.

Je ne sais pas exactement ce que la Volvo disait de moi, mais elle me convenait bien. Et ce soir-là, tandis que je raccompagnais Barton à Evanston, j'ai apprécié sa confortable familiarité. Barton s'était assis à côté de moi, perdu dans les plis de son pardessus sombre, comme un vieillard ou un grand malade. La nuit était lumineuse et froide. De petits nuages sombres couraient dans le ciel.

En m'engageant dans l'allée de sa maison, je vis que Jane nous attendait sur la véranda. Elle se tenait dans la lumière qui venait du garage ouvert, en robe de chambre. Elle avait pris un châle en laine pour se couvrir les épaules. Ses yeux semblaient immenses. Son visage était blafard.

Barton se rua hors de la voiture.

— Jane ! Tu vas bien ? Que se passe-t-il ? C'est le bébé ?

— Non, non. Rien à voir, répondit-elle en cherchant visiblement ses mots. C'est ta mère. Krissy vient d'appeler. La police est venue chez elle il y a quelques minutes. Ta mère a été arrêtée pour meurtre !

CHAPITRE 16

Nous sommes restés tous trois pétrifiés, tentant d'assimiler l'énormité de la chose. Le visage de Barton Jr. était littéralement ravagé. Il fit un petit pas, en chancelant, vers sa femme, et lui saisit les mains.

— À quelle heure Krissy a-t-elle appelé? ai-je demandé brusquement. (Je me sentais comme un médecin sur le lieu d'un accident.)

— Moins de dix minutes, répondit Jane à la même cadence.

— Les policiers étaient encore là?

— Non. Ils venaient de partir. Krissy m'a dit que ça n'avait pris qu'une minute. Il y avait cet inspecteur — le rouquin que tout le monde déteste. Je ne me souviens plus de son nom. Il est entré et a annoncé tout de go à Pamela qu'elle était en état d'arrestation. Krissy m'a dit qu'il lui avait passé les menottes.

— Et comment est-ce que Krissy prend la chose?

— Elle est bouleversée. Elle pleurait si fort que j'ai eu du mal à la comprendre.

— Il y a erreur, murmura Barton Jr. Où l'ont-ils emmenée? Est-elle en prison?

— Krissy m'a dit qu'ils l'emmenaient au poste de police de Lake Forest.

— Jane, dis-je d'un ton presque militaire, rentrez tout de suite et appelez-la. Dites-lui de rester chez elle et surtout de ne parler à personne. En particulier aux journalistes. Appelez Margot et dites-lui la même chose. Dites à Krissy que je vais envoyer les mêmes agents de sécurité que dimanche dernier. Je vais leur demander d'envoyer des gardes ici aussi.

— Vous pensez que c'est utile ? me demanda Jane.

— Écoutez, à moins que la Chine ne s'enfonce dans l'océan d'ici demain matin, c'est vous qui allez faire les gros titres de la presse. Les journalistes vont fouiller vos poubelles. À votre place je garderais les enfants à la maison, demain.

— Mais j'ai une répétition générale avec l'orchestre, protesta Jane.

— Dans ce cas, un des gardes vous y escortera. Ne vous en faites pas, cela passera aussi, mais pour les jours qui viennent, il va falloir prendre des précautions.

Jane hocha gravement la tête. Je regardai Barton. On aurait dit qu'il avait la nausée.

— Il faut que j'aille au poste de police, dit-il.

— Je vous y conduis.

— Ça va. Je peux y aller seul.

— Tu n'es pas en état de conduire, intervint Jane. Laisse Kate t'accompagner.

— Nous pourrons appeler deux ou trois personnes en chemin, dis-je en lui tenant la portière. J'aimerais que nous arrivions avant les reporters. Mais la première chose à faire c'est de trouver un bon avocat. Savez-vous qui votre mère choisirait pour la représenter ?

— C'est Ken Kurlander qui s'occupe de toutes ses affaires, me répondit Barton Jr., perplexe.

— Il ne pourra rien faire dans ce domaine. Je vais voir si Elkin Caufield est libre. Si votre mère ne l'aime pas, elle pourra en changer. Mais dans l'immédiat, elle a besoin de quelqu'un auprès d'elle pour l'interrogatoire et pour s'occuper de la caution.

Curieusement, dans une crise de panique la nuit précédente, j'avais décidé que si la police venait m'arrêter, ce serait à Caufield que je demanderais de me représenter.

Barton prit les deux mains de sa femme et l'embrassa furtivement sur la joue.

— Est-ce que ça ira ? lui demanda-t-il.

— Mais oui, fit-elle, rassurante. Dépêche-toi et prends soin de ta mère.

Barton s'engouffra dans la voiture et claqua la porte. Comme je faisais demi-tour dans l'allée, je vis dans le rétroviseur Jane, qui restait pour nous regarder partir.

Barton Jr. s'était écroulé sur le siège du passager ; il se tordait les mains de désespoir. J'utilisais mon portable tout en conduisant ; j'ai parlé au service téléphonique de Caufield puis, peu de temps après, à Elkin lui-même, qu'on connecta depuis chez lui. Il accepta de nous rencontrer au poste de police dans vingt minutes. J'ai ensuite appelé le bureau d'Elliott Abelman, m'attendant également à tomber sur un répondeur. Le téléphone sonna sept ou huit fois quand Elliott en personne vint me répondre, juste au moment où j'allais raccrocher.

— Salut, Elliott, c'est Kate. Tu travailles tard. J'ai besoin que tu me rendes encore un service.

— Que se passe-t-il ?

— On vient d'arrêter Pamela Hexter. Il faudrait que tu envoies des vigiles chez les Hexter à Lake Forest, ensuite à l'appartement de Margot Hexter à Hyde Park, et enfin chez Barton Jr. à Evanston. (Je lui transmis les adresses.)

— Alors, ils ont arrêté sa femme, commenta-t-il. Mieux vaut elle que toi. Tu la crois coupable ?

— Je n'en sais strictement rien. Je suis en chemin vers le poste de police avec son fils. L'enterrement a eu lieu cet après-midi.

— C'est super, pour la famille.

— Tu l'as dit !

Quand nous sommes arrivés au centre municipal de Lake Forest, le petit parking qui jouxtait le commissariat était déjà plein de voitures, y compris les camionnettes de retransmission des trois grands réseaux télévisés. Des techniciens vidéo s'empressaient sur les marches en tirant leurs câbles. La lueur aveuglante des projecteurs de télé illuminait la nuit. Nous n'avions donc pas réussi à précéder la presse. Je ne doutais pas que Ruskowski les avait prévenus.

J'ai cherché dans mon sac la carte qu'il m'avait donnée le jour de l'assassinat de Bart Hexter. J'ai composé le numéro qui y figurait, puis expliqué au sergent qui m'a répondu que j'étais en voiture, en compagnie du fils de Mrs. Hexter, et que je voulais entrer dans l'immeuble sans être réduite en petits morceaux par la foule. Pouvait-il nous envoyer un homme, de l'autre côté du bâtiment, qui nous ferait entrer par la porte de derrière? Pas question, fut sa réponse. Mais il ferait en sorte qu'un policier en uniforme nous attende à la porte du poste de police, pour être sûr qu'aucun journaliste ne nous y suivrait. Je lui ai raccroché au nez.

J'ai garé la voiture à l'autre extrémité du parking et me suis tournée vers Barton:

— Écoutez. Je crois que nous nous ferons moins remarquer à pied. Il faudra un moment avant qu'ils se rendent compte que nous ne sommes pas d'autres journalistes. Mais dès qu'ils auront réalisé la chose, ils vont nous tomber dessus. Voici ce que je vous propose. Marchez vite. Ne regardez personne dans les yeux, mais ne cachez pas votre visage ou vous risquez d'apparaître à la télé ou à la une des journaux avec la dégaine d'un mafioso. Si quelqu'un vous parle, quoi qu'il dise, ne répondez pas. Et jusqu'à l'arrivée d'Elkin, vous devez vous comporter comme si la police avait commis une terrible erreur.

— Mais c'est vrai, protesta Barton Jr.

— Souvenez-vous, lui répétai-je, comme nous sortions de la voiture. Ne parlez à personne et ne vous arrêtez pas.

Chet Ellway, le reporter de Channel 8, nous vit le premier et lança l'alarme. C'est comme un groupe compact que les médias se précipitèrent dans notre direction, courant avec leurs micros dans la lumière artificielle des projecteurs, les cameramen ployant sous la charge de leur matériel à l'arrière. Je sentis une hésitation dans la démarche de Barton, en les voyant venir, et lui pris le bras pour qu'il ne ralentisse pas. Ils lançaient des questions en hurlant, des mains s'accrochaient à ma manche, et tous les reporters se bousculaient pour avoir le point de vue le plus intéressant, nous malmenant au passage. Barton, surmontant son hésitation, commença à jouer des coudes et des épaules et nous avons fini par traverser la meute.

Deux policiers en uniforme nous attendaient à la porte, les matraques prêtes à toute éventualité. Après la frénésie du parking, le poste de police éclairé au néon et presque désert nous sembla un peu incongru — presque ensommeillé. Le planton nous informa que Mrs. Hexter était en salle d'interrogatoire et nous désigna le banc sur lequel attendre. Il eut un haussement d'épaule qui semblait indiquer que nous pouvions nous mettre à l'aise pour la nuit.

— Et qu'est-ce qu'on fait maintenant? demanda Barton Jr., trop énervé pour s'asseoir.

— Nous attendons Elkin Caufield. Ils sont obligés de le laisser parler à votre mère.

— Ils ne vont pas la relâcher, n'est-ce pas? Ils ne peuvent quand même pas lui faire passer la nuit ici!

— Elkin fera de son mieux», lui assurai-je. Deux semestres de droit pénal, me dis-je, ne préparaient pas vraiment à une véritable confrontation avec le système judiciaire américain. Je ne savais absolument pas combien de temps Pamela Hexter resterait en garde à vue, avant l'audience qui fixerait la caution.

J'ai consulté ma montre en espérant qu'Elkin ne tarderait pas.

— Il va falloir discuter avec Ken pour trouver un arrangement. Si le juge accepte de la libérer sous caution, je peux vous promettre que la somme risque d'être rondelette. Essayez de vous asseoir. J'ai vu un distributeur de café, dans un coin. Je vais aller vous en chercher une tasse. La nuit sera longue.

En attendant que le gobelet se remplisse, je regardai Barton Jr. sur le banc en bois. Il semblait avoir rapetissé, depuis le matin. Sa veste tombait sur lui comme un costume d'adulte sur un garçonnet. Sa pâleur, les marques de fatigue sous ses yeux, la pensée de Jane, si frêle et enceinte, tout contribuait à me serrer le cœur. Innocente ou coupable, l'arrestation de Pamela Hexter était le coup le plus dur qu'on ait pu porter à leur existence. Car pour les enfants Hexter, l'alternative était cruelle. Ou leur mère avait été faussement accusée d'un crime de sang, ou c'était vraiment une meurtrière. De toute façon, l'horrible épreuve de l'arrestation et du procès punirait les innocents comme les coupables.

Il valait mieux ne pas juger Elkin Caufield trop rapidement. Ses manières étaient surprenantes — enthousiaste et rassurant, comme si tous les petits ennuis de la vie devaient disparaître face à son mélange d'énergie et de bon sens. Mais seul un imbécile aurait baissé sa garde devant Elkin. J'avais vu cette bonne humeur se transformer en colère noire ou en ironie cruelle, avec la rapidité du scalpel.

Petit, avec la carrure un peu frêle des coureurs de fond, dans le calme relatif du poste de police, il n'en imposait pas vraiment. Ses cheveux noirs étaient taillés très court, comme un militaire, ce qui n'adoucissait guère les traits d'un visage que l'acné juvénile avait marqué. Ses yeux noirs et perçants étaient frangés de cils étonnamment longs. Plus d'un juré avait passé de longues heures à tenter de démêler les contradictions inhérentes à ce visage, pour se retrouver comme hypnotisé par la puissance de l'intellect qu'il cachait.

Il me fit un petit signe de la main en se dirigeant vers le planton ; il se présenta comme l'avocat de Mrs. Hexter, et réduisit la conversation au minimum. Ce travail une fois accompli, il vint vers nous, tout de charme et d'assurance, et me serra chaudement la main comme je lui présentais Barton.

— Vous n'avez pas eu de mal à passer ? lui ai-je demandé, alors qu'il enlevait d'un coup d'épaule son Burberry, révélant un costume sur mesure.

— Non... Tous ces types sont mes copains. C'est vrai que j'ai donné un grand coup de poing à Dick Preston. Il sait à présent que lorsque je dis « Pas de commentaires », rien de ce qu'il dira sur ma femme ne me fera changer d'avis. Quel idiot ! Barton, mon jeune ami, le planton m'a dit que l'interrogatoire de votre mère n'était pas fini ; il se peut que je doive attendre un peu pour la rencontrer. Je vais vous demander de faire quelques pas avec moi histoire de se mettre sur la même longueur d'onde.

Les deux hommes arpentèrent le couloir, la main de l'avocat sur l'épaule du mathématicien ; ils conféraient en parlant très bas : représentation, honoraires, et tout ce qui risquait d'arriver dans les jours à venir. Pour Barton Jr. ces événements devaient être un pas de plus vers l'abîme. Mais Elkin s'était retrouvé plus d'une fois de l'autre côté de la ligne, en cas d'appels désespérés d'un client accusé d'homicide. Ce n'était pas la première fois qu'il arpentait ce couloir avec la famille de l'accusé. Quand ils revinrent s'asseoir sur le banc, Barton Jr. semblait presque rasséréné.

— Très bien. Kate, ma chère, dit Elkin. Maintenant c'est à vous d'entrer dans mon bureau.

C'est avec un sourire que je me suis levée et que j'ai suivi Elkin vers le hall. Il avait entouré mes épaules de son bras. Dans certains cercles, Elkin avait une réputation de dragueur, mais pour ce que j'en savais, il faisait partie de ces gens qui touchent tout le monde, hommes ou femmes.

— Merci d'avoir fait appel à moi, dit Elkin. Selon toute apparence, cette affaire est fascinante. Dites-moi comment vous vous retrouvez là. Êtes-vous, peut-être, l'amie de ce jeune Barton ? Il paraît tout à fait charmant.

— Non, coupai-je. Il est marié avec Jane Barber, la pianiste. Ils ont deux petits garçons et un autre enfant en train. Je me suis retrouvée dans cette affaire, comme vous le dites, parce que Bart Hexter a été abattu moins d'une heure avant un rendez-vous avec moi.

— Alors vous représentiez le père ?

— Non, sa société, Hexter Commodities. Ce soir, j'ai raccompagné Barton en voiture depuis chez sa mère. Sa femme nous attendait pour nous apprendre l'arrestation de Pamela.

— Comment est Mrs. Hexter ? me demanda Elkin.

— C'est difficile à dire. Elle ressemble aux amies de ma mère. Vous savez, de jolies manières, de belles fringues. Bart et elle sont restés mariés trente-six ans. Selon tous les témoignages, c'était un couple qui fonctionnait bien. Ils travaillaient ensemble à réunir des fonds pour toute une série de grandes causes. En fait, je ne la connais pas du tout.

— Moi aussi, j'ai entendu parler d'eux comme d'un couple célèbre. C'est le genre d'affaire qui sera jugée dans la presse dix fois, avant même d'entrer au tribunal. L'image sera d'une importance primordiale. Est-ce que Mrs. Hexter a un passé d'alcoolisme ou de troubles mentaux ?

— Pas que je sache.

— Bien. Et la famille la soutient ? Ils sont tous derrière leur mère ?

— Je n'ai parlé qu'à Barton, pour l'instant. Il pense qu'il s'agit d'une terrible erreur. Il n'arrive pas à croire à la culpabilité de sa mère.

— Certes, dit Elkin pour qui les problèmes de culpabilité ou d'innocence avaient moins d'importance que ceux d'arrestation ou d'acquittement. « Maintenant, je pense que le moment est venu pour moi de rencontrer ma cliente. »

Le lendemain matin, je me suis retrouvée face à face avec moi-même, à la première page du *Tribune*, comme je passais devant le kiosque à journaux du hall de mon bureau.

— Alors, sa bonne femme l'a buté ? fit remarquer le vendeur quand je lui tendis vingt-cinq cents pour mon quotidien. Dommage qu'ils aient pris votre mauvais profil !

J'ai déplié le journal. Le cliché de Barton et moi recouvrait un bon quart de page ; nous avions l'air hagard. C'était quand nous étions en train de nous forcer un chemin à travers la foule. Maman, me dis-je silencieusement, va vraiment apprécier.

Mais les choses sérieuses commencèrent dès que je mis les pieds dans les locaux de Callahan Ross.

— Je vois que vous faites la une, me dit Lilian, la réceptionniste, en me tendant les messages qui m'étaient destinés.

Devant la machine à café, un petit malin avait déjà découpé ma photo dans le journal et l'avait épinglée au-dessus de la photocopieuse. Elle jouxtait une photo de Cindy Crawford avec la légende : Métamorphose de Miss Avocate USA. La photo de Cindy Crawford portait la mention « avant » et la mienne « après ».

— Bonjour, Kate ! me lança Howard Ackerman, mon voisin, entrant dans son bureau. Maintenant que vous êtes associée à la firme, pensez-vous pouvoir racheter tous les exemplaires du *Tribune* pour les faire brûler ?

— Je vais aller compter mes sous dès à présent, lui répondis-je.

En pénétrant dans mon bureau, je tombai sur Cheryl, l'air de circonstance.

— Skip Tillman est venu deux fois; il n'a pas l'air très content. Tu ferais mieux d'aller le voir tout de suite.

— Génial, c'est ainsi que j'aime à commencer une journée de travail — un petit passage sur le gril avec les associés.

— Je t'attendrai ici, avec une tasse de café et des pansements, me répondit ma fidèle secrétaire.

La secrétaire de Skip me fit entrer dans le bureau du grand homme, comme une infirmière escortant un malade dont elle sait que le diagnostic final n'est pas bon. Skip leva les yeux du dossier qu'il était en train de lire et me jeta un regard au-dessus de ses demi-lunes. Ses cheveux blancs commençaient à se dégarnir sur le front, et avec les années, son visage avait repris une roseur de bébé. Skip était un vieil ami de ma famille. Sa femme, Bitsy, jouait au bridge avec ma mère. Depuis que j'étais entrée dans la firme, il m'avait successivement traitée comme une nièce bien-aimée ou comme une fille indocile. Je ne pouvais dissimuler l'affection que j'avais pour Skip, mais cela ne changeait rien au fait qu'il était terriblement bourgeois et coincé.

— Vous désiriez me voir? demandai-je, luttant autant que possible contre la déplaisante sensation d'être convoquée chez le censeur.

— J'ai cru comprendre que vous aviez eu l'occasion de voir les journaux du matin, me dit-il.

— Comment aurais-je pu y échapper?

— Avez-vous vu le flash télévisé, également?

— Non, je n'ai pas la télé.

— Je sais de source sûre que vous êtes passée sur les trois réseaux régionaux. Dans l'édition de 11 heures du soir et de nouveau ce matin.

— Vous savez ce que disait Andy Warhol: tout le monde peut être célèbre pendant quinze minutes...

— Et vous connaissez très bien la politique de cette

maison vis-à-vis de ce type de publicité. La base même de l'association est de ne pas apparaître dans les affaires sordides ou qui relèvent des assises. Je ne crois pas que nous ayons jamais eu d'associé dont le nom fût mêlé à un crime dans toute l'histoire de Callahan Ross. J'espère ne pas avoir à vous rappeler qu'en tant que la plus jeune, votre responsabilité est encore accrue.

— Et j'espère ne pas avoir à vous rappeler que le jour où j'ai été acceptée en tant qu'associée, vous m'avez fait venir dans ce même bureau pour me faire un sermon sur les services dus aux clients et sur l'obligation pour un associé d'apporter de nouveaux clients à la firme. Eh bien, j'ai fait venir Hexter Commodities chez nous, et j'ai l'intention d'aider cette société, ainsi que la famille Hexter, tout au long de cette passe difficile. Si vous lisez l'article du *Tribune*, vous verrez que c'est Elkin Caufield qui représente Mrs. Hexter. Je me suis contentée de conduire son fils au poste de police.

— Kate, vous êtes dans une position délicate, m'avertit Tillman. En tant que femme associée à la firme, il vous faut éviter d'attirer l'attention. Comme la femme de César, il vous faudra également être insoupçonnable. Même si cela vous semble injuste, il vous revient d'établir un précédent.

— Je suis certaine qu'aucun des associés du cabinet ne se soucierait des apparences si cela l'empêchait de représenter un client.

— Kate, je n'ai fait que vous prévenir de manière amicale. Tous les associés ne sont pas aussi raisonnables que moi.

— Inutile de me le préciser, dis-je en me levant. La première chose qu'on apprend en venant travailler ici, c'est justement de quoi les associés sont capables.

CHAPITRE 17

— Suppliciée ? s'enquit poliment ma secrétaire comme je rentrai en trombe dans mon bureau.

— Ça cicatrisera... En revanche, je veux bien une tasse de café.

Cheryl réapparut quelques minutes plus tard avec le café et son bloc sténo :

— Tandis que tu te faisais remonter les bretelles, le cabinet d'Elkin Caufield a appelé. L'audience de Mrs. Hexter est prévue pour 11 heures. Ils disent qu'ils te tiendront au courant. Dis donc, tu crois qu'elle l'a tué ?

— Je ne sais quoi penser, avouai-je. Ne serait-ce que pour ses enfants, j'espère que non. Imagine que ta mère se fasse arrêter pour meurtre. En plus, ça va être le scandale de l'année, un vrai téléfilm. Ce n'est qu'une question de temps avant qu'on voie le maître d'hôtel d'Hexter à « Bas les Masques », en compagnie d'un psychologue qui a mis trois semaines pour pondre un livre sur le crime en milieu favorisé.

— Ce n'est pas une réponse, me pressa Cheryl. Tu l'as rencontrée. Est-ce qu'elle est capable de tuer ?

— Les gens sont capables de tout. Qui peut savoir ce qui se passe dans un couple ? Pamela Hexter ne ressemble pas à une tueuse. C'est ma mère en plus soft — tu vois, la cinquantaine en Chanel, qui joue au bridge, sort dans le monde, fait son shopping. Je l'ai vue juste après le meurtre. Elle dressait méthodiquement la liste des invités qu'elle conviait après les funérailles.

— Ça ne témoigne pas d'une grande émotion pour une femme qui vient de découvrir son mari assassiné.

— C'est vrai. Mais si elle venait de le tuer, ne crois-tu pas qu'elle aurait joué les veuves éplorées ?

Carl Savage débarqua dans mon bureau, sans faire aucun effort pour dissimuler le plaisir que lui procuraient les malheurs de la famille Hexter. J'ai expliqué qu'en la circonstance, je n'avais pas eu la possibilité de discuter de ses indemnités avec Barton Jr. Je suggérais plutôt qu'il me fasse une proposition que je transmettrais à son ex-patron.

— Il peut se la mettre où je pense, fit Carl en se calant confortablement dans le fauteuil face à moi. Je commence lundi prochain chez McKenzie. Entre-temps, j'engage un avocat pour lui faire un procès.

— Vous n'êtes pas obligé de procéder ainsi. Les honoraires de votre avocat finiront par vous revenir plus cher que ce que vous gagnerez en justice.

— Ce n'est pas une question d'argent, éructa Carl. J'ai tout ce qu'il me faut. C'est pour le principe. Baby Barton devrait m'allonger un sacré paquet avant de faire un trou dans ses finances. Je veux qu'il le sente passer.

— Vous avez travaillé combien de temps pour son père ? Neuf ans ?

— Ça ferait dix ans en janvier.

— Il me semble qu'étant donné le contexte, vous pourriez laisser un peu de répit à son fils, ne serait-ce que par décence. Ça ne fait pas bon effet, de le poursuivre quand on vient d'arrêter sa mère.

— Bah, ils vont la relâcher. C'est impossible que Pamela l'ait tué.

— Qu'est-ce qui vous fait dire ça ? demandai-je, intéressée.

— Je la connais, Pamela. Jamais elle n'aurait tiré. Trop dégoûtant. Cette femme était une maniaque de la propreté. Vous alliez prendre l'apéro chez eux, vous n'étiez pas encore parti qu'elle appelait déjà la bonne pour ramasser les miettes. D'ailleurs, quelle raison avait-elle de le tuer ? Elle est pleine aux as. Si elle en avait marre de Barton, elle n'avait qu'à faire ses valises et s'en aller. Avec ce qu'il lui en a fait voir, je suis même étonné qu'elle ne l'ait pas fait avant. M'enfin, des goûts et des couleurs...

— À propos de goûts, vous devez connaître une employée de la société, Victoria Lloyd.

— Bien sûr que je connais Torey, répondit prudemment Savage. Elle est commis. Depuis deux ans à peu près.

— Il paraît qu'elle avait une liaison avec Hexter ?

— Ouais, répondit Savage en s'assombrissant. Ils faisaient des parties de jambes en l'air. On voit ça tout le temps. Un vieux barbon comme Hexter découvre qu'il peut encore triquer, du coup il s'imagine que la petite l'aime pour lui-même et toutes ses qualités, et non pour son argent. Quelle andouille !

— Mais si vous éliminez sa femme, à qui pensez vous ?

— Qu'est-ce que j'en sais ? Peut-être sa maboule de fille. Vous savez, Margot. Ça fait un bout de temps qu'elle ne tourne pas rond. Ou peut-être un pauvre ahuri de petit porteur qui a paumé toutes ses économies en Bourse.

— Vous ne croyez donc pas que Deodar Commodities cache quelque chose ? risquai-je.

— Deodar ? fit-il, incrédule. Mais voyons, Deodar n'est qu'une façade, c'est un autre compte personnel d'Hexter. Vous taxez des fortunes et vous n'aviez pas encore pigé ça ? Merde alors, pourquoi est-ce qu'on vous paye !

— Laissez-moi reprendre, dis-je à Carl Savage qui venait de tout m'expliquer une première fois. Deodar Commodities n'est qu'une société-écran qui permettait à Hexter de faire du trading sans se faire repérer sur les marchés. Pourquoi essayait-il systématiquement d'excéder ses positions ?

— Vous n'y comprenez rien, décidément. C'est pourquoi cette histoire de la CFTC n'est que du vent. Hexter n'aurait pour rien au monde attiré l'attention sur Deodar.

— Mais alors quel intérêt ? Qu'est-ce qu'il avait à cacher à la CFTC ?

— Barton n'essayait pas de bluffer la CFTC avec Deodar, il se planquait de Pamela.

— Pamela ?... Pourquoi se planquer de Pamela ?

— Parce que depuis le berceau Pamela vénère le billet vert. Cette dame comptait le moindre penny. Le genre d'avarice qu'on ne trouve que chez les richissimes. Pamela envoyait sa bonne faire les courses avec des coupons de réduction. Bart est arrivé fumasse, une fois. Figurez-vous que la bonne femme avait décidé d'économiser : elle s'était mise au PQ recyclé. Elle l'avait bien eu ! (Savage sourit à ce souvenir.) Lui, c'était tout le contraire. Il filait cinquante sacs de pourboire. Il adorait ça. Comme pour la Rolls Royce. Il voulait que la terre entière comprenne qu'il avait réussi et qu'il avait de quoi arroser tout le monde. C'est grâce à Deodar qu'ils ont pu rester ensemble. Pamela épluchait les comptes d'Hexter Commodities, cette radasse ! Deodar, c'était son argent de poche. Voilà ce que j'en pense. Pourquoi diable l'aurait-elle assassiné ? Elle le tenait déjà par les couilles. S'ils devaient s'entre-tuer, ç'aurait été plutôt le contraire : c'est la mère Pamela qui aurait reçu une balle entre les deux yeux.

— Ta mère a appelé pendant ton rendez-vous, me prévint Cheryl. Comme tu n'étais pas disponible, c'est moi qui me suis fait engueuler. Elle avait l'air drôlement secouée par l'arrestation de Pamela Hexter. Elle veut savoir ce que tu comptes faire à ce sujet et demande que tu la rappelles.

— OK. Si tu prends toutes les communications de ma mère, je double ton salaire.

— Non merci.

— Personne d'autre ?

— Le reste peut attendre. (Cheryl me tendit mes messages.) Je n'ai pas noté tous les journalistes. Tu es une véritable star ! Le type du *Sun* a rappelé. Il nous offre maintenant 5 000 dollars si je lui dégotte quelque chose sur Hexter. J'ai refusé, mais suggéré que tu pouvais poser nue pour moins que ça. Il n'est pas intéressé.

— Ma mère a raison, je ne suis pas photogénique.

— Ah, et Stephen a appelé. Il voulait savoir ce qui se passait avec le *Chicago Magazine*.

— Dis-lui que c'est d'accord. Mais rien avant samedi. Je préfère éviter les engagements avant d'avoir terminé ma réponse à la CFTC. Pendant que tu y es, appelle aussi chez Hexter Commodities et trouve-moi une certaine Victoria Lloyd. C'est une grouillote, il faudra peut-être attendre après la fermeture des marchés pour la joindre. Propose-lui un rendez-vous ce week-end. J'irai chez elle. Elle sait de quoi il s'agit.

— À tes ordres.

— Excuse-moi, mais j'ai prévu quelque chose avec Stephen ce week-end ?

— Samedi soir, répliqua Cheryl en brandissant mon propre agenda. Vous avez un dîner à 8 heures au Canter's, avec un chimiste suédois et son épouse. Tout est marqué là-dedans. Ça vaut la peine de jeter un coup d'œil de temps en temps.

Ken Kurlander me rendit visite au milieu de l'après-midi, l'air désemparé.

— Que puis-je pour vous, Ken ? demandai-je en lui faisant signe de s'asseoir. J'ai appris que Mrs. Hexter était libérée sous caution. A-t-elle rejoint son domicile ?

— C'est un scandale, dit-il en secouant la tête. Presque deux millions de dollars. Jamais je n'aurais pensé voir une telle injustice. (Je me refrénai pour ne pas demander si l'injustice portait sur cette arrestation ou sur le montant de la caution.) Je suis allé à la banque avec Barton Jr. ce matin, pour diverses opérations. Nous en avons profité pour vider les coffres de Bart. Je suis tombé sur un os ; j'espère que vous pourrez m'éclairer.

— J'ignorais qu'on pouvait avoir accès au coffre, remarquai-je, avant que le testament soit homologué.

— Sur mon conseil, Bart ne maintenait aucun coffre en son nom, répondit Kurlander. J'ai vu trop souvent, le temps que la succession soit engagée, qu'au moment de l'inventaire on s'aperçoive que des parents avides se sont déjà servis. Bart avait mis son coffre au nom d'Hexter Commodities, avec Barton Jr. et moi-même comme cotitulaires.

— C'était prudent, approuvai-je, songeant aux tréfonds de la nature humaine auxquels Ken Kurlander avait été exposé durant sa carrière. Que désiriez-vous me montrer ?

— C'est le contrat d'acquisition d'un appartement en copropriété.

Ken me tendit le document. Il s'agissait du nouveau complexe de River North, en développement près de South Water Street. Ce devait être un sacré appartement, puisque son prix total dépassait le million de dollars. Selon les papiers, la promesse de vente de 100 000 dollars comptants avait été signée six semaines auparavant. Un premier règlement de 500 000 dollars interviendrait au 15 avril — dans trois jours — et le solde de 500 000 dollars au 15 juillet.

— Première nouvelle, avouai-je. Je suppose, puisque vous vous adressez à moi, que Pamela n'est pas au courant ?

— J'en ai parlé avec Barton puis avec Krissy : leur mère n'a jamais mentionné cet appartement. Je viens d'appeler le promoteur pour plus d'information. Il avait cru comprendre que Bart faisait cette acquisition pour le compte d'une jeune femme.

— Peut-être pour Margot ?

— Quand j'ai évoqué ses filles, ce monsieur a ri de façon fort déplaisante. Il faut se rendre à l'évidence : nous avons affaire à un autre type de relations. Hélas, à moins de payer ces 500 000 dollars, l'argent de la promesse de vente sera perdu. J'hésite à déranger Barton Jr. en ces moments difficiles, mais cette somme n'est pas négligeable. Malheureusement, le promoteur ne manifeste aucune souplesse ; il dit que sa liste d'attente est comble.

— Sans compter que ce serait tout bénef d'empocher les cinquante briques et de revendre à quelqu'un d'autre.

— Vous avez tout compris. Comme il semble que vous soyez assez proche de Barton, je pensais que vous pourriez évoquer le problème avec lui.

— Comptez sur moi.

Après son départ, j'appelai Cheryl pour confirmer l'heure du rendez-vous avec Torey Lloyd.

Je suis allée dîner avec Elliott Abelman au Scoozi's, un bruyant italien sur Huron, au cœur du quartier des galeries. Situé dans un ancien entrepôt, on aurait dit un plateau de Fellini plutôt qu'un restaurant où l'on fait sa propre mozarella et de la pizza cuite au feu de bois. Mais je savais d'expérience qu'il ne fallait pas contrarier Elliott, surtout en matière de bouffe. Je l'avisai debout devant le bar bondé, deux ballons de rouge à la main.

— Santé ! fit-il en me tendant un verre. Merci d'être venue jusqu'ici. J'étais en réunion toute la journée chez Elkin Caufield. On n'a même pas fait de pause déjeuner, je crève de faim. (Il relâchait son nœud de cravate tout en parlant.)

— Tu travailles sur l'affaire Hexter ?

Elliott me prit par le bras et m'entraîna au bout du bar, où deux tabourets s'étaient libérés.

— Je t'avoue qu'après ton coup de fil, j'ai pris l'initiative d'offrir mes services à Caufield. J'ai pas mal travaillé pour lui dans le passé. Quand on est à son compte, mieux vaut pas laisser passer ce genre d'occases.

— Alors, en résumé ?

— En dix secondes : les flics pensent qu'elle a refroidi son vieux dans une crise de jalousie. Elle nie en bloc.

— Quelles sont les présomptions contre elle ?

— Rien de factuel, mais le contexte. Voilà : tous les domestiques de la maison sont guatémaltèques et se rendent à la messe de 8 heures dans une église du centre ville. Ils partent tous les dimanches à la même heure, 6 h 30. Pamela et Bart étaient seuls ce jour-là. Aucun domestique ne les a vus, mais la cuisinière dit les avoir entendus se disputer vers 5 h 30, quand elle est descendue préparer le café.

— A-t-elle entendu leurs propos ?

— Non, juste des voix en colère. Le journal est livré autour de 6 h 45, le dimanche, c'est donc Hexter qui va le chercher lui-même. Sa femme ne sait plus à quelle heure exactement il est parti le matin de sa mort. Toujours est-il qu'il a grimpé dans sa Rolls et qu'il n'est jamais revenu.

« D'après les flics, la police aurait trouvé deux témoins pour le coup de feu — une dame qui promenait son chien sur Parkland Road, et le voisin deux maisons plus bas qui faisait son jogging. Ils assurent chacun avoir entendu une détonation peu avant 7 heures. Le jogger a vu un cycliste sur Parkland Road qui a dû l'entendre aussi, mais ils n'ont pas l'intention de remuer ciel et terre pour le retrouver puisque la dame au chien et le jogger sont d'accord sur l'heure.

« Quoi qu'il en soit, Pamela est descendue dans la cuisine se verser du café et attendre le retour de son mari avec le journal du dimanche, qu'ils avaient l'habitude de lire ensemble. Après un quart d'heure vingt minutes, elle a commencé à s'inquiéter. Elle est remontée dans sa chambre enfiler un survêtement. Comme il ne revenait toujours pas, elle est partie à sa rencontre dans son chariot de golf. Dis-moi, est-ce que tous les riches se baladent ainsi sur leur propriété ?

— C'est le mode de transport par excellence à Lake Forest. Je m'étonne qu'Hexter ne l'ait pas utilisé.

— Il ne s'en servait jamais, m'a dit sa femme. Ça lui donnait l'impression d'être un polio, disait-il — le seul truc sympa que j'ai appris sur lui. Et puis, avec la voiture, pas besoin de s'habiller. Bon. Pamela dit qu'elle s'est doublement inquiétée parce qu'il était cardiaque. Je crois qu'il a eu un infarctus il y a deux ans, qui l'a laissé en mauvais état. Il tombait dans les pommes. Elle est donc allée le chercher. Quand elle a vu la voiture dans le fossé, elle a cru à une nouvelle crise. Elle a ouvert la portière et s'est précipitée sur lui avant de réaliser ce qui s'était passé. Ça lui a fait un choc. Elle dit qu'elle est restée un moment sur place avant de retourner à la maison. Là, elle s'est aperçue qu'elle avait du sang sur ses habits. Elle a ôté son survêtement et l'a rincé sous la douche. Elle dit qu'elle a traversé tout cela dans un état second. Une fois changée, elle a appelé son vieil ami, Ken Kurlander, qui est je crois dans ton cabinet. Il lui a dit d'appeler la police. Son appel au commissariat a été enregistré à 7 h 53.

« En termes de preuves matérielles, il n'y a pas grand-chose. Les seules empreintes sur la voiture sont celles de Pamela et d'Hexter. Il y avait des traces de pas autour du véhicule : les moules correspondants désignent Pamela et toi-même. Ils en ont relevé d'autres à l'entrée de la propriété, mais il s'agit apparemment d'un cycliste ou d'un jogger. Il a bel et bien été exécuté avec son propre revolver, mais quelqu'un l'a nettoyé avant de le balancer dans la bagnole.

— Mais qu'est-ce qui fait dire aux flics que c'est elle ?

— Selon ce qu'Elkin a rassemblé des interrogatoires, la police conclut qu'ils se sont disputés plusieurs fois durant le week-end. Il y a eu un genre d'incident le vendredi soir quand ils recevaient leurs enfants à dîner. Samedi, ils avaient un tournoi de golf dans l'après-midi. Le soir, leur country club organisait une fête : plusieurs personnes témoignent qu'ils ont remis ça. Hexter est parti en claquant la porte et Pamela a dû se faire raccompagner par des amis.

« En fait, les flics trouvent ça louche qu'elle ait attendu presque une heure avant de signaler le meurtre. Ils ne voient pas pourquoi elle a d'abord appelé son avocat, ni pourquoi elle les a accueillis en tailleur sans un cheveu de travers. Ils n'ont pas trop apprécié non plus de retrouver son jogging ensanglanté au fond d'une poubelle.

— Je l'ai vue ce matin-là. Elle était d'un calme effrayant.

— Et bien sûr, il y a la question de l'arme du crime. Mrs. Hexter leur a soutenu que son mari ne possédait pas de revolver. Or, il en avait un, qu'il gardait dans le tiroir de son bureau. Il le possédait depuis sept ans, avec un permis et tout et tout. Pamela prétend qu'elle n'en savait rien et qu'elle ne mettait jamais les pieds dans son bureau.

« Tu imagines le scénario de la police : Bart et Pamela se sont engueulés tout le week-end. Dimanche matin, quand il part chercher son journal, Pamela s'empare du revolver et le poursuit dans son petit chariot. Elle arrive à sa hauteur ; il s'arrête et baisse la vitre pour dire quelque chose ; elle tire. La voiture dérape dans le fossé. Elle s'approche pour vérifier qu'il est mort, essuie le revolver et le jette à l'intérieur. Ce faisant, elle se tache de sang. Elle rentre chez elle, ôte ses habits, prend sa douche, et appelle son avocat. Fin du premier acte.

— Alors quel est ton rôle chez Elkin ?

— Ce ne sont que des présomptions. On essaye de trouver le point faible. Ma première piste, c'est l'arme. Elkin rapporte qu'une des femmes de chambre l'a aperçue dans le tiroir vendredi. D'après la police, seuls la famille ou les domestiques pouvaient s'en emparer par la suite, et tous les domestiques ont un alibi.

On appela notre numéro de table sur un haut-parleur. Nous allâmes jusqu'au restaurant pour commander encore du vin.

— Ça promet en tout cas, continua Elliott par-dessus son menu. J'ai rencontré Pamela chez Elkin cet après-midi. Ça va mal tourner pour elle au tribunal. En voilà une cliente réfrigérante. Elle persiste à dire qu'on ne peut pas l'inculper, puisqu'elle ne l'a pas fait. Mais on croirait à son attitude qu'elle est accusée d'avoir pété en public, et non d'avoir assassiné son mari.

— Je pense qu'elle protège quelqu'un. Tu dis que les seuls à avoir eu accès au revolver sont les membres de la famille. Elle n'est pas idiote. Elle se doute forcément que si ce n'est pas elle, c'est un de ses enfants. Et eux, ont-ils des alibis ?

— J'en sais rien, mais tu peux compter sur moi pour trouver. Tu as une préférence ?

— Sa fille Margot. Elle est dingue et ne raffolait pas trop de son papa.

Notre serveuse vint prendre la commande — escalope aux champignons pour lui, *cioppino* pour moi.

— Faut reconnaître que l'affaire est savoureuse, remarqua Elliott, rompant joyeusement une miche de pain chaud qui s'était matérialisée sur la table.

— J'ai du mal à le voir comme ça. Je suis trop impliquée. J'ai passé beaucoup de temps avec le fils Hexter cette semaine. C'est très douloureux pour lui.

D'ailleurs, j'ai bien cru une ou deux fois que les menottes étaient pour moi.

— Tu es sérieuse ?

— Ruskowski m'a accusée d'avoir eu une liaison avec le défunt. Mes dossiers et mes comptes en banque ont été saisis. Ils sont venus fouiller mon appartement. Rien de tel qu'une bande de flics qui reniflent vos sous-vêtements pour vous faire sentir coupable.

— Tes associés auraient adoré.

— Ils étaient tous pâmés devant ma photo dans le journal ce matin. Si je m'étais fait arrêter, il y aurait eu des mesures de rétorsion dans les grandes largeurs. Je te garantis que le temps de cracher ma caution, on m'aurait mis toutes mes affaires dans des cartons et signifié un congé à durée indéterminée.

— Je croyais que les associés étaient solidaires ?

— C'est vrai, mais certains sont plus solidaires que d'autres ! Je suis associée depuis moins de quatre mois, et il y a plein de vieux schnocks qui ont les glandes de me voir si jeune, et femme de surcroît.

— N'exagérons rien. À t'entendre parler de Callahan, on dirait une maison de retraite. Il doit bien y avoir des jeunes.

— Être un vieux schnock est un état d'esprit.

— Avec cette attitude, pas étonnant que tu te fasses mal voir sur ton lieu de travail.

— Ce n'est pas comme si j'étais une paria, protestai-je. On ne me jette pas de pierres sur mon passage. Et il m'arrive même d'être invitée à déjeuner. Mais au fond, un gros cabinet d'avocats ressemble à un lycée, et franchement, je n'étais pas très populaire au lycée. Ce que j'aimerais savoir, m'arrêtai-je, c'est comment tu réussis toujours à me faire raconter ma vie ?

— C'est que je te trouve vraiment intéressante, répondit Elliott avec une franchise désarmante. Peut-être que d'où tu viens, tout le monde est comme ça, mais je n'arrive pas à percer le mystère.

— Je ne suis pas devin non plus, rétorquai-je tandis que nos plats arrivaient.

La nuit était belle et nous avons renoncé au taxi. Elliott m'entretint de Torey Lloyd en arpentant les vastes avenues qui nous ramenaient à mon bureau.

— Victoria Lloyd, née à Pinkerton, Illinois. La cadette de quatre enfants. Un père fermier, une mère décédée quand elle avait quatre ans.

— Où diable est Pinkerton ?

— Au sud de l'État. Population de 2 500 âmes. Le type que j'ai dépêché là-bas dit qu'ils ont gardé leur drive-in A & W. Tu sais, tu ne descends pas de voiture et la serveuse accroche un plateau à ta fenêtre.

— Fascinant.

— Pinkerton est une commune rurale, du genre religieux. À seize ans, il était clair que Torey était faite pour la grande ville. Dès sa sortie du lycée, elle a sauté dans un bus direction Chicago. Elle a fait mannequin, serveuse. Elle a suivi des cours du soir. Elle a vécu six mois avec un mec mais ça n'a pas marché. Elle a postulé pour être hôtesse de l'air, c'était l'époque où on licenciait. Le soir de ses vingt et un ans, elle a rencontré un certain Carl Savage dans un bar de Rush Street.

— Celui qui travaillait chez Hexter Commodities ?

— Lui-même. Ils sont restés ensemble une bonne année avant qu'il la fasse entrer chez Hexter.

— Et comment est-elle remontée jusqu'à Black Bart ?

— Je ne sais pas bien, j'ai donc fait examiner ses comptes. Après trois mois d'embauche, elle ne payait plus ses notes, et roulait en Lexus — rien que ça. On lui faisait crédit chez Neiman Marcus, Saks et Bloomies. Elle claquait environ cinq briques par mois dans les grands magasins, et réglait la totalité chaque mois. Tu ne devineras jamais où arrivaient les factures ?

— Chez Hexter ?

— Non, à Lake View Towers. C'est lui qui payait le loyer.

— Je suppose que c'est flatteur : si j'en crois Ruskowski, le portier de nuit m'a choisie parmi un échantillon de photos comme la créature qu'entretenait Hexter.

— J'ai parlé hier à ce portier. Il a un glaucome.

— Ah bon, tu me rassures.

Nous longeâmes la rivière là où elle contourne le Merchandise Mart Building, sombre et massif sur les eaux. La nuit était tiède et chargée d'un effluve de lilas, promesse chuchotée de l'été à venir.

— Je sais que tu ne m'as rien demandé, mais j'ai fait un saut ce matin à Lake View Towers pour tenter de l'apercevoir. Je l'ai vue partir au bureau. Wow ! Pas étonnant qu'elle lui ait tourné la tête.

— Je n'ai pas besoin de t'expliquer, dis-je après une minute de réflexion, que cette demoiselle n'est rien moins qu'un mobile sur le dos de Pamela Hexter. Quand il est passé au commissariat, Elkin m'a dit que c'était le genre d'affaire qui se jugeait sur la place publique avant d'atteindre les tribunaux.

J'informai Elliott du contrat de vente des condominiums de River North qu'on avait retrouvé au coffre : « Avoue que ça ne sent pas bon pour Pamela quand la police s'en apercevra », conclus-je.

— Pamela est sa propre ennemie, renchérit Elliott. Elle manque totalement de naturel. Tout porte les flics à la soupçonner.

Nous traversâmes la rivière et marchâmes en silence. Au bout d'un moment, j'ai repris la parole.

— Quand j'avais dix ans, mon grand frère, Teddy, s'est suicidé. Il s'est pendu dans le garage pour être sûr que mes parents ne le rateraient pas en rentrant de leur soirée. Je suis descendue aux cris de ma mère. Elle était dans la cuisine en train de se verser un verre d'eau, mais sa main tremblait si fort qu'elle ne pouvait le maintenir en place sous le robinet. Un quart d'heure plus tard, à l'arrivée de la police, son maintien était impeccable. Par la suite, je me souviens que tous les amis de mes parents vantaient son stoïcisme. Cela n'avait pas de sens pour moi. Si j'étais morte à sa place, j'aurais voulu qu'ils pleurent.

— Et toi, Kate ? Tu parles des gens de ton milieu comme si tu n'en faisais pas partie. Est-ce que tu pleures devant les autres, ou est-ce que tu gardes la tête haute ?

— Quand mon mari est mort, j'ai beaucoup pleuré, fis-je doucement. Il était très tard, j'étais à ses côtés à l'hôpital. Il était dans le coma depuis trois jours et nous savions que la fin était proche. Je lui tenais la main quand il est mort. C'est moi qui ai appelé l'infirmière pour la prévenir. Elle est venue et lui a retiré son alliance, qu'elle m'a tendue. Elle lui a fermé les yeux. Je ne sais plus quand ça a commencé, mais j'ai pleuré toutes les larmes de mon corps cette nuit-là. Je crois que personne ne m'a vue pleurer depuis. Ni à l'enterrement, ni après, ni jamais. Mon chagrin était trop intime pour être partagé. Alors, pour répondre à ta question, non, je ne suis pas si différente des gens de mon milieu.

— Excuse-moi, chuchota Elliott. Je ne voulais pas réveiller ces souvenirs.

— Ça fait trois ans. Je ne pouvais même pas en parler avant. Je ne pouvais même pas prononcer son nom. Cela doit être vrai, ce qu'on dit du temps qui passe…

Nous continuâmes à marcher côte à côte. « C'est ici », annonçai-je. La rue était déserte, baignée de la lueur des bureaux dans les hauteurs. La promenade, la boisson, parler de Russell… tout était remonté à la surface.

— Quand dois-tu rencontrer Torey Lloyd ?

— Dimanche après-midi.

— Tu veux que je vienne avec toi ?

— Non, je crois qu'elle se sentira plus en confiance si je suis seule.

Elliott se tenait tout contre moi. Je sentis le rythme paisible de sa respiration et compris trop tard que nous venions de franchir le pas.

— C'est une erreur de se sentir en confiance avec toi, dit-il, m'attirant à lui sans me toucher.

Mes paumes s'attardèrent sur la laine rêche de sa veste tandis qu'il m'embrassait. Je sentis la douceur de sa peau sur mon visage et le désir monter à l'intérieur de moi. Il ne me prit même pas dans ses bras ; j'eus besoin de toutes mes forces pour m'arracher à lui.

CHAPITRE 18

Une fois franchie la porte, je me suis effondrée. Depuis longtemps, je me croyais immunisée contre les absurdités de la bagatelle. Je m'accrochais à ma vie bien réglée. J'étais effrayée de me voir à deux doigts d'y renoncer par la magie d'une soirée de printemps et d'un homme séduisant.

Mon bureau me parut trop éclairé et bizarrement étranger. Des remparts de dossiers s'accumulaient, refermés à jamais, muets reproches du travail laissé en plan. Je me surpris à les manipuler, passant de l'un à l'autre, caressant et reposant ces petites tombes plastifiées — restes de la douzaine d'affaires qui m'avaient faite avocate.

J'ai sursauté à la sonnerie du téléphone. Je me sentais coupable et la voix familière de Stephen à l'autre bout du fil me rassura. Il venait de terminer. Voulais-je qu'il me raccompagne ?

Qu'il me raccompagne ? Pour quoi faire ? Ma voiture était garée juste en sous-sol, Stephen le savait bien. Pourquoi ne jamais exprimer ce que nous pensions ? Pourquoi ces périphrases, cette étrange retenue ? Veux-tu que je rentre avec toi ? ai-je envie d'y aller ? Stephen et moi, nous étions prisonniers de nos conventions.

— Tu reviens dans les parages demain matin ? demandai-je.

— J'ai rendez-vous à 10 heures avec Lars Berggren. Je te rappelle que nous dînons le soir avec lui et sa femme. (Stephen appelait de sa voiture. J'entendais le son étouffé des klaxons.) Je te ramènerai à l'heure que tu veux.

— Je te rejoins en bas.

Cette nuit-là, j'ai fait l'amour avec Stephen et me suis sentie si perdue que ç'aurait pu être n'importe qui.

Le réveil sonna à 8 heures. J'émergeai au bruit du café torréfié dans la cuisine. Je grognai et me couvris la tête de l'oreiller. Trois minutes plus tard, Stephen m'apportait une tasse de café ainsi que la *Tribune.*

— Première page de la section urbaine — Elkin Caufield s'indigne de l'arrestation de sa cliente, relata Stephen. Sinon, rien de nouveau.

Chaque matin, Stephen tombait du lit, faisait vingt minutes de gym, suivies de vingt minutes d'aviron, puis vingt minutes de marche sur son tapis roulant. Une pièce entière était consacrée à ses équipement. Il y passait une heure aussi naturellement qu'il se lavait les dents. Je le contemplai à mon chevet, vêtu de ses seules baskets et d'un short noir, le torse luisant. On devrait faire un calendrier pour les étrennes, pensai-je — les Étalons de la Fortune.

— Beaucoup de boulot aujourd'hui ? s'informa-t-il pendant que je parcourais l'article sur Hexter.

Sur la photo, Elkin Caufield rayonnait.

— Ouais. Il faut que je concocte une solution pour la CFTC. Selon l'ancien DG de la société, il avait combiné tout ça pour se cacher de sa femme.

— Le but n'était donc pas d'avoir deux comptes pour aller au-delà de ses limites ?

— Bien sûr qu'il allait au-delà de ses limites, répondis-je distraitement. Mais toujours d'après Savage, il aurait eu tout intérêt à ne pas le faire. Je n'y comprends rien.

Stephen s'appliqua deux doigts à la jugulaire, vérifiant son pouls après ses efforts physiques.

— Peux-tu me renseigner sur une cardiopathie dénommée tachycardie ventriculaire ?

— La tachycardie est une accélération du rythme cardiaque, générée par une partie anormale du cœur — le plus souvent l'un des ventricules, expliqua Stephen. Pourquoi cette question ?

— C'est ce qu'avait contracté Bart Hexter après son infarctus. Le médecin légiste a constaté que son cœur était gravement atteint et qu'il n'aurait pas vécu bien longtemps s'il n'avait pas été assassiné. Sa femme m'a dit qu'il s'évanouissait.

— Les attaques se manifestent par des syncopes, confirma Stephen. C'est une maladie très grave pour le sujet qui a déjà fait une crise. Jusqu'à l'année dernière, le seul traitement efficace consistait à implanter un défibrillateur dans le thorax du patient.

— Barton Jr. m'a dit que son père suivait un nouveau traitement.

— Que nous avons mis au point. Azor Pharmaceuticals a développé une amiodarone de synthèse — le médicament qu'on utilisait contre la TV. Ça s'appelle la Ventrinome et c'est très efficace.

— Ça a l'air plus sympa que d'avaler un appareil qui vous envoie des décharges électriques.

— Tu ne m'as pas dit qu'Hexter et sa femme vivaient ensemble ?

— Évidemment qu'ils vivaient ensemble. Pourquoi ça ?

— C'est que l'un des effets indésirables de la Ventrinome est l'accoutumance. Le corps en devient totalement dépendant. Si on oublie de prendre sa pilule ne serait-ce qu'une fois, on risque un accès de tachycardie. Dans le cas d'Hexter, ç'aurait été fatal à 99 %. Je suis sûr que son cardiologue les avait mis au courant tous les deux.

— Où veux-tu en venir ?

— Azor Pharmaceuticals a le brevet de la Ventrinome — il n'existe aucune marque rivale, et nous n'avons fait aucun marketing pour singulariser le produit. C'est juste une pilule blanche — comme une aspirine ou n'importe quelle vitamine vendue en pharmacie.

— Et alors ?

— Et alors pourquoi veux-tu que Pamela descende son mari, quand il lui suffit d'intervertir son médicament avec de l'aspirine et d'attendre qu'il meure de causes naturelles ?

C'est le week-end que je préfère Callahan Ross. L'endroit rajeunit. Les vieilles barbes d'associés disparaissent au golf, à leur club, et où bon leur semble. Les téléphones se taisent. Loin des fanfaronnades et des querelles de bureau, les week-ends permettent d'accomplir le vrai boulot.

Ma première pensée a été pour Ruskowski, à qui j'ai laissé un message. Puis je me suis attelée à ma part de l'héritage de Bart : la montagne de papiers qu'on m'avait livrés au cours de la semaine écoulée. À part les fiches d'ordre qu'on avait finalement dépouillées et classées, il restait des tonnes de documents à inventorier. À cela s'ajoutait le carton d'affaires personnelles que je m'étais fait envoyer de chez Pamela.

Je m'installai dans la salle de conférences où les ordres étaient proprement séparés en piles, chacune représentant le trading d'une journée. Sherman avait codé les noms des comptes et les numéros correspondants. Avec la liste des contrats du clearing dans l'autre main, je ramassai la première pile que je me mis à éplucher. Mon cœur se serra.

Qu'espérais-je tirer de cette avalanche de papier ? La communication sur les marchés à terme est réduite au minimum pour cause de vitesse. Chez Hexter Commodities comme dans les autres charges, les agents de change inscrivent les ordres de leur client sur une fiche qu'ils donnent à un opérateur qui le transmet au parquet. De là, un autre opérateur le consigne sur un formulaire qu'il remet à un commis, dont le job est de l'apporter au plus vite au broker, qui exécute l'ordre.

L'affirmation de Savage selon laquelle Deodar appartenait à Hexter ne me satisfaisait qu'à moitié. Je voulais bien croire que Bart souhaitait soustraire des fonds à la vue de sa femme. Mais pourquoi risquer de se faire repérer en enfreignant les régulations de la CFTC, avec quelqu'un comme Herman Geiss pour surveiller la moindre de ses transactions ? D'ailleurs, si c'était bien Hexter derrière les deux comptes, qui avait fait disparaître les relevés et effacé les dossiers de l'ordinateur ? Et surtout, pourquoi ?

Pourtant, au fur et à mesure de mon dépouillement, c'est l'interprétation de Savage qui prévalait. La CFTC exigeait qu'aucun ordre ne soit placé sans numéro de compte, ceci pour éviter l'allocation — pratique illégale — qui permet d'attribuer les transactions bénéficiaires à un compte et les déficitaires au débit d'un autre. À l'examen, il apparaissait que les numéros de compte pour les affaires privées d'Hexter comme pour Deodar avaient été rajoutés après coup. Parfois, l'ordre était écrit à l'encre et le numéro au crayon. Fréquemment, le numéro semblait d'une autre écriture.

Mais malgré mes efforts pour reconstituer la grille des opérations d'après les fiches, aucun système d'allocation n'apparaissait. Les transactions, profitables ou non, semblaient réparties au hasard sur ces deux comptes. La seule explication logique avait été avancée par Savage.

Clairement, Hexter était coupable d'excéder ses positions. Enregistrer des ordres sans numéro de compte constituait déjà une infraction technique, encore que la CFTC ne pousserait pas loin dans cette voie puisque la pratique ne semblait léser ni avantager personne. Il apparaissait aussi que Bart ne pouvait pas être le seul à effectuer cette répartition entre Hexter Commodities et Deodar. Savage, l'opérateur, le broker, d'autres devaient en être conscients. L'un d'entre eux était-il responsable de la destruction des informations concernant Deodar ? Ce n'est pas l'occasion qui leur aurait manqué, mais quel pouvait être leur mobile ?

J'ai regardé ma montre : déjà 4 heures. Si j'avais progressé, c'était dans un tunnel.

J'ai passé la fin de la journée à poil avec Jeannette. Jeannette est mon ange gardien. C'est une femme branchée, réaliste, autour de la cinquantaine, qui a monté son service de shopping personnalisé quand sa cadette est partie pour l'université. Une avocate spécialisée en droit du travail, particulièrement bien sapée, me l'a recommandée lors d'un déjeuner professionnel. Avec le temps, j'ai appris que Jeannette est l'un des petits secrets du métier.

Je suis arrivée chez elle — un loft lumineux sur Oak Street, juste assez à l'ouest de l'avenue Michigan pour que le loyer reste abordable — avec la sensation coutumière de débarquer à l'improviste dans un pays étranger. Il y avait un plateau de fruits sur une table basse, et l'on devinait d'autres meubles mais tout disparaissait sous les fringues : des monticules de vestes, des piles de chemisiers, sachet sur sachet de collants et de bas. Il y avait des culottes et des soutiens-gorge, des chemises de nuit, des peignoirs, et un déchaînement de petits accessoires de toilette. Deux longs portants, bourrés à craquer, flanquaient un miroir à trois faces où était scotchée la liste de mes desiderata pour la nouvelle saison. À côté, imprimé sur l'ordinateur de Jeannette, un inventaire beaucoup plus rempli indiquait ce que je possédais déjà.

J'aimais sincèrement Jeannette, même si je résistais à ses tentatives répétées de m'ouvrir au monde de la mode. Je savais que les habits revêtent différentes significations selon ceux qui les portent. Pour ma mère et ses amies, ce sont des matériaux de construction dans leur quête de la perfection. Totalement minces, impeccablement soignées, sans faux plis ni poches, elles se scrutent l'une l'autre comme des adversaires à la recherche d'un point faible. Pour d'autres, les habits sont une source de plaisir, de rêve, ou encore un moyen d'expression — qu'il faille séduire ou se résigner.

Et pour moi? Pour moi, ce sont les attributs de Kate Millholland. Mon travail nécessite un certain uniforme. En tant que riche héritière, je suis supposée y parvenir mieux qu'une autre. J'aime les habits classiques et discrets — je laisse à ma mère le soin de porter les couleurs de la famille. Mais si je me néglige, cela perturbe mes interlocuteurs, cela attire leur attention là où je ne veux pas.

Nous commençâmes par les tenues de soirée, dont Jeannette savait, comme les médecines amères, qu'il valait mieux les éliminer en premier. Puis nous avons procédé à travers nombre de tailleurs, vêtements de tous les jours, chaussures, un nouvel imperméable, et enfin une robe de cocktail de soie noire que Jeannette m'obligea à remporter chez moi pour la mettre le soir même.

À 6 heures, j'avais largement entamé mon compte en banque et retiré de l'opération un mal de tête diffus. Je me suis allongée sur le canapé tandis que Jeannette terminait ses papiers. Je regardais le portant d'habits que Marina, la couturière, avait épinglé et marqué pour les retouches. Au moins, me suis-je dit, j'étais débarrassée jusqu'à l'automne.

Claudia était là quand je suis rentrée, mais se comportait étrangement. Depuis le seuil, on l'entendait qui faisait un remue-ménage dans sa chambre, jurant et bousculant les meubles.

— Claudia ! appelai-je. Tout va bien ?

Sa réponse m'arriva étouffée, mais indéniablement obscène.

Arrivée à sa porte, je l'avisai juchée sur une chaise dans son placard, tâtonnant à la recherche de quelque chose sur l'étagère du haut. Elle portait une robe dos nu et des bottes de cow-boy. Excepté le week-end où ses parents étaient venus lui rendre visite, je n'avais jamais vu ma camarade autrement qu'en pyjama d'hôpital vert délavé. On y lisait l'inscription : « Propriété des Hôpitaux de l'Université de Chicago. » À force, j'avais fini par appliquer la formule à Claudia elle-même.

— Oh, c'est toi, fit-elle en s'extirpant du placard.

— Qu'est-ce qui se passe ? demandai-je, incrédule, en voyant les monceaux d'habits jetés au sol.

Claudia se laissa tomber sur son lit et soupira :

— J'ai touché le fond.

— Qu'est-ce que tu as ? m'enquis-je avec un regain d'inquiétude.

La Claudia que je connaissais était dure comme le roc — une interne en chirurgie dont la vie, réduite à l'essentiel, se consumait au travail. On la trouvait soit à l'hôpital, soit endormie au lit, ou enfin assise à l'état végétatif dans le salon, comateuse d'épuisement, comme prélude à l'une ou l'autre de ces activités. Claudia en robe ne pouvait que signifier un événement extraordinaire.

— Claudia, mais qu'est-ce qui t'arrive ?

— Tu ne vas pas me croire. J'ai un rendez-vous galant.

— Un rendez-vous ! (Claudia, c'était la règle, ne sortait jamais. La pauvre avait à peine le temps de dormir ou de manger.) Mais c'est génial !

— Je ne t'ai pas dit le pire. C'est un dermato.

— Ah bon ? Comment s'appelle-t-il ? Il est comment ?

— Comment ? C'est un dermato, je te dis. Tout en bas de l'échelle. Un homme dont la spécialité médicale peut se résumer à cet axiome : « Si c'est gras, asséchez, si c'est sec, hydratez. » Je ne peux pas croire que je sois tombée si bas, juste pour le sexe.

— Mais qu'est-ce que tu racontes ? dis-je, bouche bée.

— J'ai déjeuné à la cafétéria aujourd'hui. Il n'était que 10 heures du matin, mais c'était forcément le déjeuner puisqu'il y avait de la purée. Nous étions un petit groupe assis ensemble, tétanisé par la fatigue. Je me suis mise à regarder nos badges. On les porte au revers de la blouse, c'est obligatoire. On se fait tirer le portrait le premier jour où on arrive à l'hôpital.

« J'étais en train d'examiner ces photos : des jeunes gens roses et bronzés, bien coiffés, souriants. Puis je comparais avec le modèle en chair et en os. Mon Dieu ! Nous sommes pires que 90 % des patients. Tiens, regarde. »

Elle farfouilla dans le linge sale sur son lit et me tendit son badge.

Je contemplai sa photo d'identité. Elle présentait une vague ressemblance avec ma copine, mais cette fille-là avait les joues rebondies, du brillant à lèvres, et une lueur de malice dans les yeux. Ses cheveux ondulaient jusqu'aux épaules. La Claudia avec qui je vivais avait le visage grisâtre, des valises sous les yeux, et une expression de défiance. Je ne l'avais jamais vue les cheveux dénoués. Ils étaient toujours tirés et tressés en arrière.

— Et alors ? répondis-je en lui rendant son badge.

— Alors quand j'ai compris ce qu'était devenue ma vie, j'ai commencé à déprimer. Tellement que quand ce dermato que j'ai rencontré une fois à la consultation m'a invitée à dîner, j'ai accepté.

— Je suis contente pour toi. Ça te fera du bien de t'amuser un peu !

— Tu ne comprends pas. Je ne veux pas sortir ! Je ne veux pas me retrouver dans un sac de nœuds.

— Mais quoi, ça n'est pas un crime de sortir dîner ? !

— Mets-toi à ma place. Je suis chirurgien. Il ne

s'agit pas dans mon métier d'essayer quelques jours pour voir si ça marche. La chirurgie est un absolu. Ou tu répares, ou tu laisses tomber. Dans la salle d'op, tout le monde se fiche que tu sois sympa ou maternelle ou rigolote. Ou tu es qualifiée pour le boulot, ou non. Et la qualité du résultat est soumise à l'inspection et à l'approbation de toute une équipe. Il n'y a pas de discussion. On est bon si le travail est bon. Point. Je suis un bon chirurgien et je me bats pour que les gens avec qui je travaille pensent à moi d'abord comme à un chirurgien, ensuite comme à une femme. Si le bruit court que je suis sortie avec un dermato, j'en entendrai parler sans fin. Ils me mettront du Clearasil et des capotes dans mon casier...

— Tu n'as pas le droit de sacrifier tous les aspects de ta personnalité pour ton travail, protestai-je.

— Et c'est toi qui me donnerais des conseils ?

— Qu'est-ce que tu veux dire ? Je sors, moi.

— C'est ça. Sa secrétaire appelle ta secrétaire. Vous vous voyez avec Stephen simplement parce que vous êtes trop occupés pour chercher quelqu'un d'autre. S'il n'existait pas, que ferais-tu ? Tu appellerais Bloomingdale's pour qu'ils te livrent un homme ?

— Aïe, ça fait mal, dis-je. Mais au moins, je choisirais le rayon au-dessus des dermatologues.

Je me suis baissée juste à temps pour éviter la santiag de Claudia qui m'a sifflé aux oreilles.

CHAPITRE 19

Encore un dimanche matin. Le *New York Times* reposait intact sur la table basse, scellé sous son plastique bleu. C'était le deuxième d'affilée que me devait Bart Hexter. Difficile de croire qu'il était mort depuis une semaine seulement. Le soleil était au rendez-vous, et j'ai prolongé ma course jusqu'au Shedd Aquarium le long du lac. Je n'avais pas digéré le dîner de la veille chez Charlie Canter's.

Ç'avait été une soirée mémorable. Le chimiste suédois était charmant et sociable. Sa femme, certainement très aimable dans sa langue d'origine, était incapable d'articuler un traître mot d'anglais. Du moment où l'on passa à table, les deux hommes se lancèrent dans une discussion intense et technique sur les bêta bloquants et leur application dans le traitement de diverses pathologies neurologiques. L'épouse et moi-même avons souri dans le vide pendant trois heures.

Avec ça, j'ai toujours trouvé cet endroit horriblement prétentieux. Le menu est plus alléchant sur la carte que dans votre assiette. J'avais commandé un filet mignon de porc farci d'artichaut et de poivron, servi avec des pâtes fraîches au safran, arrosé d'un coulis d'herbes sauvages et de petits champignons. Mes papilles gustatives en étaient tout émoustillées. Hélas, c'était une demi-portion. Ou alors je suis vraiment goinfre. De toute façon, c'est contrariant de laisser 100 dollars sur la table (sans le vin) et de repartir le ventre creux.

Allongeant ma foulée, je me demandais comment le dîner de Claudia s'était déroulé. Son commentaire sur mes relations avec Stephen avait touché dans le mille. Lui et moi formions le genre de couple performant qui fournit de la copie aux magazines. Au lit, c'était un feu d'artifice. Mais j'avais aimé autrefois, et j'étais bien obligée de reconnaître la différence.

Je suis arrivée au bureau et j'ai tout de suite ouvert un des cartons en provenance de la maison d'Hexter. Cheryl avait pris rendez-vous pour moi avec Torey Lloyd à 2 heures, et je voulais ingurgiter le plus d'informations possible avant de partir. J'allais vite déchanter.

Hexter avait beau posséder un talent éblouissant pour le calcul mental, il n'avait clairement aucun goût pour la comptabilité. Je ne m'étonnais plus qu'une maniaque des listes comme Pamela se sente tenue de le garder à l'œil. Je trouvai dans ces cartons des enveloppes en provenance de six différentes charges d'agent de change, dont aucune n'était ouverte. Beaucoup contenaient la confirmation d'achat ou de vente de valeurs, d'autres des relevés de compte. Après deux heures de dépouillement, j'avais même déniché trois chèques de dividendes que personne n'avait cru bon d'encaisser.

L'une des boîtes contenait les relevés des comptes joints de Pamela et d'Hexter. Ils étaient impeccablement reliés, étiquetés, et rangés par ordre chronologique. Je les consultai avec intérêt. L'histoire de notre vie réside en partie dans nos dépenses et nos recettes. La biographie de Pamela était fort dispendieuse : presque tous les chèques étaient signés de sa main.

Quand il a été l'heure de partir, j'avais glané pas mal de détails intéressants. Entre autres : le chauffage de la maison de Bart Hexter coûtait plus cher que le salaire de ma secrétaire pour une même durée. Que les Hexter cotisaient à non moins de sept clubs privés, dont l'un à Palm Springs et un autre à Tucson. Qu'ils allouaient 10 000 dollars par mois à Margot, sans compter les 1 200 dollars qu'ils adressaient directement à son psy. Et, significativement, alors que Bart était mort avec 47 000 dollars en cash dans son bureau, qu'il n'avait jamais retiré plus de 900 dollars en liquide par mois.

Le trajet qui me mena à Lake View Towers me convainquit que j'étais la seule personne à travailler à Chicago en ce dimanche après-midi. Les parcs en bordure du lac étaient remplis de gens et d'activités. Des parents poussaient leurs rejetons vers l'aquarium, et les rues étaient noires de vélos. On jouait au frisbee avec les chiens.

L'appartement qu'Hexter louait pour sa maîtresse se situait au 38e étage d'une tour face au lac. Torey m'ouvrit la porte, me salua à peine et me fit entrer. Je ne sais pas à quoi je m'attendais — peut-être à des meubles laqués sur du velours noir — mais l'appartement m'a surprise. C'était spacieux et moderne, lumineux avec une vue majestueuse. Les parquets de chêne clair, les murs et les meubles blancs servaient de décor à quelques œuvres d'art audacieuses, qui dominaient la scène et s'accordaient au panorama.

Il n'y avait pas de cloison et je vis du côté de la salle à manger une longue table de verre entourée de chaises à haut dossier, qui rappelaient Frank Lloyd Wright. Au-delà, on apercevait une jolie cuisine moderne, avec des surfaces en granit rose. Selon son dossier au bureau du personnel, Torey gagnait 21 000 dollars par an chez Hexter Commodities. Ce n'est pas avec ça qu'elle pouvait se payer ce luxe.

Torey me désigna un large fauteuil en cuir crème. Elle se pelotonna dans le canapé qui lui faisait face.

Je ne l'avais jamais vue de près et compris pourquoi Elliott avait fait le pied de grue pour la revoir. Son visage aimantait le regard. Ce n'est pourtant pas la perfection des traits qui attirait. Ses yeux immenses, d'une couleur nuageuse, oscillaient entre le bleu et le gris. Elle avait une peau parfaite, une bouche pulpeuse, des dents immaculées. Mais un nez busqué, un pli dur aux commissures des lèvres la démarquaient des habituelles poupées Barbie.

Elle portait des pantalons amples en cachemire gris et un pull assorti. Autour de son cou brillait la chaîne d'or d'un créateur. Aux oreilles, de simples clous de diamant — qui, s'ils étaient authentiques, représentaient un sérieux investissement. À la main gauche, un énorme solitaire étincelait dans une monture épurée.

— C'est la famille qui vous envoie pour me faire déguerpir, dit-elle sans déguiser sa voix acérée.

— Il n'est pas en mon pouvoir de vous faire partir, répondis-je. Je ne comptais même pas essayer. Je suis venue vous écouter, rien de plus. Le fils de Bart l'aurait fait à ma place, s'il n'était débordé au-delà de ses possibilités. Cela vous ennuierait de me dire quand votre liaison a commencé ?

— Dès mes débuts chez Hexter. J'ai dû me faire prier à peu près trois semaines. Je vivais encore avec Carl, et c'était gênant. Mais Carl est une brute et je savais que notre relation ne durerait pas. Et puis, quand Bart désirait quelque chose, il finissait par l'obtenir. Tout le monde pense que j'en voulais à son argent. Il se trouve que j'ai toujours été attirée par les hommes de pouvoir, par la réussite. Je trouvais Bart séduisant.

« Et dès le départ je lui ai dit que je ne comptais pas passer ma vie à être la maîtresse d'un homme riche. J'avais plus d'ambition que celle de me cacher tant que sa légitime le croirait avec des clients. Voilà pourquoi je n'ai jamais démissionné. Je voulais faire du trading, moi aussi. Bart s'apprêtait à me laisser un siège en juin.

— Est-ce qu'il vous a donné de l'argent dès le début ?

— Ça ne s'est pas passé comme ça. Quand j'ai rompu avec Carl, je n'avais pas d'endroit où vivre. Bart m'a proposé cet appartement. Je trouvais ça trop chic, il a répondu qu'il ne souhaitait pas me voir dans un taudis. C'était un homme très généreux. Il adorait faire des cadeaux. Il voulait que j'aie de jolies choses. Je ne lui ai jamais rien demandé. Je l'aurais aimé s'il avait été maçon.

— Et son caractère ?

— Mon père était du même genre. Ça ne m'a pas troublée.

— Pourquoi avez-vous appelé Barton ? Que voulez-vous de lui ?

— Je veux ce que son père m'a promis. Il était en train d'acheter un appartement pour nous près de la rivière. Il a déjà réglé la promesse de vente et s'apprêtait à faire le premier versement. Je veux de l'argent pour pouvoir payer mon loyer jusqu'à ce que le nouvel appartement soit prêt. Je veux de l'argent pour le meubler et pour prendre un siège à la Bourse.

— Ce que vous demandez représente une fortune.

— C'est toujours moins que ce que j'aurais obtenu si cette salope de Pamela ne l'avait pas tué.

— Vous parlez comme si votre liaison avec Bart était éternelle. Qui peut savoir combien de temps cela aurait duré ? De toute façon, la situation a changé avec sa disparition.

— Ça aurait duré, rétorqua Torey en me pétrifiant dans le rayon violet de ses yeux. La dernière fois que j'ai vu Bart, vendredi, il est passé après le travail et m'a demandé de l'épouser. Il voulait quitter Pamela. Il m'a donné ceci.

Dans la tradition des fiancées de contes de fées, Torey étendit sa main pour me permettre d'admirer sa bague.

De retour au bureau, Ruskowski m'attendait.

— Vous ne croyez pas aux vertus du téléphone, inspecteur ? demandai-je en déverrouillant la porte.

— J'aime bien voir à qui j'ai affaire.

— Vous ne perdez pas trop de temps en visites à domicile ?

— Il n'y a pas tant de meurtres que ça à Lake Forest. Maintenant que l'affaire est classée, j'ai tout mon temps.

— En somme, vous vous satisfaites de croire que Pamela Hexter a tué son mari.

— Pour qui me prenez-vous ? Si je n'étais pas satisfait, je ne l'aurais pas fait arrêter. Avec toute la pression que j'ai sur le dos, tu parles que j'en suis sûr.

— Je me permets d'y revenir à la suite d'une conversation que j'ai eue avec Stephen Azorini. Puisque vous savez qu'on couche ensemble, vous devez savoir aussi qu'il est président d'Azor Pharmaceuticals. Nous avons évoqué le dossier médical d'Hexter. Saviez-vous qu'une grave crise cardiaque avait failli l'emporter ?

— Évidemment. Le médecin légiste me l'a dit.

— Et qu'en résultat il souffrait de tachycardie. Cela occasionne des pertes de connaissance.

— Je savais qu'il était sous surveillance médicale, oui.

— Il prenait un nouveau médicament, la Ventrinome. Auparavant, les patients atteints de tachycardie se faisaient implanter un appareil qu'on appelle un défibrillateur. La Ventrinome est un nouveau produit qui permet de s'en passer.

— C'est très intéressant, Miss Millholland. Et alors ?

— Le seul problème, continuai-je, c'est l'accoutumance. Quelqu'un avec les antécédents d'Hexter, qui cesse de prendre son médicament, a 99 % de chances d'expérimenter une mort subite par TV... Et saviez-vous que la Ventrinome se présente sous la forme d'une vulgaire pilule blanche, comme de l'aspirine ou des vitamines ?

— Et alors ?

— Et alors, pourquoi Pamela aurait-elle assassiné son mari, risqué la prison et en tous les cas l'horrible publicité faite autour du meurtre, quand il lui suffisait de substituer au médicament de l'aspirine, et d'attendre que son mari ait une crise cardiaque ?

— Vous supposez que l'assassinat d'Hexter était prémédité. Ça n'a pas été le cas. Deux jours avant sa mort, il est passé chez Tiffany's où il a laissé 80 000 dollars sur une bague de fiançailles. Il a proposé à une employée de sa société de devenir la seconde Mrs. Hexter. Seulement, Mrs. Hexter numéro un ne l'entendait pas de cette oreille. Pas la peine d'avoir fait de la criminologie pour savoir ce qui s'est passé. Il passe aux aveux, elle est furieuse et lui tire dessus. A + B = C.

— Les hommes plaquent leurs femmes à tour de bras, objectai-je. Si tous se faisaient descendre, il y aurait davantage de maris fidèles.

— Des conjoints s'entre-tuent chaque jour. Ce n'est pas parce que Pamela est bourrée de fric que c'est différent.

— Vous vous trompez, insistai-je. Pamela est différente. Elle n'est jamais entrée dans une épicerie. Elle n'a jamais récuré les WC. Toute sa vie, elle a résolu les problèmes avec de l'argent. Au nom de quoi se mettrait-elle aux armes à feu ?

— L'argent n'est que de l'argent, répliqua Ruskowski. Au fond d'elle-même, Pamela est comme n'importe quelle femelle qu'on a bafouée.

— C'est là que vous vous trompez, dis-je sèchement. Pamela a autant en commun avec n'importe quelle femelle qu'un bushman de Bornéo.

Quand Elliott m'a appelée pour me voir, je lui ai suggéré de passer au bureau, non sans appréhension. J'étais gênée de ce qui s'était passé l'autre soir et ne savais comment me comporter. Pour combler l'attente, j'ai appelé Barton Jr. qui a accepté de me recevoir le lendemain matin dans les locaux d'Hexter Commodities.

Elliott fit son entrée vêtu de jeans, d'un tee-shirt blanc et d'un blazer. Il tenait d'une main un bouquet de tulipes, de l'autre un sac d'oranges.

— Pour Madame, dit-il en déposant ses offrandes sur mon bureau. J'ai fait un saut au marché de Treasure Island pour trouver des fleurs, mais les fruits étaient encore plus beaux. Je parie que tu ne manges jamais de fruits.

— Merci, fis-je, un peu déconcertée.

— Je te prie de m'excuser, pour l'autre soir.

— Tu n'étais pas seul en cause, avançai-je prudemment.

— Je sais que tu as une liaison avec quelqu'un d'autre. Je ne sais pas ce qui m'a pris. Je suis désolé.

J'avais envie de dire que je n'étais pas sûre d'avoir une liaison, que je n'étais plus sûre de rien, mais les mots s'étouffèrent quelque part entre ma gorge et mes lèvres.

— Excuses acceptées, fut la seule réponse en mon pouvoir.

— Tu as une minute ? Je viens de passer le week-end à plancher sur les enfants d'Hexter. C'est une famille bien sympathique que tu nous as dénichée là !

— Tu as découvert quelque chose ?

— D'abord, Barton n'a pas d'alibi pour le meurtre. Sa femme était dans le Wisconsin chez ses parents, avec les enfants et la fille au pair. Il était seul chez lui. La première fois que sa mère a appelé pour le prévenir du meurtre, elle a eu le répondeur. Il dit qu'il était sous la douche, mais qui sait ? Il avait tout le temps d'aller à Lake Forest et retour.

— Impossible que ce soit Barton.

— C'est bien celui qui profite le plus de la mort d'Hexter. Il hérite des millions.

— Non, les millions ne l'intéressent pas. Tu ne le connais pas. Tout son univers a volé en éclats. Pour

Barton et sa femme, cet assassinat n'a apporté que des malheurs.

— Je te laisse juge. Je dis seulement qu'il n'a pas d'alibi.

— Et Margot ?

— Margot dit qu'elle était au fond de son lit. Sa partenaire, Brooke Winkleman, le confirme. Je n'ai aucune raison d'en douter, sauf que Margot a un casier psychologique qui ferait se retourner le père Freud dans sa tombe. Elle ne se cache pas d'avoir détesté son père qui l'entretenait pourtant sur un grand pied. Tu savais qu'elle était enceinte ?

— Il paraît, oui.

— Elle dit que son père lui aurait sûrement coupé les vivres s'il l'avait su. C'est peut-être une piste ?

— Elle t'a expliqué pourquoi elle le détestait à ce point ?

— Je le lui ai demandé sans me gêner. Elle dit qu'à treize ans, son père est arrivé à la fête de fin d'année du lycée avec une certaine Loretta Resch, avec qui il avait une liaison à l'époque. Sa grand-mère venait de mourir, sa mère était en vacances en Floride. Les ados sont impressionnables, il faut croire. Et Margot a le pompon. Elle a tout fait : le sexe, les drogues, les sectes et deux tentatives de suicide. Toutes proportions gardées, elle s'en est sortie. Aussi étonnant que cela puisse paraître, elle réussit très bien dans son programme de doctorat en psychologie.

— Je crains que les Hexter ne soient capables de tout.

— Attends que je te raconte : Krissy.

— Je t'écoute.

— Eh bien, tu sais qu'Elkin voulait en savoir plus sur cette dispute entre Bart et Pamela la veille du crime, que la police a monté en épingle. Pamela refuse d'en parler, disant que ce n'est rien, juste les sautes d'humeur de son mari. Les autres témoins de la fête se sont montrés discrets. Sur les instances d'Elkin, je me suis rendu cet après-midi au club pour voir si le personnel avait entendu quelque chose.

— Et ?

— Et j'ai trouvé une petite serveuse qui s'est rincé les oreilles. Elle avait un sale rhume et s'est réfugiée une partie de la soirée dans les toilettes du personnel. Une cloison la séparait du vestiaire des membres du club, où elle a surpris une engueulade épique entre Bart et Krissy.

— Bart et Krissy !

— Comme je te le dis. Tout le monde a cru que Pamela était en cause, mais quand il est revenu à table, il ne faisait que se défouler après avoir engueulé sa fille.

— Pourquoi ? Quel était le sujet ?

— Il semble que Bart et quelques messieurs aient décidé d'aller se griller un cigare au fumoir. Or, il avait oublié ses havanes dans son manteau. Quand il est allé les chercher au vestiaire, il a pratiquement trébuché sur Krissy, qui s'envoyait en l'air avec un certain Brada Cranshaw.

— Moi aussi, je les ai vus ! Après l'enterrement. Je suis tombée sur Krissy et un mec qui faisaient ça sur le billard dans la maison d'Hexter. Où était donc son mari ?

— Samedi soir, à Baltimore pour jouer au polo. Il n'est rentré que le lendemain midi. D'après la serveuse, Hexter a vu rouge. Il a traité Krissy de putain et l'a prévenue que si ça continuait comme ça, il la chasserait de ses terres et la déshériterait.

— Incroyable, et qu'est-ce qu'elle a dit pour se défendre ?

— Plein de trucs, mais pour finir qu'il regretterait de l'avoir insultée.

— Est-ce que c'est elle qui aurait pu le tuer ?

— Bien sûr. Elle habite là. Il suffisait de remonter l'allée et d'attendre qu'il vienne chercher son journal. Fourey était à Baltimore et leur fils passait la nuit chez son autre grand-mère.

— Je comprends pourquoi Pamela refuse de coopérer avec la police. Si ce qu'on dit est vrai, que seule une personne de la famille a pu prendre le revolver, tout ce qu'elle peut dire pour s'exonérer incrimine l'un de ses enfants.

— J'ai gardé le meilleur pour la fin, fit Elliott avec un sourire diabolique.

— C'est-à-dire ?

— Devine qui est la fille sur les photos pornos ?

— Qui est-ce ?

— Vas-y, fais un effort.

— Je ne sais pas, moi. Margot ?

— Pervers, mais incorrect.

— Torey ?

— Noon.

— Qui alors ?

— La femme de chambre, Elena Olarte.

CHAPITRE 20

— Il couchait avec la bonne ? fis-je, incrédule.
— Ce n'est pas ce que j'entends par coucher. Si j'en crois Elena, ces photos relevaient plutôt d'un arrangement financier.
— Tu plaisantes.
— Je ne fais que te répéter ce qu'elle m'a dit. Je crois qu'elle voulait monter en grade et sortir du nettoyage des chiottes. Comme Hexter et sa femme se disputaient tout le temps, elle s'est dit qu'elle pourrait l'intéresser à des activités annexes.
— Et qui a pris les photos ?
— Tu vas apprécier : sa propre sœur. Elena dit qu'elles ont fait ça au petit bonheur par un après-midi ensoleillé. Il y a des types au labo qui ont dû se rincer l'œil.
— Et elle nie avoir couché avec Hexter. Quelle époque ! Tu crois que c'est vrai qu'elle a vu le revolver vendredi soir ? Est-elle capable de mentir ? Tant de choses reposent là-dessus !
— Bien sûr qu'elle en est capable, concéda Elliott. Et tu peux être sûre qu'à la barre des témoins, Elkin fera tout son possible pour qu'elle ait l'air d'une traînée et d'une manipulatrice prête à tout. C'est un vieux truc, ça, de retourner la sexualité d'une femme contre elle. On sait bien qu'avoir envie de coucher avec Bart ne prouve rien contre son honnêteté. Et

puis, quel intérêt de mentir ? Hexter décédé, tous ses espoirs de gain tombaient à l'eau avec lui.

— C'est quand même une fouteuse de merde. Mais je suis d'accord avec toi : je ne vois pas où serait son intérêt.

— Imagine ce que symbolise Hexter pour une pauvresse du Guatemala.

— Ou une pauvresse du fin fond de l'Illinois !

— Exactement. Comment ça s'est passé avec Torey Lloyd ? Elle est à la hauteur ?

— C'était fort intéressant. En un sens, ses exigences paraissent presque raisonnables... vu les circonstances.

— C'est-à-dire ?

— Hexter lui a annoncé le vendredi soir qu'il quittait sa femme. Il lui a demandé de l'épouser et lui a offert une bague de fiançailles de 80 000 dollars.

— Tu veux rire ?

— Pas du tout. Elle me l'a montrée. C'est Ruskowski qui m'a dit son prix.

— Quelle salade ! Le procureur va avoir la partie facile. Avec toutes ces révélations, Elkin s'estimera heureux s'il peut plaider les circonstances atténuantes...

— J'espère bien que non.

— Pourquoi ça ?

— Parce qu'elle ne l'a pas tué.

Je lui rapportai ce que Stephen m'avait appris sur la maladie d'Hexter et les caractéristiques de son médicament, la Ventrinome. J'admis aussi que je n'avais pas convaincu Ruskowski.

— Je ne sais pas, dit le détective après mon exposé. Je crois que je suis dans son cas. Tu n'arriveras pas à faire avaler ces histoires cardio-vasculaires à un jury.

— Je ne te parle pas de ce qu'un jury peut croire ou non. Ils regardent trop la télé. Je te parle de ce qui a effectivement eu lieu. Il suffit de regarder Pamela. C'est une obsessionnelle, une maniaque de l'organisation, très calculatrice. Elle pète dans de la soie ! Ce n'est vraiment pas le genre à se lancer dans une fusillade.

— Sauf si Hexter l'a poussée à bout, objecta Elliott. Il n'était pas un cadeau. L'histoire avec Torey a pu être la goutte d'eau...

— En admettant qu'il le lui ait dit. De toute façon, elle subissait son mauvais caractère et ses maîtresses depuis des années. Tu ne crois pas qu'elle avait pensé à ce qui arriverait s'il oubliait sa pilule ? Franchement.

— Autrement dit, tu la crois lorsqu'elle raconte qu'elle ignorait l'existence de ce revolver ? Sous son propre toit ?

— Tu as vu la maison. Elle est si grande qu'une bande de gitans pourrait camper dans l'aile ouest, personne ne s'en rendrait compte avant le nettoyage de printemps ! Je parie qu'il y a des pièces où elle n'est jamais entrée. Elle m'a précisé que le bureau de Bart était le seul endroit où l'on était autorisé à fumer le cigare. Si la fumée l'incommode à ce point, elle ne devait jamais y mettre les pieds. D'ailleurs, il se passe autre chose que Ruskowski n'a pas pris en considération.

— Quoi ?

— Le jour où Hexter a été assassiné, il devait me remettre ses relevés pour le trading du soja et pour un autre compte, Deodar Commodities. Tous ces documents ont disparu. De même les doubles au bureau. Et les dossiers sur ordinateur ont été effacés le lendemain. Autre chose aussi. J'ai trouvé une liasse de billets dans le bureau d'Hexter. Pamela était incroyablement radine et Bart claquait tout ce qu'il savait. La seule Torey lui coûtait une petite fortune. D'où venait ce fric ?

— Je renonce, d'où ?

— D'après Carl Savage, Hexter traitait ses propres affaires sous l'étiquette de Deodar. Ce n'était qu'une société-écran, qui lui permettait de planquer son argent de Pamela. Ma théorie est que quelqu'un s'en est rendu compte chez Hexter Commodities et le faisait chanter. Ça a dû déraper quelque part.

— Dans ce cas, c'est plutôt le maître chanteur qui se fait descendre, pas Hexter.

— C'est un des nombreux aspects que je n'ai pas résolus. Mais je suis sûre d'une chose : la solution de Ruskowski ne prend en compte qu'une toute petite partie du problème.

J'ai passé la soirée du dimanche seule, installée dans la véranda de mon appartement. À l'époque où j'ai emménagé avec Claudia, nous étions dans l'une des rues les plus sûres de Chicago. Harold Washington, premier maire noir de la ville, avait élu domicile dans la tour en face, et une estafette de police stationnait en permanence devant sa porte. Après sa mort d'une crise cardiaque, notre petit coin de Hyde Park est retombé dans la fange urbaine d'où on l'avait brièvement extrait.

Je suis restée des heures à la fenêtre, lampant doucement ma bouteille de bordeaux en essayant de faire le tri dans les événements de la semaine passée. Sur la table du salon, il y avait une douzaine de roses jaunes fichées dans un pot de mayonnaise rempli d'eau. Claudia avait laissé traîner la carte : « Tu es merveilleuse — Jeff. »

Je contemplai le théâtre de la rue sous mes fenêtres, en rassemblant ce que je savais de l'affaire Hexter. Ruskowski se figurait que le meurtre de Bart avait un caractère sexuel. Mais on dit bien que ce sont les comptables qui mesurent le mieux les exploits des hommes d'affaires. J'étais persuadée que la mort d'Hexter finirait par se réduire à une question de gros sous. Malheureusement, j'avais beau retourner dans tous les sens les pertes et profits liés à sa disparition, je ne trouvais rien qui puisse se comparer aux arguments que Ruskowski retenait contre Pamela.

En arrivant le lundi chez Hexter Commodities, je fus surprise de trouver derrière le bureau présidentiel un jeune homme barbu à la chemise de flanelle pelucheuse, les yeux scotchés à l'écran de l'ordinateur.

— Déjà! sursauta-t-il à mon entrée. Le Pr. Hexter m'a dit qu'il attendait son rendez-vous. J'ai dû perdre la notion du temps. J'en ai pour une minute à ranger.

— Merci, dis-je en lui serrant la main. Je m'appelle Kate Millholland.

— Kurt Loovis. Je fais mon doctorat avec le Pr. Hexter. Vous savez que c'est génial, cette histoire de futures. On repousse les frontières du savoir, rit-il nerveusement en rassemblant ses papiers. On plonge dans l'inconnu!

Barton Jr. arriva quelques minutes après le départ de son étudiant. Il avait l'air fatigué, mais détendu. Ses yeux, remarquai-je, allèrent immédiatement du tableau d'affichage des prix en salle à l'écran du bureau, qu'il ne quitta plus.

— Vous avez rencontré le garçon qui travaille ici?

— Oui, nous nous sommes présentés.

— C'est un de mes assistants de recherche. Il va prendre une année de congé avec moi. On va voir si on peut appliquer nos connaissances de la théorie du chaos à la recherche d'une stratégie technique de trading pour Hexter Commodities.

— Formidable, dis-je. Je sais que vous êtes très occupé, je suis juste venue vous parler de mon entrevue avec Torey Lloyd.

— Avec qui ça?

— La jeune femme qui avait une liaison avec votre père.

— Mon Dieu, bien sûr! Avec tout ce qui se passe, elle m'est sortie de la tête. *Sic transit*...

— Il ne fait pas de doute qu'elle avait des relations avec lui depuis trois ans.

— C'est donc vraiment pour elle qu'il achetait cet

appartement ? Ça ne m'étonne pas. Quand Papa faisait quelque chose, il ne le faisait pas à moitié.

— En effet. Je pense qu'il achetait l'appartement pour eux deux. (Je me tus et pris mon courage à deux mains.) Je ne voudrais pas que vous l'appreniez de quelqu'un d'autre. Vendredi soir, avant de rentrer chez lui, il est passé chez Torey pour lui demander de l'épouser. Il allait quitter votre mère.

— C'est impossible. C'est une invention de sa part !

— Il lui a donné une bague de fiançailles de chez Tiffany's. Ruskowski l'a vérifié.

Barton poussa un long soupir et passa une main tremblante dans ses cheveux.

— Il faut déjà régler ce qui concerne l'appartement, continuai-je calmement. Je crois que ce serait mieux d'effectuer le paiement prévu pour aujourd'hui. Je peux m'en occuper par l'intermédiaire de Ken. Au moins, l'argent de la promesse de vente ne sera pas perdu. Quant à miss Lloyd, je vais tâcher de la contenir le temps que les choses se calment un peu ; vous pourrez toujours décider quoi faire par la suite ; on peut même revendre l'appartement.

— Faites pour le mieux, répondit-il sans ciller.

On frappa à la porte et Tim entra essoufflé.

— Désolé, mais c'est ta femme au téléphone. Elle dit que c'est urgent.

Barton attrapa le combiné, écouta gravement :

— Où es-tu ?... Ne t'en fais pas, je suis là dans dix minutes », fit-il en se dressant. « C'est Jane. Elle est à l'hôpital, elle a perdu les eaux. Ses contractions sont rapprochées. J'y vais. »

— Bonne chance, lançai-je, mais il disparut si vite qu'il ne dut pas m'entendre.

*

* *

Je suis restée derrière le vaste bureau d'acajou de Bart Hexter pour regarder les relevés de chèques qu'Hexter Commodities avait émis à l'ordre de Deodar sur les trois dernières années. Loretta m'avait envoyé une jeune femme de la comptabilité qui m'expliqua qu'une fois les chèques encaissés et renvoyés par la banque, on les rapportait directement au bureau d'Hexter où ils étaient remis à Tim, ou plus souvent au grand homme en personne. Je lui ai demandé de retrouver lesdits chèques, sans me faire trop d'illusions.

« Excusez-moi », fit une voix. Je levai le nez de mes relevés. « Je cherche Bart Hexter. » C'était un coursier, de ces cyclistes kamikazes qui slaloment dans la circulation et enfilent les sens interdits au nom de la vitesse et de la concurrence. Il portait un gilet jaune au nom de sa société, des shorts moulants noirs et un casque violet. Il avait une grosse enveloppe sous le bras.

— Mr. Hexter père ou fils ?

— J'ignorais qu'il y avait un fils, répliqua-t-il, visiblement éberlué de me voir dans le fauteuil présidentiel. C'est pour le monsieur d'un certain âge qui est toujours dans ce bureau. J'ai un pli pour lui.

Tim Hexter apparut sur le seuil avec une liasse de papiers à la main.

— Salut, Gary. Je peux réceptionner pour lui.

— Ça m'ennuie, Tim, vous savez bien que je dois remettre ceci en main propre à Mr. Hexter.

— Tu ne lis pas les journaux ? Hexter est mort. On lui a tiré dessus. Tu ferais mieux de me le laisser.

— Désolé, moi pas pouvoir. Je vais le rapporter au central. Je demanderai à mon chef de vous appeler.

— Oh, arrête ton cinéma, Gary. Donne-le-moi, c'est tout.

— Je ne peux pas, insista la coursier, serrant le paquet contre son cœur comme si on allait le lui arracher. À remettre à Mr. Hexter. En main propre.

— Mais je te dis que ses mains sont six pieds sous terre, cria Tim d'énervement.

— S'il vous plaît, pourquoi ne pas me laisser m'en occuper ?

Tim me jeta un regard noir et se rencogna contre le chambranle, spectateur furibond des tractations qui allaient suivre.

Cette affaire de coursier mit un temps inimaginable à se résoudre. Le jeune homme au casque travaillait pour la société Couriers International Inc., spécialisée dans la remise par porteur de courriers internationaux. Bart Hexter avait un compte mensuel chez eux, comme me l'expliqua patiemment le responsable au téléphone, et les termes du contrat spécifiaient qu'on devait lui remettre les plis nommément. Malheureusement, il n'y avait aucune clause dans cet accord prévoyant sa mort. C'était une de ces situations absurdes et bureaucratiques qui engloutissent des heures et des heures. Je savais que pour finir j'obtiendrais légalement la remise des documents. Personne n'en doutait non plus au siège de la société. Mais cela ne faisait rien pour les calmer à la perspective du procès qui ne manquerait pas de s'ensuivre en cas de problème.

Finalement, j'ai réussi à joindre le président de la boîte qui accepta de me céder les documents à condition que je le décharge de sa responsabilité par une attestation que viserait son avocat. Je dictai un paragraphe approprié à Cheryl, qui le transmit par fax au conseil de Couriers International. C'était, pensai-je en attendant que l'avocat de l'autre partie veuille bien prendre connaissance de ma prose, c'était le genre de chinoiseries dont je n'avais pas besoin au moment où je devais accoucher d'un plan raisonnable pour négocier avec la CFTC.

Presque deux heures plus tard, les formulaires étaient signés et l'enveloppe changea de main. C'était une grosse enveloppe kraft, sans adresse d'expéditeur. À ce point, j'étais si en retard pour le rendez-vous que j'avais fixé à deux de mes associés, que je la glissai dans mon attaché-case pour la remettre à Barton Jr.

De retour au bureau, Cheryl tenait le téléphone brandi : « Barton Jr. », chuchota-t-elle.

— Alors, demandai-je, c'est un garçon ?

— C'est un garçon. Mais... c'est aussi une fille.

— Pardon ?

— Des jumeaux ! exulta l'heureux papa. Voilà pourquoi Jane était si énorme et lamentable. Le garçon est sorti en premier. Nous étions tous là à l'admirer, et Jane continuait à avoir de grosses contractions. Deux minutes plus tard, la fille est née.

— Quatre enfants, admirai-je. Garçon et fille, le choix du Roi ! Félicitations ! Comment va Jane ?

— Elle est formidable. Elle vous envoie le bonjour et... qu'est-ce que tu dis ? (Il y eut une pause.) Elle vous fait dire qu'il arrive des miracles tous les jours.

Je sortis en trombe pour grimper à la salle de conférences du 43e étage, où j'avais convoqué deux associés spécialisés dans la gestion de portefeuille, avec à leur actif une grande expérience de la CFTC. J'espérais qu'à nous trois nous pourrions mettre sur pied un plan acceptable pour sortir de l'impasse. Je leur ai détaillé mon fatras et nous sommes tombés d'accord qu'il valait mieux accepter les allégations contenues dans la circulaire Wells. Avec un peu de chance, je parviendrais à persuader les membres de la commission que les irrégularités étaient le fait du seul Hexter, et je pousserais Herman Geiss à négocier un accord qui ne pénalise pas trop la société. Le problème, c'est que je n'avais pas beaucoup de chance ces jours-ci.

Le temps que nous terminions, Cheryl était déjà partie — elle suivait un cours de droit civil les lundis et mercredis — mais la réceptionniste m'avait fait porter mes messages. Là, en haut de la pile, un mot de Carl Savage disait : « J'ai des documents susceptibles de vous intéresser concernant Deodar. RV à 16 h 30 au 7e étage de la Merc. »

Il était 16 h 45. J'ai attrapé mon attaché-case et foncé. Je ne me suis aperçue qu'en bas, à la réception, que j'avais oublié mon sac, et j'ai dû quémander le prix du taxi à Lilian, la standardiste. Dehors, une pluie légère tombait. Les rues miroitaient, la circulation ralentissait. Les parapluies venaient éclore sur le trottoir tandis qu'une première vague de salariés regagnait le métro.

Le CBOT et la Merc sont les deux mamelles du marché des futures. Les deux institutions s'attachent à présenter un front uni, mais en réalité, leur organisation diffère autant que les buildings qui les abritent. La Bourse des valeurs est un chef-d'œuvre art déco, un monument au capitalisme, et le club traditionnel du marché à terme. La Bourse du commerce est la nouvelle venue aux dents longues et ses bâtiments — deux tours élancées de granit rose — abritent un marché plus jeune, plus tape à l'œil, plus agressif.

Je frayai mon chemin vers les ascenseurs à travers la marée humaine qui se déversait en cette fin de journée. J'appuyai au 7e. Arrivée à l'étage, j'eus la surprise de déboucher dans le noir. Je restai en arrêt, clignant des yeux à la faible lueur des panneaux de sortie. J'ai fini par comprendre où j'étais.

On avait construit la Merc en prévision de son expansion. Au-dessus de la turbulence des pits, un autre parquet vacant attendait. Il serait inauguré avant la fin de l'année pour le trading de quatre nouveaux produits. Il devait y avoir des bureaux sur la face nord, raisonnai-je. Je m'étais évidemment trompée de rangée d'ascenseurs. Comme si je n'étais pas assez en retard.

La salle qui s'étendait devant moi était immense et haute de trois étages, en prévision des corbeilles qu'on y érigerait. Cet espace si grand et si vide au milieu de l'un des quartiers d'affaires les plus actifs du monde donnait la chair de poule.

J'ai bondi quand il m'a pris le bras. Faisant volte-face, je m'attendais à trouver Carl Savage. La vision de la figure masquée par un bas m'horrifia. Dans la pénombre, je distinguai un sweat noir à capuchon, et un bras levé, armé d'une barre, prêt à frapper. En un éclair, dopée par l'adrénaline, je calculai que je n'avais aucune chance de fuir. De tout mon poids, je roulai en boule dans les jambes de mon assaillant, cherchant les chevilles pour le déstabiliser, comptant sur l'effet de surprise.

Il grogna en tombant. Je me ramassai, agrippai des deux mains mon attaché-case et l'abattis de toute la force de son armature. Elle atteignit son but dans un fracas d'os. J'entendis un juron et quelque chose de lourd qui heurtait le sol. Pourvu que ce soit cette barre. Je rattrapai mon attaché-case et pris mon élan pour lui flanquer un autre coup avant qu'il se relève. Il le saisit au vol et pendant une fraction de seconde nous restâmes face à face, haleines mêlées, chacun tirant d'un côté comme deux gosses qui se disputent le même jouet. Je fonçai tête baissée dans son ventre et relevai brusquement le crâne pour l'atteindre au menton. Sa mâchoire claqua et il eut un grincement de douleur étonnée. Il relâcha sa prise une seconde et j'arrachai l'attaché-case. J'abattis un dernier coup féroce à la tête et j'eus la satisfaction de sentir l'impact avant de m'enfuir vers la sortie.

J'enfonçai frénétiquement les boutons de l'ascenseur et tournoyai à la recherche de l'escalier ou de toute autre issue. Je tombai sur une porte dans un recoin : fermée à clé. Je tambourinai dessus, faible comme dans un cauchemar. Je retournai aux ascenseurs et m'aplatis contre le mur en face, me disant que s'il arrivait, je lui sauterais dessus par-derrière. Je tendais l'oreille pour entendre son pas par-dessus ma propre respiration, rauque et sonore. Je savais qu'il me poursuivrait, le temps de rattraper son souffle et de récupérer sa barre de fer.

J'avais les nerfs à vif, priant pour que l'ascenseur arrive. Je visualisai sa progression entrecoupée d'arrêts à chaque étage, et mon estomac se contracta de peur. Le stress transformait les secondes en heures. Je sursautai à l'appel du coup de sonnette ; mon cœur battait dans mes oreilles, je scrutais l'obscurité à la recherche de mon agresseur : avec l'éclairage de l'ascenseur, je redeviendrais visible donc vulnérable. J'ai failli vomir tandis que les portes s'ouvraient silencieusement dans un faisceau croissant de lumière. Je respirai un grand coup et plongeai dans la cabine illuminée — droit dans les bras d'Elliott Abelman, stupéfait.

CHAPITRE 21

Je m'agrippai au revers de son veston tandis que les portes se refermaient sur nous. Je haletais, je balbutiais. Il me serra contre lui.

— Kate, qu'est-ce que tu as ?... Mais tu saignes !

Je n'arrivais pas à retrouver mon souffle. Mon corps tout entier tremblait comme si on m'avait plongée dans de l'eau glacée. Je voulais m'expliquer mais les mots ne sortaient pas.

L'ascenseur nous déposa au rez-de-chaussée. Elliott me guida dans le hall affairé comme une ruche. Je me laissai envelopper dans la foule rassurante. Mon cœur battait la chamade. Reprenant conscience de moi-même, je vis que ma jupe était déchirée et mes collants en lambeaux. J'étais hirsute et me passai la main dans les cheveux. J'avais le crâne endolori d'avoir cogné mon agresseur et des mèches collées de sang. Heureusement, ce n'était pas le mien. Bien fait, ai-je pensé, qu'il saigne à mort.

Elliott m'attira dans un coin calme, une alcôve pour la boîte aux lettres de Federal Express. Il me prit par les épaules et petit à petit, je pus relater par bribes l'agression dont j'avais été victime. Une fois assuré que j'étais secouée, mais indemne, il me laissa pour aller prévenir la sécurité.

— Ils ont envoyé des gars fouiller le 7e, dit-il en

revenant, mais le bonhomme a dû décamper depuis longtemps.

— Qu'est-ce que tu fais ici ? finis-je par articuler.

— Je suis passé à ton bureau et je t'ai ratée de peu. À la réception, la fille m'a dit que tu étais partie à un rendez-vous. Elle était paniquée parce qu'elle t'avait avancé l'argent de la course, mais pas assez pour revenir. Et il pleuvait à torrent. Je lui ai demandé de vérifier tes messages pour te localiser. Je m'imaginais voler à ta rencontre — jouer les Galaad. Je ne savais pas que tu en aurais besoin.

— Je me suis fait avoir, bégayai-je, luttant pour regagner une contenance. Carl Savage avait laissé un message : il était soi-disant en possession de papiers sur Deodar à me montrer. En arrivant, quelqu'un m'a sauté dessus.

— Un homme ou une femme ?

— J'en sais rien. Je me dis que c'était un homme, mais en réalité pas moyen de le deviner. Ce qui est sûr, c'est qu'il était armé d'une barre de fer. Ça s'est passé si vite.

— Qu'est-ce qu'il voulait ?

— Me tuer, répondis-je avec un frisson. J'ai eu de la chance de pouvoir m'échapper. Je crois qu'il ne s'attendait pas à ce que je résiste.

— Mais enfin, qui voudrait ta mort ?

— Je ne sais pas. Oh, mon Dieu, Elliott, c'était horrible. J'étais terrifiée, sanglotai-je, prise d'une sorte de panique rétrospective.

— Allons, fit doucement Elliott. Pas la peine de pleurer sur la boîte aux lettres, j'ai une épaule parfaitement valide. Viens.

Une crise de larmes me soulagea, mais au bout de deux minutes, je me trouvai ridicule à pleurnicher dans le giron d'Elliott au milieu du hall de la Bourse. Je me remis d'aplomb et respirai un grand coup. Elliott m'offrit un mouchoir qui me fit de l'usage. Certaines femmes ont l'air délicatement fragile après avoir pleuré, moi, je suis rouge et bouffie.

— Tu te rends compte, Kate, reprit Elliott gravement, que ça aurait pu mal tourner.
— Je sais. Merci d'être venu à mon secours.
— Tu as une idée de qui t'a tendu ce piège?
— Quelqu'un qui savait que ce qui touche à Deodar m'intéresse — soit la moitié de la planète. Je n'y comprends rien. Et qu'est-ce qui t'amenait à mon bureau?
— Tu es sûre que ça va? demanda-t-il gentiment.
— Oui, oui. Pourquoi?
— Pamela Hexter a tenté de se suicider cet après-midi. Elle a pris une overdose de barbituriques. Une veine qu'on l'ait retrouvée à temps. C'est Krissy, qui avait oublié ses clés. Elle en garde un jeu chez sa mère. On a quand même eu de la chance qu'elle soit allée lui dire bonjour.
— Elle va s'en sortir?
— Elle est dans un état critique, du moins, elle est encore aux soins intensifs. Krissy a téléphoné à Ken Kurlander qui a prévenu Elkin. Ils ne tiennent pas à ce que la nouvelle se répande. Ils ont peur de la réaction du procureur, qui pourrait revenir sur sa mise en liberté.
— Tu peux même en être sûr.
— On a essayé de joindre Barton, mais personne ne sait où il est. Les employés d'Hexter Commodities sont partis pour la journée. Pas de réponse chez lui, ni à son bureau de Northwestern. Krissy, absente toute la journée, ne sait pas non plus. Elkin m'a appelé pour que je le retrouve. Étant donné les circonstances, il valait mieux être discret. Je me disais que tu aurais une idée?
— Sa femme vient d'accoucher d'une paire de jumeaux. Il doit encore être avec elle, à l'hôpital.
— Tu sais lequel?
— Northwestern Memorial.
— Le monde est petit, soupira Elliott. C'est là qu'ils ont emmené Pamela.

Nous avons annoncé la nouvelle à Barton dans le pavillon des visiteurs de la maternité, décoré de couleurs vives.

— N'en dites rien à Jane, fut sa première réaction après le compte rendu d'Elliott. Elle est si heureuse. Elle désirait tant avoir une fille. Je ne veux pas que ma famille lui gâche sa journée.

— C'est compris.

— Ma mère a-t-elle donné une explication ? demanda Barton d'un air las.

— Elle a laissé un mot. Votre sœur a eu la présence d'esprit de le soustraire aux infirmiers. Elkin Caufield l'a pris. Il me dit qu'il ne contient rien qui puisse être interprété comme un aveu. Kurlander et lui tâchent de maintenir l'impression que votre mère a pris trop de pilules par mégarde. Je crois que son médecin veut bien coopérer.

— Le Dr. Pollard est un vieil ami de la famille.

— Peut-on appeler en privé d'ici ? Elkin est impatient de vous parler. Puis, je vous emmène voir votre mère.

— J'ai besoin de me rafraîchir un peu, dis-je. Je vous laisse trouver une cabine tous les deux. Je passerai voir Jane ensuite. Vous pouvez compter sur ma discrétion. Venez me chercher quand vous aurez fini.

Jane était assise dans son lit et rédigeait des faire-part.

— Quand James est né, expliqua-t-elle, j'étais horriblement superstitieuse. Nous n'avions rien préparé à l'avance. J'avais même interdit à Barton d'installer le berceau. Il a dû tout faire pendant mon séjour à l'hôpital. Pour le troisième, si tu n'as pas au moins prévu tes enveloppes, tu finis par avertir les gens à la veille de l'entrée en maternelle.

— Le troisième et la quatrième, rajoutai-je.

— Je n'arrive pas à y croire, soupira Jane. De nos

jours, c'est impensable d'accoucher de jumeaux sans être prévenue à l'avance. Vous auriez vu la tête de l'équipe dans la salle de travail : c'était de la folie. Je crois que Barton n'a rien compris avant qu'on lui colle le second bébé dans les bras. De ma vie, jamais je n'oublierai son expression !

Nous avons marché avec Elliott jusqu'à un restaurant japonais proche de l'hôpital, le Hatsuhana. Dans la sérénité du bois blond et des cloisons de papier, nous avons bu du thé vert et mangé du sushi, en réfléchissant à l'identité de mon assassin potentiel. Après trois bières chinoises et un océan de poisson cru, nous n'avions progressé en rien.

— L'embêtant, conclut Elliott, c'est que quand quelqu'un décide de vous fracasser le crâne, il récidive.

— Et qu'est-ce que je dois faire d'après toi ? Passer le reste de ma vie planquée sous mon bureau ?

— Ce n'est pas une bonne idée de rentrer chez toi ce soir. Pour ta petite camarade non plus.

— Je vais l'appeler. Elle peut toujours rester dormir à l'hôpital.

— Tu as un endroit où aller ? Tu veux prévenir quelqu'un ?

Je m'excusai pour aller utiliser le téléphone public à l'entrée du restaurant, traversée de courants d'air. L'assistant de Stephen, Richard Humanski, me rappela que celui-ci était à New York jusqu'au lendemain. Je revins à table.

— Ça marche ?

— Je crois que tu exagères, tentai-je.

— Kate, tu as encore du sang séché dans les cheveux !

— Je verrai au Marriott, près de chez moi.

— Viens passer la nuit à la maison.

Je lui jetai un regard. « C'est en ma qualité de Galaad que je t'invite, insista-t-il. Tu ne t'imagines pas que tu vas dormir sur tes deux oreilles après ce qui t'est arrivé ? »

Elliott occupait la moitié supérieure d'un *browstone* joliment restauré dans le quartier de l'université DePaul. C'était un ensemble bien proportionné, avec un grand salon, deux chambres à coucher et une tourelle dont Elliott avait fait son bureau. La petite cuisine jaune vif donnait l'impression qu'on s'en servait. Ça faisait bizarre d'être là. Quant à Elliott, si à l'aise d'habitude, il était raide et ne se ressemblait pas.

Heureusement qu'il était tard et que nous étions crevés. J'admirais l'appartement tandis qu'il rassemblait des serviettes propres, une brosse à dents neuve, un pain de savon et un grand tee-shirt pour moi.

— À quelle heure dois-tu être au bureau demain matin ? demanda Elliott, la main sur la poignée de la chambre d'amis.

La pièce était nette et confortablement arrangée, avec un couvre-lit et des rideaux. Elle avait sa propre salle de bains, où j'aperçus une douche. Tout un côté domestique d'Elliott m'était révélé.

— Dès que possible. J'ai toujours à produire ma réponse à la CFTC. Mais ne t'inquiète pas, je prendrai un taxi.

— Certainement pas. Jusqu'à ce que je sache de quoi il retourne, je t'accompagne porte à porte. Que dirais-tu de partir à 7 h 30, c'est trop tôt ?

— C'est parfait.

— Eh bien, bonne nuit alors.

— Bonne nuit.

Il referma la porte et je poussai un soupir de soulagement. Même dans les circonstances les plus innocentes, il y a toujours un élément de tension entre un homme et une femme. Quand j'étais en voyage d'affaires avec des collègues, par exemple, des types sympa que j'aimais bien, dont je connaissais les femmes, qui pour rien au monde n'auraient commis d'impair. Pourtant, il arrivait toujours un moment, quand on se séparait pour regagner nos chambres dans un couloir d'hôtel, où d'autres possibilités affleuraient.

Contente que ce moment soit derrière moi, je balançai mes escarpins et m'assis sur le lit. Cela faisait des années-lumière que je m'étais réveillée ce matin, prête à affronter la journée. Le réveil indiquait 22 h 46. Il y avait, j'en étais persuadée, quelque chose de pourri chez Hexter Commodities. Mais dès que je mettais la main sur une pièce du dossier, une autre me filait entre les doigts.

Je me suis déshabillée en déposant soigneusement mes vêtements sur une chaise. Dans le miroir au-dessus de la commode, j'ai pu admirer les hématomes qui se formaient rapidement sur mes bras et mon torse. J'ai pris une longue douche, toute à la saveur de l'eau chaude ruisselant sur mon corps.

Je me suis lavé les cheveux. L'eau de rinçage vira du rouge au rose pour finir translucide. J'ai fermé les robinets, je me suis séchée et j'ai enfilé le tee-shirt qu'Elliott m'avait laissé ; il était bleu marine traversé de majuscules blanches : CHICAGO POLICE.

Je me suis assise sur le lit, lessivée, me sentant vulnérable. J'ai regardé mon attaché-case et me suis avisée un peu tard, après l'avoir trimballé toute la soirée, qu'il aurait pu livrer des empreintes digitales. Je l'ouvris pour jeter un dernier coup d'œil à mon agenda, mais c'est l'enveloppe, longuement négociée avec Couriers International, qui me sauta aux yeux. Je l'avais complètement oubliée.

J'aurais pu me gifler de ne pas l'avoir remise à Barton. Avec sa femme et sa mère sous surveillance médicale, deux nourrissons sur les bras et une société de courtage à diriger, je ne savais pas quand l'occasion se reproduirait. Il valait mieux l'ouvrir, décidai-je, et voir si son contenu revêtait de l'importance dans l'immédiat. Je passai la main sous le rabat — trois autres enveloppes que je sortis sur le lit. Toutes trois à l'en-tête de la banque des Bermudes, toutes trois adressées à Mr. S. Bean. Je les ouvris l'une après l'autre, étalant les papiers sur le couvre-lit.

— Elliott ! appelai-je dans une excitation grandissante. Elliott, viens voir !

Il apparut en un éclair, vêtu seulement de ses caleçons, un revolver à la main et une trace de dentifrice aux lèvres.

— Quoi ?! Qu'est-ce qui ne va pas ?

— Je sais pourquoi j'ai été agressée, répondis-je. Le type ne voulait pas me tuer. Il voulait s'emparer de ceci.

CHAPITRE 22

Au matin, j'étais courbaturée comme si j'avais joué au football américain. Mes bras surtout, éreintés de la bataille pour l'attaché-case. Et c'est avec effort que je me traînai hors du lit pour enfiler mes habits de la veille. Le col de mon chemisier était constellé de petites éclaboussures rouges.

Je trouvai Elliott attablé à la cuisine devant des œufs brouillés, un toast et une moitié de pamplemousse. Il lisait les pages sportives du journal.

— Il reste des œufs dans la poêle, dit-il en se levant. Je te fais griller un toast ?

— Non merci, répondis-je avec un frisson. J'ai du mal à avaler le matin. C'est du café dans ce pot ?

— Sers-toi. Les tasses sont dans le placard. Il y a du lait et du sucre sur la table.

— Merci, je le prends noir.

— Tu ne veux pas un fruit ou quelque chose ? J'ai des céréales aussi.

— Tu fais bombance tous les matins ? demandai-je en me versant une tasse.

— Je ne mange pas des œufs tous les jours, naturellement. Mais j'aime bien m'asseoir et prendre un vrai petit déjeuner.

— Tu m'impressionnes. J'ai une cuisinière chez moi, je ne sais même pas si le four marche.

— Je vis seul depuis que j'ai quitté les Marines. Tu

vas rire, mais ce que je ne supportais plus à l'armée, c'était cette bouffe de cantine sur des plateaux en inox. Depuis, je fais la cuisine et je mange dans une assiette. Vivre seul n'implique pas de vivre mal.

Je réfléchis à ses paroles une minute.

— Ce n'est pas que j'ai pris sciemment la décision de vivre mal, dis-je en rallongeant mon café, mais faire la cuisine, les courses, le ménage... Tout ça prend du temps, et tout mon temps passe dans le boulot.

— Je m'étonne que ça ne te gêne pas, considérant comment tu as été élevée.

— C'est peut-être une forme de révolte. J'ai grandi dans une famille où bien vivre était une occupation à plein temps. Il faudrait que tu voies la maison de mes parents. C'est une merveille. Dès que tu mets un papier à la corbeille, quelqu'un vient la vider. De toute mon enfance, je n'ai jamais vu une bouteille de ketchup, une serviette en papier ou un carton de lait sur la table. Quand j'étais petite, je m'amusais à plier impeccablement ma serviette de toilette et à l'accrocher parfaitement. J'y passais dix minutes. Quand je rentrais de l'école, j'allais inspecter. Quel que soit le résultat, la femme de chambre se débrouillait toujours pour la replier autrement et mieux. En fait, j'éprouve une certaine liberté à ne plus me soucier de tout cela.

— Liberté et mauvaise hygiène alimentaire, jeta Elliott. Tu es sûre que tu ne veux pas de pamplemousse ? Ils sont délicieux, ma grand-mère me les envoie de Floride.

— Non merci, dis-je en souriant de toutes ces manières. Rien sur Pamela Hexter dans le journal ?

Elliott me le tendit et commença à débarrasser : « J'en étais au sport. Mais j'ai parlé avec Elkin tout à l'heure. Pamela a été transférée. Il ne croit pas que cette tentative de suicide constitue une preuve de culpabilité. Il est d'accord avec toi : elle est dans une position intenable. Si elle n'a pas tiré sur son mari, elle a peur pour l'un des siens. Dans cette alternative, les barbituriques lui ont semblé la solution la moins douloureuse. »

— On n'en parle pas dans les faits divers, observai-je. Caufield veut donc que tu concentres l'enquête sur les enfants ?

— Non. Ça m'étonnerait que Pamela souhaite dépenser son fric pour inculper sa progéniture. Elkin m'a demandé de neutraliser le témoignage de la femme de ménage. J'avais aussi l'intention de découvrir qui, chez Hexter Commodities, t'a tendu un piège. Et toi, qu'est-ce que tu fais aujourd'hui ?

— Je vais aux Bermudes.

Elliott ne m'a pas lâchée de la matinée. Premier arrêt à Hyde Park pour me changer et prendre quelques affaires. À la lumière de la discussion de ce matin, j'étais vaguement honteuse de notre mobilier disparate et de la désolation générale des lieux. À ma surprise, Claudia partageait des croissants frais avec un joli garçon châtain, qu'elle me présenta, un peu timidement, comme Jeff McConnell. Ayant fini leur tournée, ils étaient revenus prendre un petit déjeuner.

J'ai disparu dans ma chambre ; Elliott s'est mis au salon pour téléphoner. J'ai attrapé un tailleur de lin écru, farfouillé à la recherche d'escarpins clairs, rassemblé d'autres habits et récupéré mon passeport dans un tiroir à sous-vêtements.

Après quoi, nous sommes allés à mon bureau où Elliott a déployé ses charmes devant Cheryl, qui avait déjà, à ma demande, réservé l'hôtel et retiré le billet d'avion. Je vérifiai avec Ken Kurlander qu'il n'avait pas connaissance des comptes offshore que maintenait Hexter, et lui demandai de me procurer une copie de l'acte de décès. Pendant ce temps, j'ai pris les documents dont j'avais besoin pour préparer mon dossier pour la CFTC. Je me suis assurée que j'avais des piles neuves pour le walkman que j'écoute inlassablement en voyage, et j'ai transféré passeport et portefeuille dans mon attaché-case.

Cheryl m'a demandé si je serais de retour pour assister au concert de musique de chambre prévu avec Stephen. Je lui ai dit d'annuler sous l'œil éberlué d'Elliott.

Je me suis sentie déplacée et un brin martyre sur ce vol pour les Bermudes. Seule en voyage d'affaires dans une carlingue de vacanciers, je me suis rencognée dans mon siège de 1re classe, j'ai mis une cassette et je me suis efforcée d'oublier qu'on faisait la fête autour de moi tandis que je suais à esquisser le plan d'une réponse à la circulaire de la CFTC.

À l'arrivée, un air chaud et doux soufflait ; je plongeai dans un état de torpeur. Tout ce que je représentais semblait soudain incongru : mon tailleur, ma mallette, les collants qui méritaient bien leur nom avec ce taux d'humidité. J'ai fait la queue à la douane et présenté mon passeport, qui m'ouvrit droit à l'accueil officiel et joyeux réservé aux touristes. Échappant à la livraison des bagages — je n'avais qu'un bagage à main en plus de mon attaché-case — je sortis dans le soleil éclatant et me dirigeai vers la file de taxis.

Les Bermudes sont une ancienne colonie britannique et le parfum de l'Angleterre y est encore perceptible — du cockney abâtardisé des chauffeurs, aux voitures qui rampent à gauche à la vitesse maximale de 40 km/h autorisée sur l'île. La plupart des routes sont étroites et sinueuses, comme des allées bordées de murs de brique, d'hibiscus et de lauriers-roses.

Cheryl avait réservé au Hamilton Princess, l'un des grands hôtels de luxe du côté du port. Mon chauffeur est passé par Front Street, me signalant fièrement les meilleures boutiques où m'acheter un pur Shetland ou du linge de maison irlandais. La circulation était congestionnée par les touristes à pied, en moto, en bicyclette ou en carriole. Deux bateaux de croisière géants dominaient le front de mer, éclatants de blancheur, mondes flottants séparés du monde.

J'ai réglé la course, abandonné mon maigre bagage au portier, affublé comme il se doit d'une paire de bermudas impeccables. Chicago et ses problèmes semblaient à des années-lumière.

Après les formalités d'enregistrement, je donnai un pourboire au garçon d'étage et me retrouvai dans une chambre vaste et ensoleillée, avec vue sur l'océan. J'enlevai chaussures et collants, me servis un Coca au mini-bar et m'assis au bord du lit pour appeler le bureau. Cheryl décrocha au premier coup.

— Bureau de miss Millholland, annonça-t-elle d'une voix suave.

— C'est moi. Kate. Tu as l'air en forme.

— C'est vrai, je suis de bonne humeur : ma patronne est en vacances !

— Ça fait plaisir de savoir que je te manque. Il y a eu des téléphones ?

— Stephen, de New York, ta mère, Barton Hexter, Roger Prendergast à propos de Mascott Manufacturing — ils ont fini par trouver un acheteur et il souhaite t'en parler — et Steve Potash d'Overdrive.

— Barton a laissé un message ?

— Que tu le rappelles. Aussi, j'ai eu Elliott Abelman il y a une heure environ. Je dois te recommander de sa part de faire attention. Qu'est-ce qu'il veut dire ? Attention à quoi ?

— Oh, aux coups de soleil, je suppose.

À la Banque des Bermudes, tout respirait la calme dignité de l'Empire. Le hall profond et frais de marbre poli ; les ventilateurs au plafond avec leur tournoiement silencieux ; les employés au guichet, serviables, le cheveu discipliné, l'accent des îles. Après le barrage de quelques secrétaires, je suis arrivée dans le bureau d'un certain Edmond Martindale, un angliche aux cheveux blond-roux que je m'apprêtai à détester au premier coup d'œil, et qui se déclara être à mon entière disposition.

Je le remerciai d'avoir bien voulu me recevoir au dernier moment, expliquant que j'étais une avocate de Chicago venue en mission délicate.

— Mon client, Bart Hexter, est mort brutalement il y a dix jours.

— Un accident ? demanda Martindale en haussant un sourcil poli.

— J'ai bien peur qu'on ne l'ait tué.

— Oh, mon Dieu !

— Mr. Hexter avait beaucoup de bien, mais ses affaires sont dans un certain désordre. Je me suis aperçue seulement hier qu'il avait ouvert plusieurs comptes chez vous. Sous un autre nom, ajoutai-je.

— Situation délicate, en effet, concéda le banquier.

— J'ai apporté les copies de vos relevés ainsi que celle de l'acte de décès, en vue d'effectuer les démarches nécessaires à la clôture de ces comptes. J'espère aussi que la banque pourra me procurer des informations, dans la mesure où ces comptes semblent liés à des opérations pour lesquelles la société de Mr. Hexter fait actuellement l'objet d'une enquête du gouvernement.

En guise de réponse, je crus entendre un néfaste « tt-tt », puis :

— Vous n'avez qu'à me confier ces relevés, je vais faire une recherche. En attendant, je vais demander à Mlle Smith de nous faire du thé. Je ne serai pas long.

Martindale se retira et une mademoiselle d'une cinquantaine d'années à lunettes à double foyer apporta un plateau où trônait un service gravé au logo de la banque. J'attaquai ma deuxième tasse de thé quand Martindale revint. J'ai su à son regard qu'il n'allait pas me donner gain de cause.

— Vous n'êtes pas sans savoir, dit-il, que les lois bancaires des Bermudes sont très strictes. Je dirais même plus, le secret des comptes est une de nos caractéristiques réputées — et qui rapporte beaucoup d'affaires dans ce pays.

— Sans doute, objectai-je, que les lois bancaires des Bermudes prévoient le cas de la mort subite d'un client ?

— Justement. Quand Bart Hexter a ouvert ces comptes, il a nommé son frère, William Hexter, comme administrateur. Maintenant que vous nous avez notifié le décès de votre client, nous ferons suivre à Mr. William Hexter les formulaires appropriés.

— Billy Hexter est mort dans un accident de voiture il y a six mois.

— En ce cas, je ne vois vraiment pas ce que je peux faire de plus pour vous, fit-il d'un air compassé.

— Voyons, si je vous communique l'acte de décès de son frère, je suis sûre que nous pourrons avancer. Votre client est mort, l'administrateur aussi...

— Ah, mais ce sont des comptes joints, m'interrompit Martindale tandis que j'ouvrais des yeux ronds. Il y a un cosignataire dans les deux cas, et à notre connaissance, ce cosignataire est parfaitement en vie.

— Qu'en savez-vous ? demandai-je, la voix étranglée par un pressentiment.

— Une somme importante a été retirée de l'un des comptes ce matin.

CHAPITRE 23

J'ai tout essayé pour persuader Edmond Martindale de divulguer l'identité de ce cosignataire, sauf de tomber à ses genoux et de le supplier. Et encore, je m'y serais résolue si j'avais eu la moindre chance d'y arriver de la sorte. À chaque tentative, je butai contre la muraille hermétique de la loi bancaire des Bermudes. Quelle que soit ma question, la réponse était imperturbable — Bart Hexter avait organisé ses comptes pour protéger son identité et celle de l'autre signataire.

Je suis repartie abattue. L'information que j'étais venue cueillir jusqu'ici m'échappait de plus belle, et celle que j'avais obtenue me troublait profondément. J'ai marché au hasard vers la mer, en tentant vainement de mettre de l'ordre dans mes pensées.

Bien qu'il fût déjà tard, le soleil était haut dans le ciel. Je me suis arrêtée dans un petit magasin hétéroclite pour touristes. J'ai acheté un tee-shirt de plage, des tongs, une serviette et un maillot de bain. Il n'y avait que des bikinis. J'ai choisi le modèle le plus décent, mais bien plié, il aurait tenu dans une enveloppe pour Cheryl, avec la carte postale. J'ai hélé un taxi et indiqué au chauffeur Horseshoe Beach.

Il m'a déposée au début de l'allée qui mène au Pavilion et m'a promis de revenir me chercher une heure trente plus tard. Parmi les corps bronzés et ensablés qui s'apprêtaient à rentrer à l'hôtel, j'ai passé mon nouveau maillot. J'ai plié mon tailleur de bureau que j'ai mis au vestiaire avec l'attaché-case, et j'ai marché vers l'océan.

C'était aussi merveilleux que dans mon souvenir : du sable blanc fin comme de la poudre, un ciel cristallin, une eau émeraude à couper le souffle. J'ai étendu ma serviette et, consciente de ma pâleur et de ma tenue microscopique, j'ai couru dans l'écume et plongé. J'ai nagé au-delà de la jetée, les yeux rassasiés de l'horizon immense, ininterrompu. J'étais rassurée par ma petitesse à l'échelle du monde. Sous l'eau, mes cheveux libérés me caressaient le dos comme des algues. J'ai fait la planche, les yeux mi-clos. Hexter était encore plus empoisonnant mort que vivant. Je me suis laissée flotter longtemps comme un bouchon, portée par le frémissement des vagues.

Qu'il aille au diable !

De retour dans ma chambre, un message m'attendait. Je devais rappeler Edmond Martindale, ce que je fis sur-le-champ.

— J'ai beaucoup réfléchi à votre problème, commença-t-il de sa voix de professeur de cricket. Nous en avons discuté au plus haut niveau. Ma femme et moi recevons des amis à dîner, mais je me disais que vous pourriez passer prendre le café pour continuer cette conversation.

— Avec plaisir, répondis-je un peu trop vite. (Il me donna son adresse.)

— Disons vers 22 h 30, si ça vous convient. Je préférerais vous voir après le départ de mes amis. D'ailleurs, je préférerais qu'on se mette d'accord pour dire que ce petit rendez-vous n'a jamais eu lieu…

Martindale vivait à l'intérieur des terres, si la chose est possible sur une île de cinq kilomètres de large, sur la commune de Somerset. C'était une grande maison traditionnelle de stuc rose, au bout d'une allée croulant sous les bougainvillées. Le toit blanc et pentu dirigeait doucement l'eau de pluie vers une citerne. À vol d'oiseau, on voyait un cimetière, inquiétant sous la lune avec ses cryptes de pierre étagées et blanchies à la chaux. L'air nocturne bruissait du rythme des grenouilles d'eau et autres quantités d'insectes.

Mon banquier m'attendait sous la véranda, l'air décontracté : pantalons en lin et chemise ouverte. Il s'excusa pour l'heure tardive. Je le suivis à l'intérieur où il me présenta sa femme, Polly, qui supervisait la vaisselle faite par deux adolescentes. J'acceptai un whisky-soda qu'il confectionna à l'anglaise, avec un siphon et sans glace. Je le suivis sur une terrasse qui surplombait un jardinet noirâtre. Il approcha deux chaises en fer forgé et nous passâmes aux choses sérieuses.

— Malgré ce qu'on peut lire dans les journaux sur les banques offshore, qui blanchissent l'argent de la drogue ou Dieu sait quoi, nous sommes très sensibles à tout ce qui ressemblerait à des malversations, commença-t-il sur le ton de la confidence. Nous ne pouvons pas être tenus pour responsables des activités de nos clients. Personne ne le peut. Vous m'avez précisé lors de notre dernier entretien que Mr. Hexter faisait l'objet d'une enquête du gouvernement. Cela concerne-t-il les comptes que nous gérons ici ?

— Oui, mais par ricochet. Je crois savoir que Mr. Hexter maintenait ces comptes pour des raisons purement personnelles. Ses enfants, qui ont hérité de ses affaires, aimeraient rationaliser les opérations de la société. Ils ne peuvent rien faire avant d'avoir retrouvé le cosignataire. De plus, je mettrais ma main au feu qu'Hexter n'autoriserait personne à vider ses comptes à l'insu de ses héritiers.

— Ce n'est pas du ressort de la banque d'élucubrer

sur les intentions de ses clients, fit remarquer mon hôte.

— Cela semble être beaucoup d'argent.

— En effet, c'est beaucoup d'argent, fit-il d'une voix flegmatique.

— Vous m'avez dit au téléphone que vous seriez prêt à m'aider, avançai-je. Entre nous.

— Oh oui. Très certainement entre nous. Si jamais vous parlez de cette conversation, je me verrai obligé de nier. Sous serment si nécessaire, et la conscience tranquille.

— Je comprends.

— J'ai bien peur de ne pouvoir vous donner ce que vous désirez le plus.

— Vous voulez dire le nom du cosignataire ? fis-je, démontée.

— Une révélation de cet ordre constitue en effet une grossière rupture de contrat. On pourrait remonter jusqu'à la banque, nous exposer à un procès, et par suite à la perte de nombreux clients.

Je n'ai pas gâché ma salive pour lui démontrer le contraire. Les banquiers sont tous les mêmes. Ils se conduisent comme des putes et sont aussi jaloux de leur réputation que des vierges. Ce n'est pas à moi de les changer.

— Alors, que pouvez-vous me dire ?

— Je suis d'accord pour vous fournir les informations nécessaires sur les comptes eux-mêmes, dans l'espoir que cela vous aidera. J'ai fait faire une copie de tous les relevés, que je vais vous remettre — discrètement bien sûr.

Il rentra dans la maison et ressortit avec une liasse de feuilles.

— Ces trois comptes ont été ouverts le 4 mai 88. Je venais d'arriver à la banque et, par chance, c'est moi qui ai suivi le dossier. Je dois avouer que l'exigence de confidentialité de ces clients, même pour une banque des Bermudes, m'a paru extrême.

— Des deux, qui a pris la parole ?

— Mr. Hexter.
— L'autre est-il un homme ?
— C'est une bonne hypothèse, répondit Martindale. Mais c'est tout ce que je vous dirai de lui. Les comptes étaient codés et toute la correspondance devait être adressée par une société de courrier international. Les dépôts se faisaient par chèques à travers la société ou par virement. On pouvait effectuer des transactions par téléphone, du moment que la personne s'identifiait comme Mr. Silver ou Mr. Bean, et déclinait un code secret à neuf chiffres.
— Que des chiffres, pas de lettres ?
— Non. Pour les retraits en liquide, bien sûr, uniquement en personne et à l'un ou l'autre des signataires.
— Et comment les identifier, à part le code secret ?
— Nous avons des photos dans le dossier.
— Pourrais-je les voir ?
— Je suis désolé, fit-il avec regret. Mais la direction de la banque serait plus accessible à votre demande si vous pouviez l'accompagner du code.
— Vous m'avez dit que de l'argent avait été transféré hier matin. Pourriez-vous me préciser où ?
— Sur un autre compte de la banque, celui-ci au nom du seul Mr. Silver.
— Il est ouvert depuis quand ?
— Six mois.
— Y a-t-il eu d'autres mouvements des comptes joints à celui de Mr. Silver ?
— Oui. Trois dans les trois derniers mois. Tous d'une valeur supérieure à un million de dollars. Nous avons également eu instruction de retirer 500 000 dollars en cash pour ce vendredi.
— Quand cela ?
— Vendredi dernier.
— Autre chose ?
— Depuis l'ouverture des comptes, Mr. Bean n'a jamais mis le pied à la banque. Tous les retraits en cash ont été effectués par Mr. Silver.

Je suis restée debout une partie de la nuit à compulser les relevés que Martindale m'avait communiqués. On avait ouvert les trois comptes simultanément, chacun avec un dépôt initial et modeste de 9 000 dollars. À la suite de quoi, les dépôts semblaient se faire au hasard, toujours de fortes sommes, dispersées sur les différents comptes sans régularité. Les retraits étaient plus systématiques : tous les deux mois environ, entre 50 000 et 60 000 dollars à chaque coup.

Je n'ignorais pas qu'il y avait un contrôle des devises aux frontières. La douane américaine exigeait de déclarer par écrit les montants en liquide supérieurs à 10 000 dollars. Mais on pouvait aisément dissimuler 500 billets de 100 dollars, et je savais d'expérience que la police recherchait plutôt de la drogue que de l'argent.

À la lecture des relevés, il apparaissait que l'argent — virements ou chèques d'Hexter Commodities, retraits en liquide tous les soixante jours — avait voyagé en dollars. Tout changeait dans les six derniers mois. En plus du virement de la veille, on notait deux transferts de fonds, pour plus d'un million de dollars chacun, remontant à quatre mois, depuis le même compte. Le vendredi précédant la mort d'Hexter, un transfert de 500 000 dollars avait même été refusé faute de crédit.

L'argent que recelaient les comptes des Bermudes était largement un motif de meurtre. De mon point de vue, le suspect numéro un était Carl Savage. On avait ouvert les comptes suffisamment après son arrivée dans la société pour qu'il ait gagné la confiance du patron. Et c'était lui le complice tout désigné du délit d'allocation. Et puis, Hexter lui avait soufflé Torey Lloyd.

Il y avait cependant quelques accrocs à ma théorie. Si Savage avait eu l'intention de vider dans le sien les comptes des Bermudes, pourquoi avoir combiné d'extorquer une augmentation de salaire à Barton Jr. ? Imaginait-il que le nouveau venu serait prêt à payer n'importe quel prix pour conserver un homme de son expérience ? N'y avait-il aucune limite à la rapacité humaine ? Deuxièmement, s'il avait voulu se débarrasser de moi, aurait-il pris le risque de signer de son nom le message qui m'attirait à la Merc ? Et détail mineur, comment Carl Savage se serait-il procuré l'arme du crime ?

CHAPITRE 24

Mon avion a atterri à O'Hare peu après 16 heures et j'ai foncé au bureau en taxi. Durant tout le trajet, j'ai retourné les choses dans ma tête pour la millième fois. Bart Hexter avait passé les derniers jours de sa vie à ricocher d'un conflit à l'autre. D'après Mrs. Titlebaum, il était d'une humeur massacrante son dernier vendredi au bureau, et tombait sur tout ce qui avait le malheur de croiser son chemin. Ce même après-midi, il avait appelé Ken Kurlander pour prendre un rendez-vous urgent — sans doute pour modifier son testament. La seule personne avec qui il n'avait pas eu d'accrochage fut Torey Lloyd, chez qui il se présenta même avec une bague de fiançailles. Mais le temps de rentrer chez lui à Lake Forest, il avait retrouvé la forme et le dîner de famille avait dégénéré en disputes et gros mots. Apparemment, il avait réussi à se contenir le samedi au golf, jusqu'au soir où il avait trouvé Krissy à quatre pattes dans le vestiaire avec son amant. La fille avait reçu sa raclée, puis il avait quitté la réception de méchante humeur, et seul. Dimanche matin, la cuisinière les avait entendus crier, Pamela et lui. Il était mort dans l'heure qui suivait.

Quels changements voulait-il introduire dans son testament ? Margot lui avait-elle annoncé, par hasard, qu'elle était enceinte ? Ou voulait-il redistribuer ses richesses pour y inclure Torey ? Ken Kurlander avait raison, hélas : Bart avait emporté son secret dans la tombe. Mais je ne pouvais pas m'empêcher de me poser des questions.

Le problème des retraits depuis les comptes offshore était encore plus troublant. Martindale m'avait confié que les derniers transferts étaient à l'ordre d'un nouveau compte, enregistré au nom du seul et mystérieux cosignataire. Les relevés montraient que le premier datait du même jour qu'un retrait en cash de 60 000 dollars. On pouvait raisonnablement en déduire que le cosignataire avait profité d'une de ses virées aux Bermudes pour ouvrir un compte séparé.

J'avais le sentiment que ces opérations s'étaient faites à l'insu d'Hexter. Ce qui expliquait que le dernier virement ait été annulé faute de fonds. Bart voulait évidemment récupérer ces 500 000 dollars pour l'échéance du condominium de Lake View Towers. Inversement, la personne qui puisait sur ce compte se serait bien doutée qu'il n'y avait plus assez d'argent pour couvrir la transaction. Bart, célèbre pour sa négligence à ouvrir et examiner ses relevés, s'était fié à sa mémoire qui lui semblait plus rigoureuse que la paperasse bancaire — certes, à condition que personne ne vienne vous voler dans la poche.

J'arrivai juste à temps pour croiser Cheryl qui partait. Elle me tendit mes messages et voulut bien appeler chez Hexter Commodities pour s'assurer qu'il y aurait encore quelqu'un pour m'accueillir. Je jetai un coup d'œil sur mon courrier et les téléphones : ça pouvait attendre.

J'attrapai mon imper et mon sac et filai.

J'arrivai sur place longtemps après la fermeture des marchés. Les bureaux étaient fermés. La réceptionniste m'attendait l'air boudeur, son manteau sur le bras.

— Barton Hexter m'a demandé de vous dire qu'il

ramène ses bébés de l'hôpital, fit-elle en rangeant ses affaires. Il sera là dès que possible. Vous êtes libre de faire ce que vous avez à faire.

— Mrs. Titlebaum est là ?

— Elle est déjà partie.

— Et Tim ?

— Non plus. Avez-vous encore besoin de moi ? C'est que, d'habitude, j'attrape le 17 h 40 pour Schaumburg...

— Il n'y a plus personne ? Loretta par exemple ?

— Non, vous êtes seule à bord jusqu'au retour de Barton.

J'ai traversé la salle de trading déserte pour atteindre le bureau de Bart Hexter. J'avais passé du temps à dépouiller les affaires du défunt, mais cette fois je cherchais quelque chose de précis — le code à neuf chiffres qui devait m'ouvrir les comptes offshore.

J'ai compulsé son carnet d'adresses et ses papiers, relevant toutes les combinaisons possibles. Son numéro de sécurité sociale paraissait prometteur — neuf chiffres. Je l'essaierais sur Martindale dès le lendemain.

Je passai dans le bureau de Mrs. Titlebaum, en tâchant de garder espoir. Hexter avait une mémoire photographique des nombres, il n'avait probablement jamais noté son code secret — mais il y avait une chance pour qu'il l'ait donné à sa secrétaire particulière. En farfouillant, je trouvai quelques indices dont deux numéros inscrits l'un à côté de l'autre sur une carte perforée. C'était sans doute son loto pour la semaine, mais tant pis.

Poursuivant mon chemin de croix vers le bureau de Tim, je me dis que je n'étais pas faite pour être détective. La patience me manquait. Et fouiner dans les affaires des autres me mettait mal à l'aise. J'avais l'impression d'être une voleuse. Et tandis que s'allongeait ma liste de numéros, je m'inquiétais de la réaction d'Edmond Martindale : combien de temps accepterait-il de jouer aux devinettes avec moi ?

En soupirant, je pris place au bureau de Tim. Tout le décor rappelait les couleurs bleu-blanc-rouge de l'équipe de base-ball des Cubs. Sur un coin de table, Tim avait scotché le calendrier des matchs pour la saison. Au fur et à mesure, il notait les scores dans la marge. Devant moi s'étalait tout un entraînement pour un championnat de rêve, dont Tim se fantasmait apparemment l'organisateur. J'ouvris le tiroir du milieu et commençai ma recherche. Je tombai en arrêt. Il y avait là, impeccablement alignées, un assortiment de pochettes d'allumettes — chacune d'un restaurant différent de l'île des Bermudes.

Je restai prostrée un moment devant ma propre idiotie. Les mots de l'inspecteur Ruskowski résonnaient à mes oreilles. Nous autres avocats — pourquoi faire simple quand on peut faire compliqué ? Bien sûr. Prenez ma cervelle, faites bouillir, réduisez en purée, et servez tiède avec du beurre ! Où avais-je la tête ? C'était Tim, l'homme de paille, qui faisait la tournée des Bermudes ! Tim, le neveu de confiance, qui gérait les comptes courants. J'avais soupçonné Savage, mais Tim était taillé pour le rôle. Savage aurait eu du mal à s'absenter du bureau sans se faire remarquer. Et puis, Tim, c'était la famille. Or, Hexter croyait aux vertus de la famille.

Que j'étais bête. La police avait bien dit que seul un proche pouvait avoir pris le revolver. Pour Elliott et moi, cela voulait dire sa femme et ses trois enfants. Mais Tim était son neveu. Mrs. Titlebaum m'avait même précisé que Tim allait tous les samedis chez Hexter déposer le bilan du trading de la semaine. Je n'avais pas été fichue d'ajouter 2 + 2. Samedi dernier, Bart et Pamela étaient partis au golf, et rien n'empêchait Tim d'avoir profité de leur absence pour se rendre à la maison, dérober les documents de Deodar dans la serviette d'Hexter, et prendre le revolver.

Cette nouvelle hypothèse expliquait tant de choses — la mauvaise humeur d'Hexter, sa volonté de changer son testament. Après avoir tenté de rapatrier de l'argent pour payer l'appartement, et découvert qu'on avait asséché son compte, on pouvait présumer qu'il déshériterait son neveu. Voilà aussi pourquoi Bart s'était tellement plaint, le vendredi soir, qu'on le poignardait dans le dos.

J'entendis le déclic de la serrure et vis tourner la poignée de la porte.

— Barton ? anticipai-je, excitée par ma découverte.

La porte s'ouvrit en grand.

— J'ai bien peur que non, annonça Tim d'une voix sourde.

— Votre secrétaire m'a dit que vous étiez aux Bermudes hier. Avez-vous fait bon voyage ? demanda-t-il en passant derrière moi.

Il s'assit sur le coin de son bureau, les yeux sur le tiroir encore ouvert devant moi. Il me dominait de sa masse. Il avait un couteau de chasse à la main.

Je ne répondis rien.

— J'espère que vous en avez profité, car c'est le dernier voyage que vous faites — enfin, l'avant-dernier.

— J'ai déjà appelé la police, mentis-je. Ils arrivent d'une minute à l'autre.

— Ça m'étonnerait, fit Tim d'un ton moqueur. Vous ne seriez pas en train de me bluffer, mademoiselle ? Une fois débarrassé de vous, j'aurai résolu tous mes problèmes.

— Vous vous trompez, dis-je, sentant la peur monter. Cela ne résoudra rien. Celui qui reprendra mes dossiers trouvera tout à jour. Vous feriez une grave erreur.

— Le temps qu'ils comprennent ce qui vous est arrivé, je serai déjà loin. Il y a toutes sortes d'endroits où un homme peut se cacher avec quatre millions de dollars — des endroits où il fait chaud, avec des palmiers. Je boirai mes piña coladas à la santé de votre cadavre.

— Je n'imaginais pas que vous seriez assez fou pour vous attaquer à Hexter. Et vous espériez vous en tirer ? demandai-je, passant à l'offensive. J'ai compris que vous étiez un loser quand vous m'avez attaquée à la Merc. Vous avez dû vous retrouver malin, à pisser le sang par la bouche.

— Ta gueule, connasse, siffla-t-il.

— Et vous êtes venu le tuer en vélo, continuai-je, un œil sur le couteau. Les journaux vont bien s'amuser avec ça. Vous savez que les flics ont relevé vos empreintes sur le bord de la route. Un meurtre de plus ou de moins n'y changera rien.

— Fermez-la, je vous dis.

— Vous avez tout gâché, Tim. Hexter vous avait demandé de répartir ses positions sur différents comptes, vous n'en avez même pas été capable ! Vous en avez trop attribué à Deodar, ce qui a déclenché la procédure de la CFTC. Je parie qu'Hexter vous a félicité ce jour-là, quand il a compris ce que votre négligence allait lui coûter. Mais ce n'était rien en comparaison de ce qui vous attendait, quand il a découvert que vous le voliez. C'était vraiment débile, Tim.

— Ça aurait pu marcher, hurla Tim, si cette salope de Torey n'avait pas réclamé l'appartement ! Bart ne regardait même pas ce qu'il recevait de la banque. Comment je pouvais deviner qu'il choisirait le seul compte qu'il n'avait jamais touché pour ce putain d'appart ?

— Vous l'avez donc assassiné.

— Il le méritait, ce salaud. Avant son accident, Papa est allé le voir pour le supplier de lui prêter de l'argent. Ses partenaires de jeu allaient lui péter les rotules. Mais mon oncle de merde a dit qu'il n'avait pas fait fortune en soutenant des losers...

— Mais pourquoi avoir pris cet argent ? Pour vous venger ?

— Pour me tirer d'ici, répondit-il, haletant. (Une décharge d'adrénaline me traversa tandis que je me préparais.) Vous imaginez que j'allais passer le reste de ma vie à me faire insulter, pendant que ses putains de gosses s'enrichissent ? C'est ça ou quoi ?!

— J'imagine que vous allez passer le reste de votre vie à l'ombre, espèce de loser, criai-je en me dressant contre lui, les deux mains agrippées à son poignet.

Nous avons lutté un moment, dans l'immobilité de forces contraires qui s'équilibrent. Je me concentrai sur la main au couteau, à distance de moi. Je ne l'ai pas vu décrocher la batte de base-ball sur le mur, avant qu'il soit trop tard.

Je revins à moi dans un espace confiné, recroquevillée en position fœtale. Mon crâne me faisait tant souffrir que je faillis vomir. En retrouvant peu à peu la conscience, force fut de constater que c'était déjà fait. Je tremblais misérablement, complètement perdue. J'essayai de m'asseoir mais me cognai la tête aussitôt. Je tâtonnai dans le noir le plus total.

La réalité de mon cauchemar m'arrivait par fragments. Je sentais contre ma peau une matière grossière et froide, comme un revêtement de sol. Il y avait du bruit aussi, un vrombissement constant. Je mis du temps à décider qu'il ne venait pas de ma tête contusionnée, mais d'une source extérieure.

Je n'avais pas la place de bouger. Paniquée, je tentai de me retourner dans ce boyau étroit. Je finis par comprendre que j'étais à l'intérieur de quelque chose, et que ce quelque chose était le coffre d'une voiture. Je tâtonnai à nouveau, luttant pour m'orienter. Deux pointes me rentraient dans les omoplates, que mes doigts hystériques identifièrent comme l'extrémité de deux câbles de batterie. Balayant l'obscurité de mes mains, je rencontrai le renflement familier de mon sac, une serviette qui sentait l'essence, et la manche de mon Burberry's, gluante de sang et de vomi.

— Tim ! hurlai-je. Eh, Tim, tu m'entends ?

— Qu'est-ce que tu veux, pouffiasse ? me parvint sa réponse étouffée.

— Où est-ce que vous m'emmenez ?

— Qu'est-ce que ça peut foutre ? De toute façon, vous n'en reviendrez pas.

— Me tuer ne vous avancera en rien ! Au contraire. La police redoublera ses recherches. Vous croyez vraiment que vous avez pu me sortir de la Bourse sans vous faire repérer ? Les flics sont déjà à nos trousses.

— On peut toujours rêver. Je vous ai fourrée dans un chariot recouvert de sacs postaux. Et personne n'est venu pour vous réclamer.

Soudain, la voiture ralentit et changea de direction. La route cahotait à présent. Nous roulâmes quelques minutes en silence. C'est pour bientôt, me dis-je, tâchant de garder le contrôle. Je savais que Tim allait arrêter la voiture, et qu'à ce moment-là, le couteau réapparaîtrait.

Il coupa le moteur et nous glissâmes jusqu'à l'arrêt. Je retins mon souffle ; le temps ne coulait plus. J'entendis la porte s'ouvrir. Tout le reste disparut, le bruit de ma respiration, l'odeur âcre de ma terreur — au profit d'une réalité autre.

Je m'étais tortillée dans mon habitacle de manière à me retrouver en chien de fusil : les genoux appuyés contre l'ouverture du coffre, la tête engoncée contre le dossier de la banquette arrière. Au moment du déclic, une prière m'a traversée : pourvu que le capot ne se mette pas en travers !

Je ne sais plus ce que Tim a dit quand il a ouvert le coffre. Je ne me souviens que de la lumière aveuglante qui tombait de la lune, et de l'impact au ralenti des balles qui déchirèrent une à une la poitrine de Tim Hexter. J'avais réussi à extraire de mon sac mon .38 automatique, bénissant mon père après avoir failli l'oublier.

J'avais prévu de tout décharger mais au troisième coup de feu, Tim tituba et s'écroula sur moi, mort. Je sentis la chaleur de son corps, le flot nauséeux de son sang qui pissait sur moi.

Soudain j'étouffai, je me mis à hurler. Après la violence du silence et de la concentration, une digue s'était rompue. Je me débattis, assoiffée d'air ; je repoussai violemment le cadavre loin de mon corps.

Je me suis éloignée en trébuchant. Mes jambes étaient paralysées par ce qui avait dû être des heures d'enfermement, et tremblaient tellement que le sol semblait monter à ma rencontre comme un bateau sur la houle. Ma main rencontra un appui rugueux : l'écorce d'un arbre.

Je me retins à deux mains et vomis mes tripes.

CHAPITRE 25

Quand je repense au meurtre de Bart Hexter, le film commence toujours avec notre rendez-vous avorté du dimanche matin, pour finir sur les trois balles qui déchiquettent le torse de Tim Hexter. Voilà où se termine l'histoire dans ma tête, dans mes rêves, dans mes cauchemars. Bien évidemment, je n'en avais pas fini pour autant. Les événements se prolongèrent des heures et des jours — macabres, pesants, avec des éclairs burlesques.

Je mis un moment à me convaincre de retourner à la voiture. Je n'avais pas le choix. Il faisait nuit. Je ne savais pas où j'étais. J'étais couverte de sang. J'avais vomi sur mes chaussures.

Je fis le tour de la voiture. Les clés n'étaient pas sur le contact. Je retournai à l'arrière : le verrou était vide. Tim était tombé la tête la première dans le coffre, ses jambes pendaient au-dehors. C'était grotesque. Je détournai les yeux et me mis à chercher à quatre pattes dans l'herbe, avec l'espoir que les clés lui avaient échappé dans sa chute. Pas de chance non plus.

Prenant mon courage à deux mains, je me suis forcée à fouiller ses poches jusqu'à ce que je les trouve enfin. Ensuite, sans m'accorder le droit d'y penser, je repliai ses jambes inertes dans le coffre et claquai le capot — comme il avait dû le faire pour moi.

Je me mis au volant et continuai la route jusqu'à une station-service. Là, sous les yeux ébahis d'un garagiste adolescent, j'appelai la police et avertis le standard que j'avais un cadavre dans le coffre.

Je ne me sentais pas bien du tout. La tête me tournait; j'étais frigorifiée et j'avais l'impression qu'une myriade de papillons me dansaient dans l'estomac. En quelques minutes, les flics étaient partout. Ceux du commissariat, de la police routière, les voitures de patrouille, les paramédicaux. Chacun semblait vouloir prendre part à la fête.

Ils m'emmenèrent au commissariat où j'utilisai l'appel auquel j'avais droit pour Stephen. Je ne sais pas bien analyser mes sentiments pour lui, mais quand Russell agonisait sur son lit de mort, c'est Stephen qui m'empêcha de devenir folle. C'est lui qui nous tint par la main sur la route la plus noire que j'espère jamais avoir à parcourir. Dans le besoin d'une amitié indéfectible, je savais que je le trouverais.

Tout le reste est flou. Il y eut des inspecteurs, des médecins, la police judiciaire. Au début, ils ne savaient pas si j'étais une tueuse lâchée dans la nature, ou une victime qui s'était défendue avec bravoure. J'eus droit à l'un et l'autre traitement. J'ai essayé d'expliquer toute l'affaire, mais c'était si compliqué que j'ai fini par devenir hystérique. Après avoir raconté mon histoire une demi-douzaine de fois, Ruskowski s'est pointé et j'ai dû tout recommencer.

Il était presque 4 heures du matin quand ils consentirent à me relâcher. Stephen m'attendait, seul sur une chaise pliante dans le hall d'entrée. J'étais si heureuse de le voir que mes jambes flageolèrent.

— Il paraît que tu as besoin d'un chauffeur pour rentrer chez toi? me dit-il presque en s'excusant. Veux-tu que nous parlions?

Je contemplai son beau visage et une immense fatigue m'envahit. Dès demain matin, il faudrait que j'appelle Elliott pour lui dire tout ce qui s'était passé. Mais là, je ne savais pas par où commencer.

— Non, répondis-je avec reconnaissance. Pas maintenant.

Du même auteur :

LE PRÉDATEUR, *roman*, traduit de l'américain par Juliette Hoffenberg, « Grand Format », Grasset, 1995.
LA SALE AFFAIRE, *roman*, traduit de l'américain par Juliette Hoffenberg, « Grand Format », Grasset, 1997.

Composition réalisée par INTERLIGNE

IMPRIMÉ EN FRANCE PAR BRODARD ET TAUPIN
Usine de La Flèche (Sarthe).
LIBRAIRIE GÉNÉRALE FRANÇAISE - 43, quai de Grenelle - 75015 Paris.
ISBN : 2-253-17049-6 31/7049/5